Библиотека проекта Бориса Акунина
«ИСТОРИЯ РОССИЙСКОГО ГОСУДАРСТВА»

ГОЛОСА ВРЕМЕНИ

от истоков
до монгольского нашествия

АСТ
Москва

УДК 821.161.1-311.6
ББК 84(2Рос=Рус)6-44
Г61

**Библиотека проекта Бориса Акунина
«История Российского государства» издается с 2014 года**

Оформление обложки — *Яна Половцева*

В оформлении использованы иллюстрации, предоставленные агентствами
Fotobank, Shutterstock, РИА Новости и свободных источников

Г61   Голоса времени. От истоков до монгольского нашествия: [сборник,
перевод с древнерусского]. — Москва: АСТ, 2015. — 288 с. — (Библиотека
проекта Б. Акунина «История Российского государства»).

ISBN 978-5-17-089256-3

Библиотека проекта «История Российского Государства» — это рекомендованные Борисом Акуниным лучшие памятники исторической литературы, в которых отражена биография нашей страны, от самых ее истоков.

Книга, которую вы держите в руках, позволяет услышать живые голоса «домонгольской» эпохи — не далеких от суеты книжников-летописцев, а поэтов, мыслителей, проповедников и законотворцев. Взволнованную речь образованного и нравственного политика митрополита Илариона — в «Слове о Законе и Благодати». Классическую средневековую беседу многоопытного человека с потомками — в составленном дьяконом Иоанном «Изборнике 1076 года» и «Поучении» Владимира Мономаха. Человек XXI века оценит лиричность «Сказания о Борисе и Глебе», афористичность и «скоморошье балагурство» «Слова Даниила Заточника» — шедевра эпистолярного жанра, — прекрасный лаконичный язык «Русской правды» — ценнейшего свидетельства русской юридической мысли. Психологизм «Повести об убиении Андрея Боголюбского» заставляет переосмыслить жанр житий, а сюжет «Пряди об Эймунде» — сравнить трактовки одних и тех же событий монастырскими книжниками и слагателями западных светских саг. И особенно знакомо звучит голос самого загадочного и знаменитого анонима Древней Руси — автора «Слова о полку Игореве».

УДК 821.161.1-311.6
ББК 84(2Рос=Рус)6-44

Митрополит Иларион
СЛОВО О ЗАКОНЕ И БЛАГОДАТИ

Предисловие и перевод
В.Я. Дерягина

Комментарии
В.Я. Дерягин, А.К. Светозарский

Митрополит Иларион. Жизнь и «Слово»

В «Повести временных лет» под 1051 годом читаем: «Поставил Ярослав Лариона митрополитом, русина, в Святой Софии, собрав епископов». За краткой этой записью стоит событие чрезвычайное в истории Древней Руси. Всего за шестьдесят три года до этого, в 988 году, отец Ярослава, киевский князь Владимир Святославич, сам принял христианство и повелел креститься киевлянам, или «просветил всю землю Русскую», как говорили о нем современники и потомки. Крестили князя и киевлян, по свидетельству летописца, греческие священники, привезенные Владимиром из Корсуня вместе с женой, византийской царевной. Все киевские митрополиты со времени основания на Руси митрополии были греками. Только патриарх Константинопольский мог направить в Киев митрополита. Ярослав Владимирович нарушил этот обязательный пункт церковного устава.

Избрание своего собственного патриарха, русского по происхождению, не просто означало попытку Ярослава утвердить самостоятельность Русской Церкви, но было также одним из проявлений общего политического и культурного подъема Руси к середине XI века. За время правления Святослава, Владимира и Ярослава Киевская держава расширила свои пределы и укрепила рубежи, на Руси было основано множество городов, украшенных великолепными храмами, развились законодательная деятельность, школьное образование, книжное дело.

Избрание русина Илариона митрополитом киевским означало и признание заслуг выдающегося церковного деятеля и политика, законодателя, философа, проповедника и литератора. В той же записи 1051 года составитель «Повести временных лет» рассказывает, «чего ради прозвася Печерский монастырь». А рассказ начинается с того, что князь Ярослав любил село Берестово и церковь Святых апостолов, которая была там. Церковь в Берестове, перестроенная в первой четверти XII века на том самом месте, где она была во времена Ярослава, — Спаса на Берестове, — и поныне служит одним из украшений Киева. Она находится рядом с Киево-Печер-

Святой Иларион,
митрополит Киевский. Икона XI в.

5

ской Лаврой, в центре Киева, а в XI веке село Берестово было загородной резиденцией князя. Во времена Ярослава, рассказывает летопись, среди священников церкви в Берестове был один именем Ларион, «муж благ, и книжник, и постник». Летописец скуп на эпитеты в характеристике этого великого человека.

Из Берестова благочестивый священник, презвутер Иларион часто ходил на берег Днепра, где был тогда «лес великий», и здесь он молился в уединении, выкопав для себя «печерку малу», двусаженную. «Движимый промыслом Божьим», эту пещерку найдет потом Антоний, первый игумен Киево-Печерского монастыря, от нее и начнется знаменитая обитель, ставшая уже в XI веке центром летописания, книжности, просвещения, своеобразной Академией и Университетом Древней Руси. Распространение печерских монастырей на Руси от Пскова до Нижнего Новгорода — не случайность, а закономерное следствие авторитета первой печерской обители в Киеве.

Начало русского печерского иночества было не единственным благим делом Илариона. В преамбуле церковного Устава Ярослава прямо указано, что князь этот Устав «сгадал с митрополитом своим Ларионом». Еще Устав Владимира, первый на Руси «закон о Церкви», заложил основу ее материального существования. Владимиром ей дарована была «десятина» от всех доходов в государстве. Устав Владимира определил и правовую независимость Церкви — представителей зарождающегося сословия князь освободил от светского суда. По форме Устав Владимира представлял собою грамоту, Устав Ярослава — свод законов.

Вряд ли можно сомневаться в том, что Иларион принимал самое активное участие в составлении Правды Русской, первого дошедшего до нас свода законов Древней Руси. В старшей части этого свода, которая называется Правдой Ярослава, имеются очевидные текстовые схождения с церковным Уставом Ярослава.

Идеология отражается в терминах. Историк русского права не может не обратить внимания на то, что в дошедших до нас дохристианских юридических документах, договорах русских князей с греками 911 и 944 годов многократно упоминается «закон русский», «закон греческий», а в Правде Русской термина *закон* нет вообще — только «правда» и «суд». Термин *закон* ушел из светского законодательства Руси на несколько столетий, почти до Петра, — его нет в судебниках и ранних уставных грамотах. Само слово, конечно, из языка не исчезло, оно сохранялось как термин богословия и церковного строительства: Закон и Завет в православной литературе часто выступают как синонимы, «Закон судный людям» был широко известным на Руси сводом внутрицерковных установлений. Идеологическое объяснение этому языковому факту — исчезновению из светской юридической терминологии слова *закон* — находим только в «Слове о Законе и Благодати» Илариона. *Закон* — не православное слово.

Византия так и не признала «самозванного» митрополита. Вскоре после смерти Ярослава в Новгородской первой летописи упоминается уже киевский митрополит грек Ефрем. О судьбе Илариона после настолования Ефрема точно ничего не известно. Есть предположение, что Иларион был пострижен в Киево-Печерском монастыре и принял монашеское имя Никон, что именно он был составителем Киевского летописного свода 1073 года и автором погодных летописных записей после 1054 года.

Митрополит Иларион. СЛОВО О ЗАКОНЕ И БЛАГОДАТИ

Это все-таки предположение, но несомненным благим делом Илариона и князя Ярослава, духовником которого был Иларион, надо считать установление на Руси совершенно особого отношения светской и духовной власти: на Руси Церковь не подчинялась полностью государю, как патриархия подчинялась императору в Царь-граде, и не соперничала со светской властью, как папская церковь в Западной Европе. Православная Церковь на Руси стала вассалом и духовником государства одновременно. Как был духовником и соратником Ярослава Иларион, так стал впоследствии вдохновителем победы Дмитрия Ивановича Преподобный Сергий. Для великих государственных мужей Руси, во все времена переступавших формальное, наставниками и соратниками делались те лучшие представители Церкви, у которых христианское и народное не существовало отдельно, но было слито в идею, обретшую со временем свое имя — Святая Русь. И в XVI–XVII вв., особенно в Смутное время, эта идея воплотилась в деятельности первых русских патриархов. Она же воплощена в типично русском явлении — соборности, истоки которого, судя по «Слову» Илариона, мы видим в деятельности Владимира. Лишь Петр I упразднением патриаршества и введением Правительственного Синода разрушил традиционные отношения Церкви и государства в России. Впрочем, основательно они были подорваны уже реформами Никона и расколом.

С Никона прервалась и традиция древнерусской книжности. Прервалась искусственно, не поддержанная книгопечатанием и образованием. Печатались лишь «правленые» книги, а книжная традиция Древней Руси лишь теплилась в гонимых официальной Церковью и государством старообрядческих общинах.

В результате многие замечательные произведения древнерусской литературы, имевшие мощную традицию бытования вплоть до XVII века, русская наука заново «открывала» уже в XIX веке. Некоторые имена еще раз, едва ли не заново, мы «открываем» в конце XX века. К числу таких имен относится имя Илариона.

Главное произведение Илариона — «Слово о Законе и Благодати», несомненно ему принадлежат «Молитва» и «Исповедание веры», в исследованиях специалистов высказывались предположения о том, что Иларион был автором еще ряда произведений. «Слово», или, как сам Иларион его называет, «Повесть» — первое дошедшее до нас авторское произведение древнерусской литературы. Оно представляет собой праздничную пасхальную проповедь. По всей вероятности, эта проповедь была произнесена 26 марта 1049 года, именно в этом году праздник Пасхи совпал с праздником Благовещения. Пасхальные мотивы, основные в проповеди Илариона, дополнены в ней прямым упоминанием Благовещения, и это совпадение усилило как философскую, так и историческую идею «Слова».

Основные темы обозначены в обычном для писателей той поры пространном заглавии проповеди: превосходство христианства над иудаизмом и язычеством, Благодати над Законом и «идольской лестью»; победа и распространение живительного христианского учения среди «новых» народов, бывших язычников, прежде всего — в народе русском; похвала князю Владимиру Крестителю и сыну его Ярославу Мудрому, прославление рода славных князей киевских, Руси и стольного города Киева.

«Слово» обращено к собору единоверных, к тем, кто «преизлиха (преизобильно) насытился сладостью книжной». Проповедник не дерзает возвыситься над ними, но зовет к единомыслию. Единомышленником его был князь, о котором в «Повести временных лет» говорится: «любил Ярослав церковные уставы... и книги любил, читая их часто и ночью и днем. И собрал писцов многих, и переводили они с греческого на славянский язык. И написали они книг множество, ими же поучаются верующие люди и наслаждаются учением Божественным... Велика ведь бывает польза от учения книжного; книгами наставляемы и поучаемы на путь покаяния, ибо от слов книжных обретаем мудрость и воздержание. Это ведь реки, напояющие вселенную, это источники мудрости; в книгах ведь неизмеримая глубина; ими мы в печали утешаемся; они — узда воздержания». Во времена Ярослава и Илариона книги — это прежде всего Библия, книги Ветхого и Нового Заветов, иные богослужебные книги.

Глубине книжных познаний князя и его окружения вполне соответствует и сама проповедь Илариона, демонстрирующего блестящее знание Ветхого и Нового Заветов, исторической, богословской, проповеднической литературной традиции Византии и Славии. При этом произведение Илариона построено вполне оригинально. Исследователи отмечают, что ему нет аналогий в византийской проповеднической литературе. Иларион опровергает активно внедряемую в последние годы теорию «анонимности древнерусской литературы». Эта теория явно списана с историй литератур западноевропейских: французская, немецкая, английская литературы действительно начинались с записей и обработки произведений устного народного творчества. Только в том случае, когда нашу литературу начинают со «Слова о полку Игореве», она может быть подогнана, да и то с трудом, под европейский шаблон «анонимности». Если же все-таки начинать с начала, то нельзя не увидеть замечательное авторское сочинение, созданное на полтора столетия раньше героической поэмы неизвестного автора.

Произведение Илариона — церковная проповедь, но вместе с тем это не отвлеченное мудрствование далекого от жизни книжника и богослова. Это взволнованная речь высокообразованного и нравственного политика. На содержание, логику доказательств и всю систему образов оказывают влияние время и место ее произнесения. Время и место конкретны.

Философская тема проповеди решена с использованием сопоставления ветхозаветных образов Агари и Сарры, Измаила и Исаака. В славянской проповеднической традиции этот мотив представлен уже в «Речи» Философа, вошедшей в «Повесть временных лет» под 986 годом и составившей важнейшую часть рассказа о выборе веры Владимиром. Существует предположение, и весьма основательное, о принадлежности «Речи» Константину Философу, тогда она может быть датирована 860 годом. Иларион блестяще разворачивает сопоставление свободной Сарры с сыном ее Исааком и рабыни Агари с ее сыном Измаилом, вводя в него антитезу иудаизм — христианство, Закон — Благодать.

Антитеза рабского Закона и свободной Благодати предстает у Илариона в предопределении, в образном осмыслении, и в реальной истории. Старший брат Измаил, сын рабыни, обижает истинного наследника Авраама, сына свободной, и за это отогнана была Агарь, рабыня, вместе с сыном ее Измаилом: «не может наследовать сын рабыни, лишь сын сво-

Митрополит Иларион. СЛОВО О ЗАКОНЕ И БЛАГОДАТИ

бодной». Закон дан Моисеем избранному народу «на предуготовление истине и Благодати»; Благодать, то есть Христос, таится до времени: прежде приходит Закон, потом — Благодать. И это проповедник подтверждает, то есть это дано в предопределении: Иаков благословил старшего своего внука Манассию левой рукой, а младшего Ефрема — правой, и брат меньший больше старшего стал. Так же иудейский Закон, хотя и прежде стал, но «вознесся в малом и отошел», а вера христианская, после придя, «первейшей стала и распространилась на множество языков».

Идеологически Закону противостоит Вера и вместе с нею Правда. Отсюда и в светском законодательстве Правда Русская пришла на смену дохристианскому Закону Русскому, ведь Правда — «суд справедливый», «суд правый» (правосудие), истинный, «прямой»: исконное значение слов *правый* и *править* — «прямой» и «прямить, делать прямым». Все это отложилось в языке, в многочисленных книжно-литературных и народно-разговорных фразеологизмах и терминах: правда — истина, править службу, правое дело и др., богатейший материал собран в статье *правый* Словаря В.И. Даля.

В чем, по Илариону, состоит философия священной истории? Старейшины Иерусалима «радели о земном», заняты были самоутверждением, или «оправданием», по традиционной терминологии Православия. А оно «скупо от зависти», не простирается на другие народы. В самом Иерусалиме, где жили вместе и иудеи и христиане, «крещение благодатное терпело обиды от обрезания законного»; «даже не принимала в Иерусалиме христианская церковь епископа не обрезанного, потому что старейшины были из обрезанных». Подобно Измаилу, что обижал Исаака, иудеи творили насилие над христианами, «рожденные в рабстве — над сынами свободными», было между ними много распрей и ссор. Пленение Иерусалима римлянами и рассеяние иудеев стало заслуженной карой за неприятие учения Христа, Благодати: «да не вкупе злое пребывает».

Нравственное величие Христа, Благодати, раскрыто в наиболее поэтических строках «Слова» — повествовании о Богочеловеке, явившемся людям не привидением, но Богом и человеком одновременно. Земной жизни Христа посвящает Иларион истинную поэму, в нашем тексте — с 241-й строки по 300-ю. Исследователи видят в этом отрывке точное воспроизведение росписей Софии Киевской, храма, в котором и звучала проповедь. И трудно сомневаться в этом, настолько картинно, сказали бы мы, живописует проповедник. Место, повторю, и время Илариона конкретны. Философия для Илариона — мудрость, проявившаяся в жизни во всей ее совокупности.

А «ветхое», то есть «старое» иудейство киевскому священнику известно не только по историческим сочинениям об иудейской войне и пленении Иерусалима (капитальный труд Иосифа Флавия в славянском переводе появился именно в XI веке). В памяти киевлян, потомков поднепровских полян, живы еще воспоминания об ужасах хазарского ига. С господством иудеев-хазар, с тяжкой данью и разорительными для Руси набегами покончил отец Владимира князь Святослав: «и Закона озеро пересохло, евангельский же источник наводнился». Это историческое совпадение — разгром Хазарского каганата и скорое вслед за этим принятие Русью христианства для Илариона глубоко символично: «Не вливают ведь, по слову Господню, вина нового учения благодетельного в мехи ветхие, обветшавшие в иудействе». Хазарский титул *каган* — «государь, правитель» по праву переходит к киевскому князю.

Превосходство христианства над иудаизмом, по мнению Илариона, состоит в том, что христианство утверждает равенство народов перед Богом. Закон был дан одному народу, Благодать и истина — спасение всему миру, ибо «благо и щедро простирается на все края земные». И человечество, приняв Христа, уже не теснится в Законе, «а в Благодати свободно ходит».

Безнравственность ограничений в просвещении народов, равенство народов перед Богом впервые в славянской проповеднической традиции провозгласил Константин Философ. На диспуте в Венеции, почти за двести лет до Илариона, он отверг западнохристианскую «ересь триязычия», сторонники которой утверждали, что с Богом можно говорить только на трех языках: еврейском, греческом и латыни. «Не идет ли, — говорил Константин, — дождь от Бога равно на всех, не сияет ли для всех солнце, не равно ли все мы вдыхаем воздух? Как же вы не стыдитесь лишь три языка признавать, а прочим всем народам и племенам велите быть слепыми и глухими?»

Для Константина Философа идея равенства народов перед Богом означала духовную свободу Западной Славии от влияния немецких священников, признававших богослужение только на латыни. Для моравлян, блатенских и повисленских славян, среди которых проповедовали Константин и Мефодий, просвещение по-славянски означало противостояние германской экспансии, экономическому и политическому закабалению славян. Позднейшая история явила примеры насильственной ассимиляции ряда балтийских и западнославянских племен, попавших под пяту германцев.

Для Илариона торжество христианской веры означало духовное освобождение от мрака многобожия, разъединявшего единое славянское племя. Для киевлян — освобождение от «ночной стужи» хазарского нашествия, скупо обрисованного в летописи: «И наидоша я козаре, ...и сказали козаре: Платите нам дань». Для народов, населявших обширные пространства Русской равнины, христианство, принятое Русью, означало свободное развитие в пределах Русского государства. Здесь история явила потом русича Стефана Пермского, создателя пермской азбуки, подвиги позднейших русских просветителей.

Что бы ни говорили недоброжелатели России в прошлом, теперь и в будущем, но под крылом Российской империи даже самые малые народы сохранили свою самобытность, веру и культуру. А русское «имперское мышление» зародилось еще во времена расцвета Древнерусского государства. Лишь очень низкий уровень положительного знания Русской истории позволяет лукавым политикам и крикливым журналистам внушать обществу отрицательное отношение к понятию «империя» вообще. Ведь Киевская держава и наследница ее — империя Российская многими принципиальными чертами отличались от империй европейских: не было у нас рабства ни в античном, ни в американском вариантах, не было кровавых крестовых походов, никогда не проводилась политика насильственной ассимиляции. Русская идея никогда не была основана на чистоте крови.

Митрополит Иларион. СЛОВО О ЗАКОНЕ И БЛАГОДАТИ

Приход «веры благодатной» преобразил Русскую землю: «уж не капище сатанинское городим, но Христовы церкви зиждем». К раскрытию нравственного и культурного преображения народа русского Иларионом привлечена цепь цитат и образов из самой сильной по эмоциональному накалу библейской книги — пророка Исайи. Мощный талант ритора проявляется в этой части проповеди в сопоставлении прошлого и настоящего: «Когда мы были слепыми, а истинного света не видели, но в лести идольской блуждали, к тому же и глухи были к спасительному учению (известно, что сын христианки Ольги Святослав отказался принять крещение, "опасаясь насмешек" своих дружинников), помиловал нас Бог — и воссиял и в нас свет разума...»

И снова — предопределение, образное осмысление, и история, только здесь, в «Похвале Владимиру», история — не только прошлое, но и настоящее. Все пророки пророчествуют, особо — Исайя, и — свершилось. Н.М. Карамзин, по представлениям своего времени, назвал «Слово» Илариона «Житием святого Владимира». Иларион не писал житие, но, по справедливому определению современных исследователей, «делал заявку» на канонизацию «кагана нашего», равняя его деяния с подвигами апостолов-крестителей. Подобно тому, как хвалит Римская страна Петра и Павла, Азия и Эфес, и Павм — Иоанна Богослова, Индия — Фому, Египет — Марка, «похвалим же и мы, по силе нашей, малыми похвалами великое и дивное сотворившего...» Учитель и наставник, «великий каган земли нашей» славен происхождением — он сын Святослава и «старого» Игоря. Достойный святости продолжает род князей, мужеством и храбростью прославившихся в странах многих. Отступая от житийного канона, от канона обычной «похвалы» святому, Иларион не хвалит нравственные добродетели предков Владимира, ведь они были язычниками, он воспевает их воинские доблести в отстаивании независимости Руси: «не в худой и в неведомой земле владычествовали, но в Русской, что ведома и слышима всеми четырьмя концами земли».

Особое место в славном роде князей русских принадлежит бабке Владимира Ольге, первой принявшей христианство. Мудрость Ольги подчеркивает проповедник.

Утверждение единства и преемственности в истории Руси у Илариона вполне согласуется с известной историко-культурной преемственностью между древним славянским язычеством и русским Православием. Это проявилось прежде всего в особом почитании Богоматери, в представлении христианства солнечным светом и живительной влагой. Важнейшие поэтические противопоставления в «Слове»: солнце — луна; ясный свет солнца — тусклый свет свечи; день — ночь; тепло — стужа; влага, источник — сушь... Не случайно совпадение самых больших в Русской Православной Церкви праздников со старыми праздниками языческого славянского земледельческого календаря.

Владимир, достойный продолжатель славного и благородного рода, «землю свою пас правдою, мужеством и смыслом». Что побудило его принять христианство? Хотя наслышан он был о «благоверной земле греческой», но решение Владимира Иларион приписывает единственно его разуму. Это ли не «заявка» на независимость Русской Церкви от Византии? Ведь всего через два года Илариона изберут (!) митрополитом епископы, собравшиеся со всей Русской земли.

БИБЛИОТЕКА ПРОЕКТА БОРИСА АКУНИНА

Имя, принятое князем при крещении — Василий, то есть «царственный». Имя достойно его государственных и военных деяний, его нравственного подвига — крещения земли Русской. В этом он равен апостолам, равен Константину Великому, принесшему с матерью своей Еленой крест из Иерусалима. Владимир, вместе с бабкой своей Ольгой, тоже будто бы «принесли крест из второго Иерусалима, из Константина града» — приняли крещение от византийских священников. Идея Киева, «третьего Иерусалима», таким образом, предшествует формуле «Москва — третий Рим», она типична для средневекового мышления. Владимир даже выше апостолов тем, что принял учение, хотя не видел Христа, не слышал его проповедей, не наблюдал чудес, творимых Христом и святыми.

Похвала Владимиру, князю-апостолу, находится в полной гармонии с гимном Богочеловеку, органически из него вытекает. И в этом одно из проявлений творческого начала философии Илариона, близкой по своему духу раннехристианской философии той эпохи, когда создавались легенды об апостолах.

В «Слове» Илариона — истоки легенды о Владимире, развернутой и утвердившейся в русском героическом эпосе — в былинах киевского цикла. Действительно, даже сам эпитет Владимира «Красное Солнышко» не ведет ли начало из образа воссиявшего солнца, означавшего победу над «ночной стужей» — приход Благодати на землю Русскую? Благодать во плоти сошла на землю как Бог и как человек; Владимир вышел из купели, «сыном став нетления, сыном воскрешения»; крещение Руси у Илариона — осуществленная Благодать: «слово евангельское землю нашу осияло». Сам Владимир Креститель — «друг правде, смыслу вместилище, милости гнездо».

Таким образом, «Слово» Илариона и создавало идеальный «временной остров» русских былин, «былинное время». Для него самого это, конечно, не остров в далеком прошлом, а настоящее и будущее, ведь Георгий — Ярослав, стоявший со своей семьей перед проповедником в храме, достойно продолжал дело своего отца. Для Илариона Благодать навечно осияла Русскую землю; «островом» время Владимира и Ярослава стало потом, когда былинная традиция ушла на Север, гонимая от Киева историческими невзгодами.

Преемственность в добрых делах — главное достоинство Ярослава: «Его ведь сотворил Господь наместником тебе, твоему владычеству, — говорит Иларион, обращаясь к Владимиру, — не рушащим твоих уставов, но утверждающим, не умаляющим твоего благоверия сокровищ, но более их умножающим, не говорящим, но свершающим, что недокончено тобою, кончающим...»

Как не славить Владимира и Ярослава в Киеве, в храме Софии? Ярослав построил «дом Божий великий Его святой Премудрости», то есть построил Софийский собор, украсив грандиозный, величественный храм золотом, серебром и дорогими камнями. Другой такой церкви, восклицает Иларион, «не сыщется во всем полуночье земном». Великолепие собора поражало современников. София венчала храмовое строительство в Киеве, начатое Владимиром с построения Десятинной церкви. В Десятинной церкви покоился прах Владимира, сюда были перенесены и здесь захоронены в 1044 году останки братьев Владимира. Летописец свидетельствует: «Выкопали из могилы двух князей, Ярополка и

Митрополит Иларион. СЛОВО О ЗАКОНЕ И БЛАГОДАТИ

Олега, сыновей Святослава, и окрестили кости их и положили в церкви святой Богородицы». Столь необычным способом продолжалось при Ярославе крещение представителей княжеского рода, начатое добровольным совершением таинства Ольгой и Владимиром. При Ярославе киевские князья, даже ушедшие из жизни, не могли быть вне Церкви.

Ярослав заложил Софийский собор в 1017 году, то есть вскоре после вступления на великокняжеский престол. А посетивший Русь еще при Владимире епископ из Мерзебурга, что в Саксонии, Титмар насчитал в Киеве 400 храмов. «Хроника» Титмара написана в 1012—1018 гг. Четыреста церквей было построено за четверть века в одном лишь Киеве!

А сколько было написано книг? Можно и посчитать, если учесть, что каждая церковь для службы должна иметь не менее восьми или десяти книг. И к числу служебных прибавить книги, предназначенные для внецерковного чтения, их тоже было немало, даже если судить по тем образцам, что сохранились до наших дней, книг разнообразных по содержанию исторических сочинений, сборников притч, энциклопедий, житий.

Если учесть, что столица снабжала книгами провинцию, где храмовое строительство шло не меньшими темпами, то сколько же было в Киеве книжников — переводчиков, писцов, художников, украшавших книги миниатюрами и орнаментом? Ведь книги тиражировались вручную, на переписывание каждого экземпляра уходили месяцы, а то и годы. Сколько было зодчих, резчиков, иконописцев? Литературный гигант Иларион вырос в развитой культурной среде, он был представителем традиции, лишь в малой своей части нам известной.

До нас дошло более пятидесяти списков «Слова» Илариона — русских и южнославянских. Это означает, что проповедь читали и переписывали на протяжении шести с половиной веков. Цитаты из нее исследователи обнаруживают в сочинениях сербского писателя XIII века Доментиана, в Волынской летописи, в «Похвале Леонтию Ростовскому». Влияние Илариона прослеживается в произведениях митрополита Даниила, в XVI веке, в XVII веке на него ссылаются украинские писатели Хома Евлевич и Касьян Сакович.

Только в XVIII веке об Иларионе «забыли». Вспомнили через столетие. Ссылались на «Слово» Илариона А.Н. Оленин в 1806 году и Н.М. Карамзин в 1816 году, а впервые издано оно было только в 1844 году А.В. Горским. Однако и позже с текстом его был знаком лишь узкий круг специалистов. Издавались отдельные списки, отрывки из «Слова» печатались в хрестоматиях.

На современном научном уровне по отдельным спискам Илариона издали Л. Мюллер в 1962 году в ФРГ, Н. Розов в 1963 году в Чехословакии; только в 1984 году в Киеве вышло подготовленное А.М. Молдаваном издание «Слова» по всем основным спискам и редакциям.

Произведения Илариона предназначались для публичного произнесения специально для церковного богослужения.

Эстетическое совершенство православного богослужения отмечено было еще боярами Владимира, ездившими по велению князя в Константинополь с целью «испытания вер». Побывав там на службе, вернулись они потрясенными: «не на земле были, но на небе».

В этом действе, пришедшем и на Русь при Владимире, православном богослужении, с пением церковных гимнов органически сочетались молитвы, чтение отдельных стихов из Евангелия, проложные сказания, проповеди. Все тексты, ритмически организованные, произносились «нараспев». Отсюда вошедшее в язык сочетание «петь молитвы», отсюда и в народное творчество вошла внецерковная проповедь — распевный духовный стих, как, например, древнейшая «голубиная книга».

Приступая к подготовке самого древнерусского текста и перевода проповеди Илариона, следовало прежде всего воссоздать стиховую строку текста. Ключ к ней дал сам Иларион: основной ритмический рисунок текста отражен в расстановке знаков препинания в наиболее авторитетном списке сочинений Илариона, хранящемся в Государственном Историческом музее (С — 491). Знаки расставлены примерно так же «правильно» и в других списках всех редакций «Слова». Местами идеальный ритм налицо, например, в строках 241—282 и других местах проповеди. Почти в каждой строке реконструированного текста оказалось сказуемое, основное, выраженное глаголом, или второстепенное — причастием. «Глагольность» произведений Илариона поразительна. Но проповедь таила в себе еще одно удивительное свойство — почти вся она разделилась по смыслу и ритмическому рисунку на части (строфы), в каждой из которой оказалось по 60 строк.

Хотя произведения Илариона дошли до нас в значительном числе списков, однако и самые ранние, относящиеся к XV веку, отделены от оригинала четырьмя столетиями, в течение которых тексты переписывались и подвергались редактированию. В нашей публикации сделана попытка восстановить орфографию первоначального текста первой редакции «Слова». Дело в том, что дошедшие до нас оригинальные памятники XI—XIII веков, такие, как Остромирово евангелие 1056—1057 годов, Архангельское 1092 года и другие, ближе к живой древнерусской речи в передаче ее звукового строя и грамматической системы, чем книги XV—XVI веков любого содержания. В XV—XVI столетиях русский письменный язык пережил эпоху архаизации, намеренно и довольно последовательно тексты правились по «древним образцам» — книгам кирилло-мефодиевской южнославянской традиции. Эти напластования и «сняты» в реконструированном тексте. Но только в фонетике и грамматике, собственно морфологии, лексика списка ГИМ С — 491 сохранена в нем без каких-либо изменений.

Практика изданий и переводов с древнерусского языка на современный знает лишь поэтические переводы и переложения «Слова о полку Игореве». Даже не предпринимались попытки подойти к другим произведениям нашей древней литературы с тех же позиций, с каких в свое время первым подошел к «Слову о полку Игореве» В.А. Жуковский.

«Слово о полку Игореве» в современном восприятии — это, безусловно, и сам древнерусский текст, и многочисленные его переложения, часть из которых выполнена талантливейшими поэтами XIX—XX веков. Но почему же счастливой оказалась судьба только этого произведения? Ведь на ритмическую организованность текстов древних житий, сказаний, проповедей обращали внимание серьезные филологи. Она лежит на поверхности в «моравских» житиях Кирилла и Мефодия, в «Речи» Философа, у Илариона и во многих, многих других произведениях. Богатейшая древнерусская литература ждет настоящих поэтов-переводчиков.

Слово о Законе и Благодати

О Законе, Моисеем данном,
и о Благодати и истине
 в Иисусе Христе явившихся;
о том, как Закон отошел,
а Благодать и истина всю землю исполнили,
5 и вера на все языки простерлась,
и на наш народ русский.
Похвала государю нашему Владимиру,
им мы крещены были;
молитва Богу от всей земли нашей.
10 Господи, благослови, Отче!

Благословен Господь Бог Израиля, Бог
 христианский,
что посетил людей своих и содеял им
 избавление,
что не дал тварям своим
вечно идольским мраком одержимыми быть
15 и в бесовском служении гибнуть.
Но сперва Он указал путь племени Авраамову
Законом на скрижалях,
а после Сыном своим все народы спас,
Евангелием и крещением вводя их
20 в обновление послебытия — в жизнь вечную.
Да хвалим Его и прославляем,
хвалимого ангелами беспрестанно,
и поклонимся Ему.
Ему же поклоняются херувимы и серафимы,
25 ибо, увидев, призрел Он людей своих.
И не посол Его, не вестник,
но сам Он спас нас.
Не видением придя на землю,
но истинно, пострадав за нас плотью и до
 гроба,

30   и с собою воскресив нас.
        Так к живущим на земле людям, одевшись
                во плоть, Он пришел,
        а к тем, что в аду, распятым и лежащим во
                гробе сошел.
        Да познают живые и мертвые свое посещение
                и Божие пришествие,
        да разумеют, что равно живым и мертвым
35   крепок и силен Бог.
        Ибо кто велик, как Бог наш!
        Он один, творящий чудеса,
        положил Закон на предуготовление истине и
                Благодати;
        да обвыкнет в нем человеческое естество,
40   от многобожия идольского уклоняясь,
        в единого Бога веровать.
        Как сосуд скверный, омовенный водою, да
                приимет человечество
        Законом и обрезанием млеко
                Благодати и крещения;
        Ибо Закон предтечей стал и слугой
                Благодати и истине,
45   истина же и Благодать — слуга веку будущему,
                жизни нетленной.
        Как Закон приводил подзаконных
        к благодетельному крещению,
        так крещение сынов своих
        впускает в вечную жизнь.
50   Ведь Моисей и пророки о Христовом
                пришествии поведали,
        а Христос и апостолы его — о воскресении
                и о будущем веке.
        Зачем поминать мне в писании этом
        и пророческие проповеди о Христе,
        и апостольские учения о будущем веке?
55   Излишне это, и к тщеславию склоняется.
        Ибо, что в иных книгах писано и вам
                ведомо,

16

то здесь излагать — пустая дерзость и
        желание славы.
Ведь не к несведущим пишем, но к преизобильно
        насытившимся сладостью книжной,
не к врагам Божиим, иноверным, но к
        настоящим сынам Его,
60   и не к сторонним, а к наследникам
        небесного царства.

Итак, о Законе, Моисеем данном,
и о Благодати и истине, в Христе
        явившихся, повесть эта.
Что дал Закон, и что Благодать?
Прежде Закон, потом она, Благодать.
65   Прежде лишь тень, потом — истина.
А образ Закона и Благодати — Агарь и
        Сарра,
рабская Агарь и свободная Сарра,
рабская прежде, потом — свободная.
Да разумеет читатель, что Авраам
        от юности своей
70   Сарру имел, жену свободную, а не рабыню.
Бог ведь до начала века изволил и промыслил
Сына своего в мир послать,
И им Благодатью явиться.
Сарра же не рожала, будто была неплодна?
75   Не была неплодна, обречена была
Божиим промыслом на старость родить.
Безвестное и тайное в премудрости Божией
утаено было от ангелов и от людей,
не как неявное, но утаенное 80
80   и в конце века явиться должное.
Сарра сказала Аврааму: «Обрек меня
        Господь Бог не рожать,
так войди к рабыне моей Агари и родишь
        от нее».
Благодать же сказала Богу: «Еще не время
        сойти Мне на землю и спасти мир,
сойди на гору Синай и Закон положи».

85   Послушал Авраам речи Саррины и вошел
         к рабыне ее Агари.
Послушал же и Бог те слова, что от Благодати,
         и сошел на Синай.
Родила же Агарь, рабыня, от Авраама, раба
         от рабыни,
И нарек Авраам имя ему Измаил.
Вынес и Моисей с Синайской горы

Авраам и Агарь

18

90   Закон, а не Благодать, тень, а не истину.
С годами уж старыми стали Авраам и
               Сарра.
И однажды в полдень явился Бог
               Аврааму,
когда сидел тот у двери шатра своего
               под дубом мамврийским.
Авраам пошел навстречу Ему,
               поклонился Ему до земли

95   и принял Его в шатре своем.
И когда век тот к концу приближался,
               посетил Господь род человеческий
и сошел с небес, в утробу Девицы входя.
Приняла же Его Девица с поклоном
               в шатер своей плоти
безболезненно, и сказала потом ангелу:

100   «Вот я — раба Господня, да будет со мною
               по слову Твоему!»
Тогда же разомкнул Бог и утробу
               Саррину,
и, зачав, родила Исаака — свободная
               свободного.
Как посетил Бог человеческое естество
уже явилось неведомое и утаенное:

105   и родилась Благодать — истина, а не Закон,
               Сын, а не раб.
Как отнят был от груди Исаак и окреп,
сотворил Авраам угощенье большое,
ведь отнят уж от груди Исаак, сын его.
Когда Христос на земле пребывал,
а Благодать еще не окрепла, еще была
               у груди,

110   тридцать лет и более в ней Христос
               таился.
Но как вскормилась и окрепла,
явилась Благодать Божия всем людям
               в Иорданской реке,
сотворил Бог пир большой и угощенье
               с тельцом, упитанным от века

19

с возлюбленным Сыном своим Иисусом
      Христом, созвав на единое веселье
115   небесное и земное, совокупив воедино
      ангелов и людей.
Прошли годы, вот видит Сарра Измаила,
сына Агарина, играющего с сыном
      своим Исааком,
и как обижен был Исаак Измаилом,
сказала Аврааму: «Отринь рабыню, и с
      сыном ее,
120   не может наследовать сын рабыни,
      лишь сын свободной».
Было это по вознесении Господа Иисуса:
ученики его и иные, уж веровавшие
      в Христа, были в Иерусалиме,
те и другие в смешении были, иудеи и
      христиане,
и крещение благодатное терпело обиды от
      обрезания законного.
125   И даже не принимала в Иерусалиме
христианская церковь епископа
      необрезанного,
потому что старейшины были из
      обрезанных.
Насилие они творили над христианами,
рожденные в рабстве — над сынами
      свободными,
130   и было между ними много распрей и ссор.
Видев свободная Благодать чада
      свои христианские,
обижаемые иудеями, сынами рабского
      Закона,
возопила к Богу: «Отринь иудеев
      с Законом их,
рассей их по странам. Что общего
135   между тенью и истиной, иудейством и
      христианством!»
И отогнана была Агарь, рабыня, с
      сыном ее Измаилом,

Митрополит Иларион. СЛОВО О ЗАКОНЕ И БЛАГОДАТИ

а Исаак, сын свободной, наследником
        стал Аврааму, отцу своему.
И изгнаны были иудеи, и рассеяны по
        странам,
а чада благодетельные христиане
        наследниками стали Богу и Отцу.
140   Как отошел свет луны, когда солнце
        воссияло,
так и Закон — пред Благодатью явившейся.
И стужа ночная побеждена,
солнечная теплота землю согрела.
И уже не теснится человечество в Законе,
145   а в Благодати свободно ходит.
Ибо иудеи при свече Закона себя
        утверждали,
христиане же при благодетельном солнце
        свое спасение зиждут;
ибо иудеи тенью и Законом
        утверждали себя, а не спасались,
христиане же истиной и Благодатью не
        утверждают себя, а спасаются.

Г. Таттареску. Агарь в пустыне. 1870 г.

150 Ибо среди иудеев — самоутверждение, а у
     христиан — спасение.
 Как самоутверждение в этом мире,
     спасение — в будущем веке.
 Ибо иудеи о земном радели,
     христиане же — о небесном.
 Их самоутверждение иудейское скупо от
     зависти,
 ибо не простиралось оно на другие народы,
     оно стало лишь для иудеев,

155 а христиан спасение благо и щедро
     простирается на все края земные.
 Сбылось благословение,
     ибо старейшинство Манассьино
 левицей Иакова благословлено было,
     а Ефремово младенчество — десницей.
 Хоть и был старше Манассия Ефрема,

160 но благословением Иаковлевым
     стал меньшим.
 Так иудейство, хоть и прежде было, но
     Благодатью христиане возвысились.
 Как сказал Иосиф Иакову: «На этого, отец,
     возложи десницу, ибо он старше».
 Отвечал Иаков: «Знаю, чадо, знаю. И тот
     из людей, и вознесется,
 но брат его меньший больше его станет,

165 а племя его будет во многих народах».
 Так же и стало: Закон прежде стал и
     вознесся в малом, и отошел,
 вера же христианская, после придя,
     первейшей стала
 и распространилась на множество языков.
 И Христова Благодать всю землю объяла,

170 как вода морская, покрыла ее.
 И все, ветхое отложив, закоснелое в
     зависти иудейской,
 нового держатся, по пророчеству Исайеву:
     «Ветхое минует, и новое вам возвещаю;
 пойте Богу песнь новую!»

175 «Славится имя Его от концов земли,
и выходящими в море, и плавающими
по нему, и на островах всеми».
И еще: «Кто работает ради Меня,
назовется именем новым,
кто благосло́вит на земле, благосло́вят
Бога истинного».
Ибо прежде в одном Иерусалиме
поклонялись,
180 ныне же — по всей земле.

Как сказал Гедеон Богу: «Если рукой
моей спасешь израильтян,
то будет роса на руне только, а по всей
земле — суша».
Так и стало, ибо по всей земле суша
наступила прежде —
идольской лести народы поддались
185 и росы благодетельной не принимали.
Иудеи лишь только познали Бога,
израильтяне славили имя Его — в Иерусалиме
одном пребывал Бог.
Сказал же после Гедеон Богу:
«Да будет суша на руне только,
190 по всей же земле — роса». И стало так.
Иудейству положен предел, и Закон отошел —
жертвы не приняты, киот, скрижали и
жертвенник оставлены.
По всей же земле роса: по всей земле
вера простерлась,
дождь благодетельный оросил купель
воскресения,
195 чтоб сынов своих в нетленье облачить.
Так же и самарянке говорил Спаситель:
«Грядет година, и ныне уж наступает,
когда не на горе этой, не в Иерусалиме
поклонятся Отцу,
но будут истинные поклонники,
200 которые поклонятся Отцу в Духе и истине.

23

Ибо Отец тех ищет, кто поклоняется Ему,
то есть и с Сыном и со Святым Духом».
Так же и есть, по всей земле —
уж славится Святая Троица
205 и поклонение приемлет от всех тварей.
Малые и великие славят Бога по пророчеству
«И не научит каждый ближнего своего
и человек брата своего,
говоря: "Познай Господа,
210 ибо узнают Меня от мала до велика"».
Как Спаситель Христос Отцу говорил:
«Исповедаюсь Тебе, Отче, Владыка неба
и земли,
что утаил Ты от премудрых
и разумных,
и открыл младенцам.
215 Воистину, Отче, таково благоизволение
пред Тобою».
Итак, помиловал благий Бог
человеческий род,
и теперь люди во плоти, крещением,
благими делами,
сынами Богу и причастными Христу стали.
«Ибо тем, — сказал евангелист, — кто
принял Его,
220 дал Он право быть чадами Божьими, им,
верующим в имя Его, —
тем, кто не от крови, не от похоти плотской,
не от похоти мужской,
но от Бога родился Святым Духом
в святой купели.
Все Бог наш на небесах и на земле,
как восхотел, так и сотворил».
225 Так кто же не прославит, кто не восхвалит,
кто не поклонится величеству славы Его
и кто не подивится неизмеримому
человеколюбию Его!
Прежде века от Отца рожден,
один Он сопрестолен, Отцу единосущен,

Митрополит Иларион. СЛОВО О ЗАКОНЕ И БЛАГОДАТИ

230   как солнца свет, сошел на землю.

Посетил Он людей своих, не отлучившись
        от Отца,

Он воплотился от Девицы чистой,
        безмужней и бесскверной,

вошел, сам ведает как, и, плоть приняв,
        вышел, как и вошел,

един из Троицы в двух естествах —

235   Божество и человек.

Вполне человек — по плоти человеческой,

Он — не привидение.

Феофан Грек. Троица. Троицкий придел церкви Спаса Преображения на Ильине улице, г. Великий Новгород. 1378 г.

Но вполне Бог — по Божественному,
это не просто человек,
240 явивший на земле Божеское и человеческое.
Как будто человек, утробу Материну тяготил,
и, как Бог, родился, девства не повредив.
Как человек, Материнское млеко принял,
и, как Бог, приставил ангелов с пастухами
        петь:
245 «Слава в вышних Богу!»
Как человек, повит был в пелены,
и, как Бог, волхвов звездою вел.
Как человек, возлежал в яслях,
и, как Бог, от волхвов дары и поклонение
        принял.
250 Как человек, бежал в Египет,
и, как Богу, рукотворенья-кумиры египетские
        ему поклонились.
Как человек, пришел на крещение,
и, как Бога, Иордан, устрашившись Его,
        вспять обратился.
Как человек, обнажившись, влез в воду,
255 и, как Бог, от Отца свидетельство принял:
«Вот он, Сын мой возлюбленный».
Как человек, постился сорок дней, взалкав,
и, как Бог, победил искушающего.
Как человек, пришел на брачный пир в
        Кане Галилейской,
260 и, как Бог, воду в вино превратил.
Как человек, в корабле спал,
и, как Бог, преградил ветры и море,
        и те послушали Его.
Как человек, по Лазаре прослезился,
и, как Бог, воскресил его из мертвых.
265 Как человек, на осла воссел,
и, как Богу, Ему возглашали:
«Благословен Грядущий во имя Господне!»
Как человек, распят был,
и, как Бог, своею властию
270 сораспятого с Ним впустил в рай.

Как человек, вина вкусив, испустил дух,
и, как Бог, солнце помрачил и землю
                                   потряс.
Как человек, во гроб положен был,
и, как Бог, ад разрушил и души освободил.

275   Как человека, запечатали Его во гробе,
и, как Бог, восстал, печати целыми сохранив.
Как человека, тщились иудеи
утаить Его воскресение, подкупая стражей,
но, как Бога, Его уведали,

280   и познан был всеми концами земли.
Поистине, кто бог больший, нежели Бог наш!
Он есть Бог, творящий чудеса.
Содеял спасение посреди земли Крестом
                                   и мукою,
на месте лобном вкусив вина и желчи.

285   Да сладостное вкушение Адамово, что
                                   от древа,
что преступленье и грех, вкушением
                                   горести будет отогнано.
Те же, сотворившие это Ему, преткнулись
                                   о Него, о камень, и — сокрушены.
Как ведь Господь говорил: «Падающий на
                                   камень — тем сокрушится,
а на него ж падет камень — сокрушит его».

290   Ибо пришел к ним, исполняя пророчества,
                                   прореченные о Нем.
Как же и говорилось: «Я не послан
                                   только к овцам гибнущим из дома
                                   Израилева».
И после: «Не пришел Я разорить Закон,
                                   но исполнить».
И хананеянке-иноязычнице, просящей
                                   исцеление дщери своей,
говорил: «Недобро это — отнять хлеб
                                   у чад и бросить псам».

295   Они же нарекли Его лжецом (и от блуда
                                   рожденным),
и с помощью Вельзевула бесов изгоняющим.

27

Христос слепых их сделал зрячими,
       прокаженных очистил,
согбенных выправил, бесноватых исцелил,
расслабленных укрепил, мертвых воскресил.
Они же, как злодея, измучив, к Кресту
       Его пригвоздили,
300   потому пришел на них гнев Божий
       конечный.

Ведь сами они и предрекли свою
       погибель.
Когда сказал Спаситель притчу о вино-
       граднике и о работниках, то спросил:
«Что же делает хозяин работникам тем?»
       Они отвечали:
«За зло злом платит им, и виноградник
       отдает иным работникам,
305   которые воздадут Ему плоды во времена
       свои».
И сами они своей погибели пророками стали.
Пришел ведь на землю посетить их, и не
       приняли Его,
поскольку дела их темными были,
не возлюбили света:
310   да не станут явными дела их, так как
       темны они.
Потому, придя к Иерусалиму,
увидев град, Иисус прослезился,
сказав о нем: «Если б разумел
       ты сегодня,
что будет миру твоему!
315   Ныне то скрыто от глаз твоих,
как приидут дни твои.
И обложат враги твои острог вкруг тебя,
и окружат тебя, и сожмут тебя повсюду,
и разобьют тебя, и чад твоих в тебе,
320   потому что не понял времени посещения
       твоего».

И еще: «О, Иерусалим, Иерусалим,
        избивающий пророков,
каменьем побивающий посланных к тебе!
Сколь сильно восхотел Я собрать чад твоих,
как собирает наседка птенцов под
        крыло свое.
325   Но не восхотели вы — и вот остается дом
        ваш пуст».
Так и стало. Ибо пришли римляне,
пленили Иерусалим и разбили до
        основания его.

Авраам. Киевская псалтырь

Иудейство от поры той пало, и Закон
       после того, как вечерняя заря, погас.
И рассеяны были иудеи —
       да не вкупе злое пребывает!
330   Ибо пришел Спаситель, и не принят был
       израильтянами.
И по евангельскому слову: «К своим пришел,
       и свои Его не приняли».
Народами же принят был.
Так же сказал Иаков: «Он чаяние народов».
Ибо и при рождении Его волхвы других
       народов прежде поклонились Ему.
335   А иудеи убить Его искали,
       потому и младенцев избили.
И сбылось слово Спасителя:
       «Многие от Востока и Запада приидут
       и возлягут с Авраамом, Исааком
          и Иаковом в царстве небесном,
340   а сыны царства изгнаны будут
       во тьму кромешную».
И далее: «Вот и отнимется от вас
       царство Божие
и отдано будет странам, творящим плоды
       Его».
К ним же послал учеников своих, сказав:
       «Шествуя по всему миру,
345   проповедуйте Евангелие всем тварям.
Кто верует и крестится, да спасен будет!
Шествуя, научите все языки,
       крестя их во имя Отца и Сына и
          Святого Духа,
уча их блюсти все,
350   что заповедал Я вам».
Лепо Благодати и Истине на новых людей
       воссиять!
Не вливают ведь, по слову Господню,
       вина нового учения благодетельного
       в мехи ветхие, обветшавшие в иудействе.

355   Ежели просядутся мехи, то вино
                    прольется.
      Ведь не смогла Закона тень удержать.
      Но многажды идолам поклоняясь,
      как истинной Благодати удержать учение?
      Но новое учение — новые мехи, новые языки,
360   и соблюдены будут — оно и они.

      Так и есть. Ибо вера благодатная
                    по всей земле простерлась,
      и до нашего народа русского дошла.
      И Закона озеро пересохло,
      евангельский же источник наводнился,
365   и, всю землю покрыв, до нас разлился,
      Вот уж и мы со всеми христианами
      славим Святую Троицу.
      А Иудея молчит.
      Христа славят, а иудеев клянут.
370   Народы приведены, а иудеи отринуты.
      Как пророк Малахия сказал:
      «Нет Моего благоволения к сынам
                    израилевым,
      и жертвы из рук их не приемлю,
      потому что от Востока до Запада
375   имя Мое славят в странах
      и во всяком месте фимиам имени Моему
                    приносят.
      Как имя Мое велико в странах!»
      И Давид сказал: «Вся земля
                    да поклонится Тебе
      и поет Тебе: «О, Господи, Господь наш!
380   Как чудно имя Твое по всей земле!»
      И уже не идолослужители зовемся,
                    но христиане;
      не без надежды уж пребываем,
      но уповаем на жизнь вечную.
      И уж не капище сатанинское городим,
385   но Христовы церкви зиждем.

Уже не даем на заклание бесам друг друга,
но Христос за нас идет на заклание,
и дробим Он в жертву Богу и Отцу,
И уже не жертвенную кровь вкушая,
    погибаем,
390   но Христову пречистую кровь вкушая,
    спасаемся.
Все страны благий Бог наш помиловал,
и нас не презрел — восхотел и спас нас,
и в разум истинный привел.
И в пустой, пресухой земле нашей,
    идольским зноем иссушенной,
395   внезапно потек источник евангельский,
питая всю землю нашу.
Так же сказал Исайя:
«Разверзнется вода пред ходящими по бездне,
и будет безводье болотом,
400   и в земле жаждущей — источник воды
    будет».
Когда мы были слепыми,
а истинного света не видели,

Троица (Гостеприимство Авраама). Конец XIV в.

но в лести идольской блуждали,
к тому же и глухи были
405 к спасительному учению,
помиловал нас Бог —
и воссиял и в нас свет разума,
чтоб познать Его, по пророчеству:
«Тогда отверзнутся очи слепых,
410 и уши глухих услышат».
И когда претыкались мы на путях погибели,
за бесами следуя,
а пути, ведущего в жизнь вечную, не ведали,
к тому же и гугнили мы языками нашими,
415 моля идолов, а не Бога нашего и Творца,
посетило нас человеколюбие Божие.
И уже не следуем бесам,
но ясно славим Христа, Бога нашего,
          по пророчеству:
«Тогда поскачет, подобно оленю, хромой,
420 и ясен будет язык гугнивых».

Прежде были мы, как звери и
          скоты,
не разумели десницу и шуйцу,
и лишь к земному прилежали,
и даже мало о небесном не пеклись.
425 Но послал Господь и к нам заповеди,
ведущие в жизнь вечную, по пророчеству
          Осии:
«И будет в день оный, говорит Господь:
«Завещаю им Завет с птицами
          небесными и зверьми земными».
И не говорю людям Моим: «Люди вы Мои!»,
430 они мне говорят: «Господь Бог Ты наш!»
И так, чужими будучи, людьми Божьими
          мы нарекли себя.
И, врагами бывшие, сынами Его
          мы назвали себя.
И не по-иудейски хулим,
но по-христиански благословим.

435 И не совет творим, как Его распять,
но как распятому поклониться.
Не распинаем Спасителя,
но руки к Нему воздеваем.
Не прободаем ребер Его,
440 но от них пьем источник нетления.
Не тридцать серебренников наживаем на Нем,
но друг друга и все нажитое Ему
отдаем.
Не таим воскресения,
но во всех домах своих зовем:
445 «Христос воскрес из мертвых!»
Не говорим, что украден был,
но что вознесся туда, где ж и был.
Не неверуем, но как Петр,
Ему говорим:
«Ты, — Христос, Сын Бога живого»;
450 и с Фомою: «Ты Господь наш и Бог»,
и с разбойником; «Помяни нас, Господи,
в царствии Своем!»
И так веруя Ему,
и святых отцов семи соборов предание
держа,
молим Бога еще и еще поспешить
455 и направить нас на путь заповедей Его.
И сбылось в нас реченное о язычниках:
«Откроет Господь мышцу свою святую
пред всеми народами,
и узрят все концы земли спасение,
460 что от Бога нашего».
И другое: «Живу Я, говорит Господь,
так Мне поклонится всякое колено,
и всякий язык исповедуется Богу».
И Исайино: «Всякая дебрь наполнится,
465 а всякая гора и холм сравняются,
и будут кривизны прямыми,
и неровности в пути — гладкими.
И явится слава Господня,
и всякая плоть узрит

34

470   спасение Бога нашего».
И Даниила: «Все люди, племена и народы
           Ему послужат».
И Давида: «Да исповедуются Тебе люди,
           Боже,
да исповедаются Тебе люди все,
да возвеселятся и возрадуются народы!»

475   И все народы восплещите руками,
и воскликните Богу гласом радости:
«Так Господь вышний и всесильный —
Царь великий по всей земле».
И чуть ниже: «Пойте Богу нашему, пойте!

480   Пойте царю нашему, пойте!
ведь царь всей земли — Бог,
пойте разумно: «Воцарился Бог над
           народами,
и вся земля да поклонится Тебе и поет
           Тебе, —
да поет же имени Твоему, Вышний!»

485   И «Хвалите Господа все народы,
и восхвалите все люди!»
И еще: «От Востока и до Запада
хвалимо имя Господне.
Высок над всеми народами Господь,

490   над небесами слава Его».
«По имени Твоему, Боже,
и хвала Твоя до конца земли».
«Услышь нас, Боже, Спаситель наш,
упование всем концам земли и тем, кто
           в море далече».

495   И «Да познаем на земле путь Твой,
и во всех народах спасение Твое».
И «Цесари земные и все люди,
князи и все судьи земные,
юноши и девы, старцы и отроки

500   да хвалят имя Господне».
И Исайино: «Послушайте Меня, люди Мои, —
говорит Господь, — и цари, мне
           внемлите,

ибо Закон от меня изыдет,
и суд Мой — свет странам;
505   приближается скоро правда Моя.
И снизойдет, как свет, спасение Мое.
Меня острова ждут,
и на мышцу Мою страны уповают».
Хвалит же похвальными гласами
510   Римская страна Петра и Павла,
от них же уверовали в Иисуса Христа,
      Сына Божьего,
Азия и Эфес, и Павм — Иоанна Богословца;
Индия — Фому, Египет — Марка.

А.П. Рябушкин. Владимир Красное Солнышко и его жена Апраксия Кролевична.
Иллюстрация к книге «Русские былинные богатыри»

Митрополит Иларион. СЛОВО О ЗАКОНЕ И БЛАГОДАТИ

Все страны, и грады, и люди

515   чтут и славят каждый — их учителя,

что научил их православной вере.

Похвалим же и мы, по силе нашей,

малыми похвалами великое и дивное

             сотворившего

нашего учителя и наставника

520   великого государя нашей земли Владимира,

внука старого Игоря,

сына же славного Святослава.

Те в лета своего владычества

мужеством и храбростью прославились

             в странах многих,

525   и победами, и крепостью поминаются ныне

и прославляются.

Ибо не в худой и неведомой земле

             владычествовали,

но в Русской,

что ведома и слышима

530   всеми четырьмя концами земли.

Сей славный — от славных родился,

благородный — от благородных,

каган наш Владимир.

И возрос и окреп — от детской

             младости

535   вполне возмужав,

крепостью и силою совершенствуясь,

в мужестве и силе преуспевая.

И единодержцем будучи земли своей,

покорил под себя окрестные страны —

540   те миром, а непокорные — мечом.

И так, когда он дни свои жил,

и землю свою пас

правдою, мужеством и смыслом,

сошло на него посещение Вышнего,

545   призрело его всемилостивое око благого

             Бога.

И воссиял разум в сердце его,
как разуметь суету идольской лести,
взыскать единого Бога,
сотворившего всю тварь,
550   видимую и невидимую.
Вполне же наслышан был он всегда
о благоверной земле греческой,
христолюбивой и сильной верою,
как единого Бога в Троице там чтут и Ему
                  поклоняются,
555   как у них совершаются
явленья, и чудеса, и знаменья,
как церкви людьми там преполнены,
как все грады благоверны,
все в молитвах предстоят,
560   все пред Богом предстают.
И слыша это, возжелал он сердцем,
возгорелся духом,
чтоб быть ему христианином, и земле его.

Ф. Бронников. Крещение князя Владимира

Митрополит Иларион. СЛОВО О ЗАКОНЕ И БЛАГОДАТИ

Так и стало, как Бог изволил
   о человеческом естестве.
565 И совлек с себя каган наш,
вместе с ризами, ветхого человека
   сложил тленное,
стряхнул прах неверия.
И влез в святую купель,
и породился от Духа и воды,
570 в Христа крестившись, в Христа облачился;
и вышел из купели, обеленный,
сыном став нетления,
сыном воскрешения,
имя приняв навечно
575 именитое из рода в род — Василий.
Под ним же записан он в книги жизни
в вышнем граде, в нетленном
   Иерусалиме.
Со времени, как было это, и доселе
не перестал благоверия подвиг.
580 Не тем только, что явил он сущую в нем к
   Богу любовь,
но подвигся далее, заповедав по всей земле
креститься во имя Отца и Сына и
   Святого Духа,
и ясно, и велегласно во всех градах
славить Святую Троицу.
585 И всем быть христианами —
малым и великим,
рабам и свободным,
юным и старым,
боярам и простым,
590 богатым и убогим.
И не было ни одного, кто противился
благочестному его повелению.
Да если кто и не с любовью,
то со страхом пред повелевшим крестились,
595 ведь было благоверие его
с властью сопряжено.

И в единое время
вся земля наша
восславила Христа
600   с Отцом и со Святым Духом.
Тогда начал мрак идольский от нас
          отходить,
и зори благоверия явились.

В.М. Васнецов. Крещение Руси

Тогда тьма бесослужения погибла,
и слово евангельское землю нашу осияло.

605   Капища разрушались,
а церкви возводились;
идолы сокрушались,
а иконы святых являлись;
бесы убегали —

610   крест грады освятил.
Пастыри словесных овец Христовых,
              епископы,
стали пред святым алтарем,
жертву бесскверную вознося.
Попы и дьяконы, и весь клир

615   украсили и в лепоту одели святые церкви.
Апостольская труба и евангельский гром
              все грады огласили.
Фимиам, Богу воспускаемый,
очистил воздух,
монастыри на горах встали,

620   черноризцы явились.
Мужи и жены, малые и великие, все люди
наполнили святые церкви, восславили Его,
              возглашая:
«Един свят, един Господь Иисус Христос,
во славу Богу Отцу, аминь».

625   Христос победил!
Христос одолел!
Христос воцарился!
Христос прославился!
Велик Ты, Господи!

630   И чудны дела Твои, Боже наш, слава Тебе!
Тебя же как похвалим, о, честный и
              славный,
в земных владыках премужественный
              Василий.
Как доброте подивимся, и крепости, и силе;
каково тебе благодарение воздадим,

635   что с тобою познали мы Господа,
и от лести идольской избавились;

как твоим повелением
по всей земле твоей Христос славится.
Или как еще наречем тебя? О, христолюбец!
640   Друг правде, смыслу вместилище, милости
             гнездо!
Как уверовал?
Как разгорелся ты любовью Христовой?
Какой вселился в тебя разум,
выше разума земных мудрецов,
645   чтоб Невидимого возлюбить
и на небесное подвигнуться?
Как взыскал Христа,
как предался Ему?
Поведай нам, рабам Твоим,
650   поведай, учитель наш!
Откуда тебе повеяло благоухание
             Святого Духа?
Откуда испил ты памяти будущей жизни
             сладкую чашу?
Откуда вкусил и увидел, как благ Господь?
Не видел ты Христа,
655   не ходил ты за Ним —
как учеником Его сделался?
Иные, видев Его, не уверовали,
ты же, не видев, уверовал.
Поистине сбылось на тебе благословение
             Господа Иисуса, реченное к Фоме:
660   «Блаженны не видевшие и уверовавшие».

Потому же с дерзновением и без сомнения
             взываем к тебе:
О блаженный! Самого тебя Спаситель
             нарек — блажен ты.
Как уверовал в Него,
и не соблазнился о Нем?
665   По слову Его неложному:
«И блажен, кто не соблазнится
             о Мне».

42

Ибо, ведавшие Закон и пророков,
распяли Его.
Ты же, ни Закона, ни пророков
не почитавший,
670 Распятому поклонился.
Как твое сердце разверзлось?
Как вошел в тебя страх Божий?
Как проникся любовью к Нему?
Не видел ты апостола, проходившего
землю твою,
675 и нищетою своею, и наготою, гладом и
жаждою
сердце твое к смирению он не склонял.
Не видел ты, как бесов изгоняют именем
Иисуса Христа,
болящие выздоравливают, немые речь
обретают,
горячка в холод обращается, мертвые
восстают.
680 Того всего не видев, как же уверовал?
Дивное чудо! Иные цесари и властители,
видя все, что совершается святыми мужами,
не уверовали,
но более того — на муки и страданья
предали их.
685 Ты же, о блаженный, безо всего того
пришел к Христу,
только благим смыслом и острым умом
уразумев,
что есть Бог един —
Творец невидимым и видимым, небесным
и земным,
690 и что послал Он в мир, спасенья ради,
возлюбленного Сына своего.
И о том помыслив, вошел ты в святую
купель.
Что иным уродством кажется, тебе силой
Божией представилось.

К тому ж, кто поведает
о многих твоих ночных милостях
и дневных щедротах,
695   что убогим творил ты, сирым, болящим,
должникам, вдовам,
и всем, требующим милости?
Ибо слышал ты слово, сказанное
Даниилом Навуходоносору:
«Совет мой да будет тебе угоден, царь
Навуходоносор!
Грехи свои милостынями очисти,
700   а беззакония свои — щедростью к нищим».
То услышав, ты, о пречестный,
не словами подтвердил сказанное, но дела
свершил,
просящим подавая, нагих одевая,
жаждущих и алчущих насыщая,

И.Е. Эггинк. Великий князь Владимир выбирает веру

705   болящим всякое утешение посылая,
    должников выкупая, рабам свободу даруя.
    Так твои щедроты и милости и ныне
         средь людей поминаются,
    особенно же пред Богом и ангелами Его.
    Из-за нее, доброприлюбной Богом
         милости,
710   ты много дерзаешь к Нему,
         как истинный Христов раб.
    Помогает мне слова прорицавший:
    «Милость превозносится над судом»,
    и «Милостыни мужа, как печать Бога».
    Вернее же самого Господа слово:
715   «Блаженны милостивые, ибо помилованы
         будут».
    Иное же ясное и верное свидетельство
    приведем о тебе из святого Писания,
    реченное Иаковом, апостолом, как-то:
    «Отвративший грешника от заблуждения
         на пути Его,
720   спасет душу от смерти и покроет
         множество грехов».

    Да если одного человека обратившему,
    такое вознаграждение от благого Бога,
    то каково же спасение обрел ты, о,
         Василий!
    Какое бремя греховное рассыпал,
725   не одного отвратив человека
         от заблуждения идольской лести,
    не десять, не город, но всю страну эту?
    Показывает нам и уверяет сам Спаситель
         Христос,
    какой тебя славы и чести сподобил
         на небесах, говоря:
    «Кто исповедует меня пред людьми,
730   исповедую того и Я пред Отцом Моим,
         который на небесах».

Да если исповедание приемлет себе
Христово к Богу Отцу
познавший его только лишь пред людьми,
сколь ты похвален должен быть пред Ним,
не только познав,
735   что Сын Божий — Христос,
но исповедав и веру Его утвердив
не в одном соборе,
но по всей земле этой,
и церкви Христовы поставив,
740   и служителей Ему введя?
О, подобный великому Константину,
равноумный, равнохристолюбивый,
равно чтящий служителей Его!
Он со святыми отцами Никейского собора
745   закон людям устанавливал,
ты же, с новыми нашими отцами
епископами сходясь часто,
с глубоким смирением совещался,

Собор Святого Равноапостольного князя Владимира в Севастополе

как в людях этих, новопознавших
                Господа, закон уставить.
Он царство эллинов и римлян
                Богу покорил, ты же — Русь.
750   И вот уж не только у них, но и у нас
                Христос царем зовется.
Он с матерью своею Еленой крест
                из Иерусалима принес,
по всему миру своему его разнеся,
                веру утвердил.
Ты же с бабкою своею Ольгой,
принеся крест из нового Иерусалима,
                Константина града,
755   по всей земле своей его поставив,
                утвердил веру,
ибо ты подобен ему.
С ним единой чести и славы сопричастником
сотворил тебя Господь на небесах,
по благоверию твоему,
760   что имел ты в жизни своей.
Добрый пастух благоверию твоему,
                о блаженный, —
святая церковь святой Богородицы Марии,
которую построил ты на правоверной основе
и где мужественное твое тело ныне лежит,
765   ожидая зова трубы архангеловой.
Доброе весьма и верное свидетельство —
                сын твой Георгий.
Его ведь сотворил Господь наместником тебе,
твоему владычеству,
770   не рушащим твоих уставов,
                но утверждающим,
не умаляющим твоего благоверия сокровищ
но более их умножающим,
не говорящим, но свершающим,
что недокончено тобою, кончающим,
775   как Соломон — дела Давидовы.
Он дом Божий великий Его святой
                премудрости создал

на святость и священие граду твоему,
его же всякою красотою украсил
златом и серебром, и каменьем дорогим,
780   и сосудами святыми.

Та церковь дивная и славная по всем
           окружным странам,
другой такой не сыщется во всем
           полуночье земном,
от Востока и до Запада.
И славный град свой Киев
785   ты величеством, как венцом, увенчал.
Ты предал людей своих и город
святой, всеславной, скорой в помощи
           христианам
святой Богородице.
Ей же и церковь на великих вратах возвел
790   во имя первого Господня праздника —
           святого Благовещения.
Пусть целованье, что дарит архангел Деве,
будет граду тому,
Ибо сказано Ей:
«Радуйся, обрадованная, Господь с Тобою!»
795   И граду же: «Радуйся, благоверный град,
           Господь с тобою!»
Восстань, о честный муж, из гроба своего!
           Восстань, отряхни сон, ибо ты не умер,
но спишь до общего для всех восстания.
Восстань, ты не умер,
800   нелепо тебе умереть, веровавшему во
           Христа,
дающего жизнь всему миру! Отряхни сон,
           возведи очи,
Да видишь, какой тебя чести Господь здесь
           сподобил,
и на земле не беспамятной оставил в сыне
           твоем.
Восстань, узри чадо свое Георгия!
805   Узри утробу свою, узри милого своего!

48

Узри, ведь его Господь вывел из плоти
                                твоей,
узри украшение престола земли твоей,
и возрадуйся, и возвеселись!
Рядом с ним узри
810   и благоверную сноху свою Ирину.
Узри внуков своих и правнуков,
как здравствуют,
как хранимы Господом,
как благоверие держат по завету твоему,
815   как святые церкви чтут,
как славят Христа,
как поклоняются имени Его.
Узри же и город, величеством сияющий,
узри церкви цветущие,
820   узри христианство растущее.
Узри город, иконами святых освященный
                                и блистающий,
и фамиамом курящийся, и хвалами,
и молитвами, и песнопением
                                святым оглашаемый,
И все это увидев, возрадуйся
                                и возвеселись,
825   и похвали благого Бога, всему тому
                                Строителя.
Зри, хотя не во плоти, но духом
показывает тебе Господь все это.
О них же радуйся и веселись,
                                сколь верен твой посев,
не иссушил его зной неверия,
830   но с дождем Божиего поспешения взошел
                                он многоплодию.
Радуйся, во владыках апостол,
не мертвые тела воскрешающий,
но нас, душою мертвых,
умерших недугом идолослужения,
                                воскресивший.
835   Ведь тобою приобщились
и жизнь Христа познали.

49

Скорчены были от бесовской лести,
а тобою мы распрямились
и на путь жизни вступили.
Слепыми были от бесовской лести,
840   а тобою мы прозрели сердечными очами.

Ослеплены были невидением,
а тобою мы прозрели для света
трехсолнечного Божества.
Немы были, а тобою мы речь обрели,
а ныне уж, малые и великие, славим
единосущную Троицу.
845   Радуйся, учитель наш и наставник
благоверию!
Ты правдою облачен, крепостью
препоясан,
истиною обвит, смыслом венчан,
и милостынею, как ожерельем,
и убранством златым красуешься.
850   Ты стал, о честная глава, нагим — одеждой.
Ты стал алчущим — кормитель.
Ты стал жаждущей утробе прохладой.
Ты стал вдовицам помощник.
Ты стал странникам пристанищем.
855   Ты стал бездомным — кровом.
Ты стал обиженным заступником,
бедным — обогащением.
За эти благие дела и иные
воздаяние приемлешь на небесах —
860   блага, что уготовал Бог вам, любящим Его.
И лицезрением сладкого лица Его насыщаясь,
помолись о земле своей и о людях,
ими ты благоверно владычествовал.
Да сохранит их в мире и благоверии
865   предание твое!
И да славится в нем правоверие,
и да проклято всякое еретичество!
И да соблюдет их Господь Бог
от всякой рати и пленения,

870   от голода и всякой скорби и печали.
Особенно же помолись о сыне твоем
благоверном государе нашем Георгии,
в мире и в здравии пучину жизни ему
       переплыть,
и в пристанище небесного заветрия
       пристать,

Памятник Владимиру Великому в Киеве

875   невредимо корабль душевный и веру
         сохранив,
     и с богатством добрых дел,
         без соблазна,
     Богом данными ему людьми управляя,
     стать с тобою без стыда
     пред престолом Вседержителя Бога,
880   и за труд пастьбы людей Его
     принять от Него венец славы небесной
     со всеми праведными, трудившимися
         ради Него.

Молитва

Тем же ты, о, Владыка, Царь и Бог наш,
высок и славен, Человеколюбец!
Воздающий по трудам и славу, и честь,
и сопричастников творя своего царства,
5   помяни, благий, и нас — нищих твоих,
ибо имя Твое — Человеколюбец.
Вот и добрых дел не имеем,
но многомилостью своей спаси нас,
ибо мы люди Твои,
10   и овцы пажити Твоей.
И стадо, которое Ты только начал пасти,
отторгнув от пагубы идолослужения,
пастырь добрый, положивший душу за овец,
не оставь нас, ведь мы еще блуждаем,
              не отвергни нас!
15   Хоть еще и грешим мы пред Тобою,
как новокупленные рабы,
во всем не угождающие господину своему,
не возгнушайся, хоть и мало стадо,
но скажи нам: «Не бойся Меня, малое стадо,
20   ведь благоизволил Отец ваш небесный
              дать вам царствие».
Богат милостью и благ щедротами,
обещавший принимать кающихся
и ожидающий обращения грешных,
не помяни многих грехов наших,
25   прими нас, обращающихся к Тебе.
Сотри рукописание соблазнов наших,
укроти гнев, мы разгневали Тебя,
              Человеколюбец.
Ибо Ты Господь, Владыка и Творец,
и в твоей власти —
30   жить нам или умереть!
Смени гнев на милость,

хоть и достойны мы его по делам нашим,
отведи искушение, ведь пыль мы и прах.
И не твори суд рабам своим —

35   мы люди Твои, у Тебя ищем,
к Тебе припадаем, Тебе молимся.
Согрешили мы, злое сотворили, не соблюли,
не содеяли того, что заповедал Ты нам.
Земные мы, и к земному мы преклонились

40   и слукавили пред лицом славы Твоей.
Похоти плотской мы предались,
        порабощенные грехами,
и печали житейские
отдалили нас от своего владыки,
отклонились от добрых дел, окаянные,
злого ради жития.

45   Каемся, просим, молим,
каемся в злых своих делах.
Просим: да пошлешь страх в сердца наши!
Молим: на страшном суде да помилует нас!
Спаси, яви щедрость, призри нас, посети,
        умилосердись, помилуй,

50   ибо Твои мы, Твое создание, Твоих рук
        дело.
Ведь если беззаконное узришь, Господи,
Господи, кто устоит?
Если воздашь каждому по делам,
то кто спасется?

55   Каково же от Тебя очищение!
Какова же Твоя милость и многоизбавление!
И души наши в руках Твоих,
и дыхание наше в воле Твоей!
С тех пор же, как благопризрение
        Твое на нас,

60   благоденствуем мы.
А если в ярости глянешь,
то исчезнем, как утренняя роса,
ибо не устоит прах против бури,
и мы — против гнева Твоего.

65   Но как тварь от сотворившего нас
             милости мы просим,
помилуй нас, Боже, по великой милости
             Твоей!
Ибо все благое от Тебя на нас,
все же неправедное — от нас к Тебе.
Ибо все мы уклонились,
70   все вкупе мы недостойны.
Нет из нас ни одного,
кто б о небесном тщился и подвизался,
но все о земном, все о печалях житейских.
Сколь оскудела преподобными земля!
75   Не потому, что оставляешь и презираешь
             нас,
но потому, что мы к Тебе не взыскуем,
а к видимому прилежим.
Того же боимся, что, как с Иерусалимом,
сотворишь с нами, оставившими Тебя
80   и не пошедшими по пути Твоему.
Но того, что сделал ему, не сотвори нам
по делам нашим.
Не по грехам нашим воздай нам,
но претерпел Ты за нас, и еще долго терпи.
85   Утишь гневное Твое пламя,
простирающееся на нас, рабов Твоих,
сам направляя нас на истину Твою,
научая нас творить волю Твою.
Ведь Ты Бог наш, и мы люди Твои,
90   Твоя часть, Твое достояние.
Не воздеваем мы рук наших к богу
             чужому,
не следуем никакому лживому пророку,
ни ученья еретического не держимся,
но к Тебе взываем, истинный Бог,
95   к Тебе, живущему на небесах, очи наши
             возводим,
к тебе руки наши воздеваем, молимся
             Тебе.

Отпусти нам, как благий Человеколюбец,
помилуй нас, призывая грешников к
            покаянию.
И на страшном Твоем суде от десного
стояния не отлучи нас,
100   но благословением, как праведных,
            причасти нас.
И доколе же стоит мир,
не наводи на нас напасти искушения,
не предай нас в руки чуждых.
Да не прослывет град Твой плененным,
105   а стадо Твое — пришельцами в земле не
            своей,
да не скажут другие: «Где Бог их?»
Не попусти на нас скорби и голода,
и напрасных смертей — огня, потопленья.
Да не отпадут от веры нетвердые верой,
110   мало накажи, а много помилуй;
мало порань, но милостиво исцели;
немного опечаль, но вскоре развесели;
ведь не может наше естество долго
            терпеть
гнева Твоего, как прутья — огня.
115   Так укротись, умилосердись,
потому что Твое это — помиловать и
            спасти.
Так простри милость Свою на людей
            своих,
ратных прогоняя, мир утверди,
страны соседние укроти,
120   глад оберни изобильем.
Владык наших сделай грозой соседям,
бояр умудри;
города рассели, церковь свою возрасти,
достояние свое соблюди —
125   мужей и жен, и младенцев спаси,
находящихся в рабстве, в плену,
            в заточении,
в пути, в плавании, в темницах,

алчущих, и жаждущих, и нагих —
всех помилуй, всех утешь, всех обрадуй,
130   радость творя им и телесную,
             и душевную.
Молитвами молением пречистой Матери
        и святых небесных сил,
и предтечи Твоего и Крестителя Иоанна,
апостолов, пророков, мучеников,
        преподобных и всех святых молитвами
умилосердись на нас и помилуй нас!
135   Милостью Твоею пасомые в единении
        веры, вместе весело и радостно
да славим Тебя, Господа нашего
        Иисуса Христа,
с Отцом, с Пресвятым Духом — Троицу
        нераздельную, единобожественную,
царствующую на небесах и на земле, —
ангелам и людям, видимой и невидимой
        твари,
140   ныне и присно, и во веки веков.
Аминь!

Исповедание веры

Верую в единого Бога, Отца Вседержителя,
Творца небу и земле, и видимым
        и невидимым,
и в единого Господа Иисуса Христа,
Сына Божиего, единочадного,

5   от Отца рожденного прежде всех веков,
света от света, Бога истинного
        от Бога истинного,
рожденного, а не сотворенного,
        единосущного Отцу,
Им же все стало ради нас, людей,
        и нашего спасения
сошедшего с небес и воплотившегося
        от Духа Святого,

10   и Марией Девицей вочеловеченного;
распятого за нас при Понтии Пилате,
страсти претерпевшего и погребенного,
воскресшего в третий день, по Писанию,
восшедшего на небеса и сидящего
        одесную Отца,

15   и после грядущего со славою
        судить живых и мертвых;
Его же царствию нет конца;
и в Духе святого Господа и животворящего,
исходящего от Отца,

20   что с Отцом и с Сыном сопоклоняем
        и сославим,
предсказанного пророками;
в единую Святую соборную
        и апостольскую Церковь.
Исповедаю единое Крещение
        во отпущение грехов,
чаю воскрешения мертвым

25   и жизни будущего века. Аминь!

Верую в единого Бога, что славится
в Троице:
в Отца нерожденного, безначального,
бесконечного,
в Сына же рожденного, собезначального же
и бесконечного,
в Духа Святого, исходящего от Отца,
30 и в Сыне являющегося собезначального
также,
и в равного Отцу и Сыну;
в Троицу единосущную, лицами же
разделяющуюся,
Троицу, именуемую единым Богом.
Не сливаю разделения,
35 ни соединения не разделяю.
Совокупляются Они несметно
и разделяются, оставаясь нераздельными.
Ибо Отцом называется, будучи
не рожденным,
Сыном же по рождению,
40 Духом же Святым — по исходу,
но не объединению.
Не бывает ведь Отец Сыном,
ни Сын Отцом, ни Дух Святой Сыном,
но каждому свое без смешенья присуще,
кроме Божественного.
45 Ибо едино Божественное в Троице:
единая власть, единое царство,
общее «Трисвятое» от херувимов,
общее поклонение от ангелов и людей,
единое прославление
50 и благодарение от всего мира.
Того единого Бога познал
и тому верую!
Во имя Его и крестился —
во имя Отца и Сына и Святого Духа.
55 И что воспринял я из писаний святых
отцов,
тому и научился.

И верую, и исповедаю,
как сын, благоволением Отчим,
и Святого Духа желанием,
60   что сошел на землю спасти род
            человеческий.
С небесами и Отцом Он не разлучился,
а Святого Духа осенением
вселился в утробу Девицы Марии,
как, — Ему лишь самому ведомо.
65   И родился без семени мужского,
Мать Девицею сохранив,
как и подобает Богу —
и в Рождество,
и прежде Рождества,
70   и по Рождестве.
Сыновства не лишился,
ибо на небесах он без Матери,
на земле же без Отца.
Вскормлен как человек, и воспитан.
75   И был человеком истинным:
не видением, но истинно в нашей плоти,
вполне Бог, вполне человек
в двух естествах и изъявлениях воли.
Того, что стало, не лишившись,
80   и то, чего не стало, взял Он.
Пострадал плотью, как человек, ради меня,
и Божеством без страдания, как Бог,
            пребывал,
умер бессмертным.
Да оживит меня после смерти,
85   сойдя в ад, да поднимет и обожит
прадеда моего Адама,
а дьявола свяжет.
Восстал, как Бог,
изыдя из мертвых, как победитель,
90   Христос, царь мой, на третий день.
И являясь многократно ученикам своим,
взошел на небеса к Отцу,
будто и не отлучался от Него,
и сел одесную Его.

95   Чаю же Его, вскоре придущего с небес,
         но не втайне, как прежде,
         но во славе Отчей, с небесным воинством.
         К Нему же мертвые, с гласом
                архангельским, навстречу выйдут.
         И то будет суд живым и мертвым,
100   и воздастся каждому по делам его.
         Верую же и в семь соборов правоверных
                святых отцов!
         Кого они отвергли, и я не приемлю,
         и кого же прокляли, и я проклинаю,
         и что в писаниях оставили нам, принимаю.
105   Святую и преславную деву Марию
                Богородицей нарицаю.
         Чту же и с верою поклоняюсь Ей,
         И на святой иконе — Ей,
         Господа моего, как младенца,
         на лоне Ее вижу, и веселюсь,
110   распятого Его вижу, но радуюсь,
         воскресшим Его и на небеса идущим видя,
         воздеваю руки и поклоняюсь Ему.
         Так же и угодников Его святых иконы видя,
         славлю Спасшего их,
115   мощи их с любовью и верой целую,
         и чудеса их проповедаю,
         и исцеление от них приемлю.
         К кафолической и апостольской Церкви
                притекаю,
         с верой вхожу, с верой молюсь, с верой
                выхожу.
120   Так верую, и не стыжусь, и пред
                народами исповедаю.
         И исповедания ради душу свою положу.
         Слава же Богу во всем,
         созидающему во мне то, что выше силы
                моей!
         Молите со мной, честные учителя,
         владыки Русской земли! Аминь!

Запись

Я милостью человеколюбивого Бога, монах и пресвитер Иларион, изволением Его, из благочестивых епископов освящен был и настолован в великом и богохранимом граде Киеве, чтоб быть мне в нем митрополитом, пастухом и учителем. Было же это в лето 6559 (1051) при владычестве благоверного кагана Ярослава, сына Владимира. Аминь.

Настолование митрополита Илариона (миниатюра Радзивилловской летописи)

Комментарии

1–2. Перефразирование заключительной части евангельского чтения на первый день Пасхи. В Остр. Ев., «яко закон Мосеомъ данъ бысть, благодать и истина Ис Хмь бысть», в совр. переводе: «ибо закон дан чрез Моисея; благодать же и истина произошли чрез Иисуса Христа» (Ин. 1, 17). В др. списках «Слова» первая строка звучит иначе: «О втором законе...» — имеется в виду Второзаконие, заключительная книга Пятикнижия Моисеева, в которой изложено кратко содержание первых четырех книг. Ветхий Завет Иларион цитирует много раз, особенно в начальной части своего сочинения. Благодать и истина у Илариона воплощены в Христе, символизируют христианское учение и Новый Завет. В тексте девять раз встречается *благодеетъ*, два раза *благодать* (считая производные), в остальных случаях — написания под титлом. При воспроизведении древнерусского текста все написания под титлами раскрыты, так что вместо *блгдть* всюду *благодать*. По происхождению слова *благодать* и *благодетъ* различались. В первом слове второй корень *дать, даю*, во втором — *деяти* (то есть *делать, делаю*). Современный след этого слова — *благодеяние,* то есть «делание блага, добра». Слова *благодать* (даяние добра) и *благодеетъ* (делание добра), применительно к Христу, едва ли различались у Илариона по смыслу. В переводе всюду Благодать.

В этих строках выражено основное для философской части «Слова» противопоставление иудаизма и христианства — Ветхого Завета, и особо Пятикнижия, содержащего главные постулаты иудаизма (Закона, данного Моисеем), и Нового Завета, прежде всего Евангелия, излагающего основы христианства. Вряд ли можно согласиться с переводчиками и комментаторами Илариона, использующими современный перевод Евангелия, в частности, конструкции с предлогом чрез (через). У Илариона Благодать именно воплощена в Христе, ср. 71–73. «Бог... промыслил Сына своего в мир послать, и Им Благодатью явиться», 83: «Благодать же сказала Богу...»

Здесь явно диалог Христа с Богом-Отцом, Создателем. Из древнейших славянских евангельских текстов следует, что и первые славянские переводчики Евангелия так же понимали отношение Христа к Благодати.

5–6. У Илариона в значении «народ» употребляется только слово *язык.* В переводе — иногда *народ,* иногда *язык.* Ср. у Пушкина: «И назовет меня всяк сущий в ней язык».

7. Словом *государь* здесь и ниже переводится термин каган. Тюркское слово каган (в тюркские языки оно попало в свою очередь из китайского) обозначало титул верховного правителя у хазар, скифов. В «Повести временных лет» под 965 г.: «Иде Святославъ на козары; слышавше же козари, изидоша противу с князем своимъ каганом, и съступишася битися». Как видим, слово каган поясняется, переводится — князь. В нашем тексте это титулование, только поэтому переводим «государь». Хазарский каганат был разгромлен от-

цом Владимира, князем Святославом Игоревичем в 964–965 гг. С этими обстоятельствами — свержением многовекового жестокого хазарского ига и обретением Русью независимости, возвышением русского государства — было связано применение титула каган по отношению к киевским «великим» князьям; и это определение, «великий», начало применяться, по-видимому, с Владимира. Возможен перевод слова каган «великий государь». В списках представлен вариант, расширяющий строку: «Влодимеру Святославичу, внуку Игореву».

11–12. В прямую цитату из Евангелия — «Благословен Господь Бог Израилевъ, яко посети и сътвори избавление людемъ своимъ» (Лк. 1, 68) Остр. Ев., — Иларионом вставлены слова «Бог христианский», что соответствует раннехристианским представлениям о том, что Бог-Отец сначала указывает путь к истине Авраамову племени, а потом, явившись в виде Христа, то есть Бога-Сына, спасает всех людей, верующих в него. Эта идея развивается в след. строках.

14–15. Под идольским мраком и бесовским служением понимается язычество.

16. Глагол *оправдити* в этой фразе Сл. РЯ XI–XVII вв. толкует как «направить по истинному пути». Однако при этом надо учитывать, что, по Илариону, принятием Закона и обрезания лишь готовилось пришествие Христа, то есть Благодати и истины (см. 37–51). Корень *прав* (совр. править, управлять, правый, правда, оправдать и т.п.) чрезвычайно многозначен в древнерусском языке. Первоначальное его значение «прямой», «прямить». Здесь возможен перевод: «направил» или «наставил». О других словах с этим корнем см. ниже.

17. Скрижали — каменные плиты, находившиеся на Синайской горе, на которых были начертаны заповеди — «закон», «закон Моисея».

20. Словом *послебытие* переведено *пакибытие*, оставляемое обычно без перевода.

25. В оригинале: призря, призрел. Мотив из Ветхого Завета. В Острож. Библ.: «яко призрехъ на обидение людии моих»; в совр. переводе: «призрел на народ свой» (1 Цар. 9, 16).

26–27. Близкий текст, по мнению исследователей, содержит «Повесть временных лет»: «Ни солъ, ни вестникъ, но сам Богъ, пришедъ, спасет ны» (Памятники литературы Древней Руси: Начало русской литературы. XI — начало XII века. М., 1978. С. 114). В ветхозаветном тексте: «Ни ходатаи ни аггелъ, но сам Господь спасе я» (Ис. 63, 9).

28–31. В этих строках полемика с последователями учения Мани (III в. н.э.), которое получило широкое распространение в период раннего христианства. Это учение отвергало догмат воплощения, то есть представление о Христе-человеке, явившемся на землю во плоти, утверждало явление Христа в видении (привидением). Иларион неоднократно обращается к мотиву воплощения, в чем немецкий исследователь Л. Мюллер видел важнейший аргумент для доказательства антииудейской направленности «Слова». В стилистическом отношении «человечность» Христа придает сочинению Илариона звучание жизни, света, радости.

32. О сошествии Христа в ад говорится в апокрифах, не принятых позднее Церковью сочинениях. В новозаветном тексте: «О нем же и сущим въ темницы духомъ, сошед, проповеда» (1 Петр. 3, 19) — Острож. Библ. Апокрифы имели широкое хождение в первые века христианства на Руси.

Митрополит Иларион. СЛОВО О ЗАКОНЕ И БЛАГОДАТИ

34—35. В Евангелии иначе: «несть Богъ мьртвыихъ, нъ живыихъ» (Мк. 12, 27) — Мет. Ев.

36. Цитата из Псалтыри: «Кто Богъ велии, яко Богъ нашъ» (Пс. 76, 14). В совр. переводе: «Кто Бог так велик, как Бог наш!»

37. В этих словах обычно видят противопоставление христианского Бога божествам язычников. Чудеса, на которые способны были волхвы и чародеи, жрецы язычников, христианство объясняло действиями нечистой силы (возможными при попустительстве Бога-Творца).

37—41. Здесь и далее изложена историко-религиозная теория, согласно которой ветхозаветный период жизни человечества был лишь приготовлением к пришествию Христа. В этот период человечество должно было «обыкнуть» в единобожии. Теория Илариона вполне соответствует закономерному переходу от политеизма к монотеизму. Этот путь прошли воззрения иудеев, у которых первоначально Яхве был лишь главным богом. У «новых» народов, к которым Иларион относит славян, переход к монотеизму связан с принятием христианства.

42. В некоторых списках: «человечьство, помовено водою», 52. Термин *писание* (далее еще — «не к несведущим пишем») некоторым комментаторам «Слова» служит основанием для отнесения его к жанру посланий. Впервые эту точку зрения высказывал еще С.М. Соловьев. Однако совокупность стилистических особенностей произведения не позволяет сомневаться в том, что Иларион создавал именно проповедь — ораторское произведение. Обратим внимание на следующее высказывание известного исследователя «Слова» Н.Н. Розова: «Пунктуация текста "Слова о Законе и Благодати" в Синодальной рукописи отличается четкостью и последовательностью: точками, поставленными внизу, на строке, четко выделены не только отдельные периоды и предложения, но и синтагмы, обращения, восклицания, противопоставления — все то, чем так обильно и с таким мастерством оснащено это блестящее произведение ораторского искусства» (Slavia, XXXII, 1963, ses. 2, с. 149).

52—60. Для характеристики книжной культуры эпохи Ярослава Мудрого, уровня образованности книжников из окружения князя, это место — важнейшее в сочинении Илариона. Автор, как добрый христианин, демонстрирует свою скромность и почтение к тем, к кому обращено «Слово».

56. Под «иными книгами» Иларион понимает книги Ветхого Завета — в этом исследователи видят антииудейскую направленность «Слова». Л. Мюллер, сравнивая подбор цитат из Ветхого Завета у Илариона и в «Повести временных лет», считал, что в распоряжении авторов обоих сочинений был не дошедший до нас трактат Константина Философа (Кирилла), создателя славянской азбуки, против иудеев. Отрывок из него приведен в Житии Константина. Известны были на Руси в эпоху Илариона «Толковые пророчества» Упыря Лихого (1047 г.), были, возможно, и иные источники знакомства древнерусских книжников с ветхозаветными текстами.

57. Сочетание «дръзости образъ» можно перевести «воплощение дерзости». Слово *образ* встречается у Илариона еще раз, см. 66.

58. Обращение Илариона к образу «сладости книжной» примечательно. Во-первых, это место перекликается с текстом Жития Константина. В нем о речи первоучителя хазарский правитель сказал: «Все как подобает говорил и досыта насладил всех нас медвяной сладостью слов святых книг (Сказания о начале славянской письменности. М., 1981. 83). Преемственность славянской книжной традиции, идущей от Константина и Мефодия, очевидна. Во-вторых, образ «сладости книжной», которой «преизлиха насытились» те, к кому обращена речь Илариона, служит основной характеристикой окружения князя Ярослава — основателя школьного образования на Руси. Эпоху Ярослава, получившего прозвище «Мудрый», отличает культ Софии, мудрости, что находит выражение и в храмовом строительстве — София Киевская, Новгородская и др. Значительно позже чтение книг стало характеризоваться как «прелесть», «прельщение», «грех».

62. Название «Слово о Законе и Благодати» укоренилось в традиции. Однако оно условно. Сам Иларион обозначил жанр произведения — *повесть* (поведать, повествование). С этим «самоназванием» сопоставимы и «Повести временных лет» — здесь множественное число, что естественно для летописи как собрания многих повествований. Сопоставимо и определение жанра в «Слове о полку Игореве»: «Не лепо ли ны бяшет, братие, начати старыми словесы трудныхъ повестии о пълку Игореве». В древнерусском языке слово *повесть* часто применялось в значении «сказание, рассказ» (см. Срезневский. Материалы...).

65. Слово *стень* можно переводить как сень или как *тень*. В традициях перевода Ветхого Завета обычно *сень* Всевышнего, или *тень* смертная. В посланиях апостола Павла Закон, завет Закона — «тень будущего» (Кол. 2, 17), «образ и тень небесного» (Евр. 8, 5), «тень будущих благ» (Евр. 10, 11). В ветхозаветных текстах: «стень грядущих» (Кол. 2, 17), «иже образомъ и стени служат небесных» (Евр. 8, 15), «сень бо имый законъ грядущихъ благ» (Евр. 10, 1). Таким образом, в содержательном отношении *стень* — прообраз, отражение, «привидение» будущих благ, благодати.

Антитеза «тень» — «истина» в эллинистической литературе началась с Платона. Как распространенный стилистический прием отмечается у христианских авторов — Ефрема Сирина и др., известных в славянских переводах. У Илариона антитеза «стень» — «истина» всегда соответствует противопоставлению Закона и Благодати. В Прологе 1677 года говорится о том, как Агрип, увидев сына, воскликнул: «О, чадо мое, Василие! Се ныне тя зрю воистину, ты ли еси сынъ мои, или стень (призракъ) мне тобою кажется?» В сборнике П. Симони, среди поговорок XVII века, приведена такая: «Вор что заецъ, и стени своей боится».

66. Слово *образ* в древнерусском языке многозначно. Здесь значение ближе к современному «прообраз». Далее изложение разворачивается в противопоставлении символов Агари и Сарры, точно соответствующем антитезе Закона и Благодати. Имя Агарь в древнееврейском имело значение «чужеземец». В древнерусском агаряне — «мусульмане», см. Сл. РЯ XI–XVII вв. У Илариона рабыня, служанка Агарь — пребывающая под Законом. Имя Сарры — символ свободы. Подробно противопоставление раскрыто в Послании апостола Павла к галатам, Гал. 4, 22–31. Здесь Агарь соответствует «нынешнему Иеруса-

Митрополит Иларион. СЛОВО О ЗАКОНЕ И БЛАГОДАТИ

му», находящемуся с детьми своими в рабстве, а Сарра символизирует свободный, «вышний Иерусалим». Название Иерусалим имеет символическое значение — «дом мира», «жилище мира» (этимологи указывают на возможность первоначального значения — «дом из камня»). Противопоставление земного Иерусалима, разрушенного римлянами (это толковалось как Божья кара за преступление иудеев), и «вышнего», то есть небесного Иерусалима (символ рая) — распространенный в христианской литературе образ. Имя Сарры символизирует также силу веры (Евр. 11, 11). Стилистически чрезвычайно интересно параллельное повествование об Агари и Сарре и их сыновьях Измаиле и Исааке, с одной стороны, и истории Христа — с другой. В тексте и в переводе этот параллелизм мы обозначили графически, выделив повествование об Агари и Сарре отступом.

69. Вряд ли и эта строка может служить аргументом в пользу отнесения «Слова» Илариона к жанру письменных посланий, так как представляет собой цитату. В Евангелии: «чты и да разумеваеть» (Мф. 24, 15) — Остр. Ев.

71–73. Парафраза новозаветного текста, «предуведена убо прежде сложениа мира, явлына же ся въ последняа лета васъ ради», в совр. переводе: «Предназначенного еще прежде создания мира, но явившегося в последние времена для нас (1 Петр 1, 20).

74. Ср. в ветхозаветном тексте: «Бяше же Сара неплоды и не ражаше детей» (Быт. 11, 30), в совр. переводе: «И Сарра была неплодна и бездетна».

75. Ср.: «рече же Сара къ Авраму: се заключи мя Гь не раждати» (Быт. 16, 2). Здесь и ниже (81) *заключити* переведено «обречь», хотя возможно было бы оставить «заключена была», «заключил меня Господь...»

77. Ср: «безвестная и таинная премудрости твоеа» (Пс. 50, 8). Премудрость Божия — «божественный разум», определяющий ход истории. У Илариона это свойство Христа, см. ниже: «Благодать же сказала Богу». В Древней Руси был культ Софии (мудрости), что нашло отражение в живописи, в литературе, в храмовом строительстве. Все главные соборы в древнерусских городах Софии (Киевская, Новгородская и др.). Даже Вологодская — София!

79. Возможен перевод: «не как не могущее явиться, но утаенное».

81–82. Точная цитата из Ветхого Завета, ср.: «рече же Сара къ Авраму: се заключи мя Гь не раждати, въниди убо къ рабе моей, и родиши от нея» (Быт. 16, 2), в совр. переводе: «И сказала Сарра Аврааму: вот, Господь заключил чрево мое, чтобы мне не рождать, войди же к служанке моей: может быть, я буду иметь детей от нее».

85. Ср.: «Послуша же Аврамъ г(лаго)ланиа Сарина и въниде къ Агаре» (Быт. 16, 24).

86. Ср.: «сниде же Господь на гору синайскую, на верхъ горы» (Ис. 19, 20), в совр. переводе — «на вершину горы».

87–88. Ср.: «И роди Агарь сна Аврааму, и нарече Аврамъ имя сну своему, иже роди ему Агарь, Измаилъ» (Быт. 16, 15). Иларион подчеркивает: раба Агарь, и сын — раб от рабыни.

98. Великолепный образ «кущи плотяной» — воплощение понятия материнства, свидетельство пантеизма философии Илариона: Божественное и материальное соединяются у него. Это соединение и в строке: «Благодать всю землю исполнила».

100. Точная цитата из Евангелия: «се раба Господня, буди мънѣ по глаголу твоему» (Лк. 1, 38) — Остр. Ев.

101–102. Ср.: «И Господь присѣти Сарру, яко рече, и сътвори Господь Саррѣ, яко же глагола. И заченши Сарра, роди Аврааму сынъ въ старости въ время, яко же глагола ему Господь, и наречѣ Авраамъ имя сыну своему, иже роди Сарра, Исаакъ» (Быт. 21, 1–3).

106–107. Ср.: «И сътвори Авраамь гоститву велику въ день, егда отдоис(я) сынъ его» (Быт. 21, 8) — Библ. Генн. 1499 г.

108–112. Из этих строк ясно, что у Илариона Благодать есть Христос.

112. В новозаветном тексте, «явися бо благодать божия, спасителная всемъ человѣкомъ» (Тит. 2, 11). У Илариона нет «спасительная», так как иудеи у него не приняли спасения. Это еще одно доказательство отождествления Благодати и Христа: Благодать явилась всем людям, но не все ее приняли.

113. Ср.: «и приведъше телъць упитаныи, заколѣте, и едъше да веселимься» (Лк. 15, 23) — Остр. Ев.

119–120. Ср.: «отжени рабу сию, и съ сном с ея, не причастить бо ся снъ рабы сея съ сном моимъ Iсаакомъ» (Быт. 21, 10). В новозаветном тексте. «Изгони рабу и сына ея, ибо сынъ рабы не будетъ наследником вместе съ сыномъ свободной» (Гал. 4, 30).

125–126. По свидетельству историка Евсевия (263–340 гг.), пятнадцать епископов в Иерусалиме, до падения Иудеи, были «все из обрезанных». Лишь после построения на месте разрушенного Иерусалима города Aelia Capitolina «в епископский сан первым, после епископов из обрезанных, был возведен Марк» (Л. Мюллер, с. 151).

134. Слово *страна* во множественном числе чаще всего в древнерусском языке употреблялось в значении «иные, другие, чужие страны, земли» (ср. странник — «скиталец, путешествующий по чужим странам»).

139. Ср.: «аще же чяда и наследницы, наследницы убо Б(ог)у, сонаследницы ж Х(рист)у» (Рим. 8, 17) — Острож. Библ.

140–143. Противопоставление луны и солнца, ночной стужи и солнечного тепла у Илариона входит в систему аргументов, обличающих иудеев: они пользуются лунным календарем, сообразуют по фазам луны свои главные праздники. В Библии Бог уподобляется солнцу. Дела же иудеев — темные, утверждают себя они «при свече Закона» и т.д.

146. Слова с корнем *прав-* имели значение «утвердить (утверждать)» в прямом и переносном значениях, что близко к первоначальному значению корня (см. 16). Например, в Палее исторической XII века: «Озанъ же на жеголъ руку положи хотя въздвигнути паче тельца, Богъ же законную заповѣдь оправдити хотя, сътвори удержитися руцѣ его, яко да не научатся присязати къ неприсязаемымъ» (Сл. РЯ XI–XVII вв.). Ср. также в Минее ноябрьской 1097 года. «Исправи на оправьдания стъзя правыя съмысла моего». И в современном языке оправдание, утверждение, подтверждение — слова, близкие по смыслу.

152. Глагол *веселитися* (веселяхуся) переведен как «заботиться». Возможен перевод: «Ибо иудеи земному радовались, христиане же — небесному». В древнерусском языке

Митрополит Иларион. СЛОВО О ЗАКОНЕ И БЛАГОДАТИ

слова *веселье*, *веселитися* употреблялись в значении очень широком, покрывающем целый ряд более узких современных понятий.

153–155. Слово *зависть* в древнерусском языке было ближе по значению к слову *скупость*, они оба противопоставлялись по смыслу слову *щедрость*. Закон был дан Моисеем только «народу, взятому в удел» (Дан. 3, 8). Благодать, христианское учение, в этом Иларион видит его достоинство, — «простирается на все края земные». В сочинении Илариона продолжен и развит мотив равенства народов перед Богом, звучавший в речи Константина Философа на диспуте в Венеции перед «немецкими» (то есть католическими) священниками, сторонниками «ереси триязычия» (Житие Константина).

162–165. Пересказ, ср. в ветхозаветном тексте: «И рече Иосифъ отцу своему: Не тако, отче, се бо есть пръвенецъ. Възложи руку десную на главу его. И не хотяше, и рече: Вемъ чадо, вемъ, и той будеть в людъ, и той вознесется, но брать его мнии будеть въ множество языкомъ (Быт. 48, 18–19).

162. Иосиф и Иаков — ветхозаветные патриархи. См. примеч. к 339.

168. Вариант: «и расплодися на множьство язык». Возможен перевод: «и расплодилась во многих языках (народах)».

169. Вариант: «...всю землю исполни», как в строке 4.

171. Возможен перевод: «И все, старое отринув...» Трудно передать в переводе повтор однокоренных слов ветхая — обветшавшая.

172–176. Сначала пересказ, затем точная цитата из ветхозаветного текста, ср.: «Яже изначала се грядутъ, и новая иже азъ възвещу, и преже възвещения поведася вамъ: Въспоите Господеви песнь нову! Власть его славится и имя его от конець земли, съходящеи въ море и плавающеи по нему, острови и живущеи в них» (Ис. 42, 9–10).

177–178. Ср.: «работающим же ему, прозовется имя ново. Еже благословится на земли, благословят бо Бога истинна», в совр. переводе: «а рабов своих назовет иным именем, которым кто будет благословлять себя на земле, будет благословляться Богом истины» (Ис. 65, 15–16).

181–182. Ср.: «и рече Гедеонъ къ Богу: "Аще истинно спасеши рукою моею Израиля, яко же глагола. Се азъ положу руно волняно на тоце, и аще роса будет на руно точию, а по всей земли суша"» (Суд. 6, 36–37).

181. Гедеон — один из судей израильских. История периода судей продолжалась около 350 лет. Судьи израильские выступают в один из наиболее мрачных периодов библейской истории, когда народ израильский распался на двенадцать самостоятельных республик (им соответствовало 12 колен израилевых). Этот период характеризуется политической слабостью, влиянием языческих культов и крайне низким нравственным уровнем жизни древних евреев. В этот период отмечается отступление от единобожия и распространение среди «избранного народа» самых гнусных пороков. Судьи (пророчица Дебора, Гедеон, Самсон и др.) пытаются спасти свой народ от внешних врагов и от крайней безнравственности. Гедеон (история его жизни излагается в VI–VII главах Книги Судей) известен своими победами над мадианитянами и амаликитянами, которые под-

69

вергали израильтян постоянным набегам, пользуясь их политической слабостью и общим падением нравов.

186. В некоторых списках: «въ июдеих же», чем и объясняется перевод. Возможен также перевод: «среди иудеев лишь познан был Бог» — с сохранением пассивной конструкции оригинала.

187. Ср.: «въ Израили велие имя его» (Пс. 75, 2).

188–190. Здесь, как и во многих других местах своего сочинения, повествовательные по стилю цитаты из Писания Иларион меняет таким образом, что они приобретают афористическую форму. Ср.: «И рече Гедеонъ къ Богу: "Да не разгневается ярость твоя на мя, да глаголю еще единою, и искушу еще единою, в руне точию суша, а по всей земли роса будетъ"» (Суд. 6, 39). Заметим, что у Илариона здесь отсутствует мотив искушения иудеев.

194. Перевод слова *пакыпорождение* вызывает большие затруднения, т.к. в современном словоупотреблении «воскресение» не передает всех оттенков смысла. Выше *пакибытие* мы перевели как *послебытие*. Может быть, и здесь можно, «послерождение»(?).

196. Самаряне — смешанный по происхождению народ (колонисты из различных областей Ассирийского царства и остатки израильского народа), расселившиеся на территории Израильского царства после его разрушения ассириянами. Свое название самаряне получили по городу Самария, бывшему столицей Израильского царства. Первоначально самаряне-язычники чтили своих богов. Но были, как сообщает библейская Книга Царств, наказаны небывалым нашествием львов (4 Цар. XVII, 26). После этого они стали служить Иегове, за что получили от иудеев прозвище «прозелиты львов». Однако почитание языческих культов продолжалось еще около трех столетий. После возвращения из вавилонского пленения иудеев пытались принять участие в строительстве иерусалимского храма, но были отвергнуты (1 Ездр. IV) и решили построить свой храм на горе Гаризим. Только в этом святилище, согласно верованиям самарян, можно было отмечать великие праздники (Ин. 4, 20–22). Самаряне ведут свое происхождение от еврейских патриархов, называя себя «сынами израилевыми, сынами Иосифа», считают своей главной миссией хранить Закон, данный Моисеем. Самарян постигла участь иудеев. В годы римского владычества они были рассеяны и основали свои колонии в Египте, Дамаске, Антиохии и в других местах древнего мира. В настоящее время незначительное количество самарян, ведущих кочевой образ жизни, сохраняющих свои древние обычаи, проживает на территории государства Израиль.

197–202. Практически буквальная цитата из Евангелия, ср.: «Яко же идеть година, егда ни в горе сей, ни въ Ерусалимехъ поклонитеся Отцу. Но придеть година, и ныне есть, егда истиннии поклоньници поклоняться Отцу духъмъ и истиною, ибо Отец тацехъ ищеть кланяющихъся Ему» (Ин. 4, 21, 23) — Остр. Ев.

207–210. Отрицание (207) есть во всех списках, кроме Синодального, по которому реконструирован древнерусский текст «Слова». Эти строки — неточная цитата из Послания к евреям. В современном переводе: «И не будет учить каждый ближнего своего и каждый брата своего, говоря: познай Господа, потому что все, от малого до большого, будут знать

Митрополит Иларион. СЛОВО О ЗАКОНЕ И БЛАГОДАТИ

Меня» (Евр. 8, 11). В древних текстах здесь, вероятно, была конструкция со значением долженствования, а не просто будущее время. Например, в Острожской Библии: «и не имат научити кождо...», то есть «и не должен учить каждый...»(?).

207. *Искренний* в значении «ближний» употреблялось в XI веке в древнерусском языке. Например, в Изборнике Святослава 1076 года: «Пакы же искрьняго своего възлюби, съ нимь же въ единой купели породися, рекъше всякого хрьстьяна паче же брата» (См.: Сл. РЯ XI–XVII вв.).

212–215. Почти точная цитата из Евангелия, ср.: «исповедаюся тебе, отче, господи небу и земли яко покрыто отъ премудрыхъ и съмысльныихъ и открысе младенъцемъ. Ей, отче, яко тако бысть благоволение предъ тобою» (Мф. 11, 25–26) — Мет. Ев. XI–XII вв.

212. Обычно *исповедаюсь тебе* здесь переводят «славлю Тебя», но возможно и сохранение формы оригинала, так как значение здесь близко к указанному в Сл. РЯ XI–XVII вв.: «открыто признавать, проповедовать».

218. Ср.: «причастницы Богу быхомъ», в совр. переводе: «мы сделались причастниками Христу» (Евр. 3, 14).

219–222. Цитата из Евангелия, ср.: «елико же ихъ приять и дасть имъ область чядомъ Божиемъ быти, верующемъ въ имя его, иже ни отъ кръви ни отъ похоти плътьскыя, ни отъ похоти мужьскы, нъ отъ Бога родишася (Ин. 1, 11–12) — Остр. Ев.

223–224. Ср.: «Богъ же наш на небеси и на земли, вся елика въсхоте, сътвори» (Пс. 113, 11).

226, 227. В Синодальном списке два раза ошибочно къ, в других списках — къто.

227. Сочетание *бесчисленное человеколюбие* встречается в ряде древнерусских литературных памятников.

228. Далее следует отрывок, который обычно сопоставляют с «Исповеданием веры» самого Илариона, «Наставлением о правой вере» в Изборнике Святослава 1076 года, «Исповеданием о правой вере», помещенном под 988 годом в «Повести временных лет».

230. К связи Христа со светом, к отождествлению Христа, Благодати и света Иларион обращается неоднократно в своем сочинении: солнце — луна, свеча. А.И. Абрамов посвящает обширный комментарий категории света в «Слове», указывая, что она занимает исключительно важное место и в большинстве религий, и в философских воззрениях античных авторов. Активное обращение к ней Илариона свидетельствует, с одной стороны, о хорошем знакомстве с христианско-неоплатонической традицией толкования библейских образов, с другой стороны, о связи его философии со славянской дохристианской мифологией. Подробно см.: Идейно-философское наследие Илариона Киевского. Ч. 1, М., 1986. С. 77–78.

235. Обратим внимание на выражение оригинала: Божество и человечество.

241–280. Сопоставления человеческого и Божественного в Христе представляют собой мозаику, составленную из евангельских текстов, излагающих земную «биографию» Христа: Лк. 2, 7, Мф. 2, 2, 9, Мф. 4, 2, Ин. 2, 1–11, Мк. 4, 35–41, Ин. 11, 32–44, Лк. 23, 43, Мф. 27, 45–54, Мф. 27, 60, 52.

71

244. Евангелие (Лк. 1, 8–20) сообщает о том, что рождение Иисуса Христа было открыто пастухам, которые пасли свои стада недалеко от Вифлеема. Им явился ангел, возвестивший рождение Христа, они видели небесное воинство и слышали пение: «Слава в вышних Богу, и на земле мир, в человеках благоволение». Пораженные всем этим, пастухи пришли в Вифлеем, нашли Иосифа, Марию и младенца Иисуса, которому поклонились, рассказав обо всем виденном ими Его родителям. Евангелие от Луки повествует только о поклонении пастырей (пастухов) и не сообщает ничего о поклонении волхвов (см. 247).

245. Цитата: «Слава въ вышьнихъ Богу» (Лк. 2, 14) — Остр. Ев.

247. Волхвы — восточные мудрецы (Египет, Персия, Ассиро-Вавилония и др.). Часто упоминаются в Библии. Занимались магией, астрологией, предсказаниями и т.п., в какой-то мере были хранителями научного знания. Во второй главе Евангелия от Матфея повествуется о том, что вскоре после рождения Христа в Иерусалим пришли волхвы (их религиозная и национальная принадлежность не указывается), чтобы поклониться родившемуся царю иудейскому. Воздав почести младенцу Иисусу, волхвы возвратились в свои страны. Предание, дополняющее евангельское повествование, утверждает, что волхвы были царями — представителями трех рас человечества. Называются даже их имена: Каспар, Мельхиор и Бальтасар. Предание сообщает и о том, что во время проповеди Евангелия апостол Фома встретил царей волхвов в Парфии, обратил в христианство и благословил быть проповедниками нового учения. Елена (мать императора Константина) в числе других христианских реликвий доставила в Константинополь и останки бывших волхвов, которые в настоящее время находятся в Кельнском соборе. На Западе был установлен особый праздник «трех царей». Они считались покровителями путешественников.

249. По древнему обычаю, волхвы (см. 247) принесли дары: золото, ладан и смирну (Мф. 2, 11).

251. Слово *рукотворения* заслуживает того, чтобы оставить его в переводе, для пояснения в перевод введено «кумиры», разрушающее ритм изложения. Эта строка, как считают комментаторы Илариона, восходит к Евангелию псевдо-Матфея, неканоническому.

256. Цитата: «Се есть Сын мои възлюблены» (Мф. 3, 17) — Остр. Ев.

259. Первое чудо, совершенное Иисусом Христом, — превращение воды в вино во время брачного пира в Кане Галилейской (Ин. 2, 1–10).

263. Незадолго до входа в Иерусалим «на вольную страсть» (страдания) Христос получил известие о смерти близкого ему человека — Лазаря (брата Марфы и Марии). Опечаленный этим событием, видя искреннее горе всех близких Лазаря, видя неверие и злорадство иудеев, Иисус воскресил Лазаря уже после того, как последний пробыл четыре дня в могиле. Воскрешение Лазаря традиционно толковалось как прообраз всеобщего воскресения мертвых и воскресения из мертвых самого Христа. Евангельский эпизод воскрешения Лазаря вспоминается в так называемую Лазареву субботу (перед Вербным воскресеньем). По преданию, Лазарь прожил долгую жизнь, был епископом и принял мученическую смерть (память его празднуется 17 октября по ст.ст., и в Лазареву субботу).

267. Цитата. « Благословленъ грядыи въ имя Господне» (Мф. 21, 9) — Остр. Ев.

Митрополит Иларион. СЛОВО О ЗАКОНЕ И БЛАГОДАТИ

270. Евангелия от Матфея (27, 38), Марка (15, 27), Иоанна (19, 18) сообщают о том, что вместе с Иисусом были казнены еще два человека. В Евангелиях от Марка и Матфея говорится о том, что это были разбойники. В этих же Евангелиях (Мф. 27, 44 и Мк. 15, 32) сообщается о том, что распятые злодеи хулили и поносили Христа. Евангелие от Луки (Лк. 28, 39–42) рассказывает о «благоразумном разбойнике» (церковное предание называет его имя — Рах), который укорял своего товарища за жестокость и просил Христа «помянуть его в своем царствии», то есть признавал Христа Богом. Раскаявшись в своих прегрешениях в последние минуты жизни, он получил за это следующее обещание: «ныне же будешь со Мною в раю» (Лк. 28, 43). «Благоразумному разбойнику» посвящено отдельное церковное песнопение, исполняемое на утрени Великой Пятницы (12 Евангелий страстей Господних).

271. *Оцет* в современных славянских языках применяется в значении «уксус», так это слово обычно и переводят на русский. Однако речь здесь идет все-таки о ритуальном церковном вине, очень кислом, усиливающем жажду. Вкушение его распятым Христом было одним из истязаний.

281. Цитата: «кто Богъ велии, яко Богъ нашь (Пс. 76, 14). В списках «Слова» перед этой строкой имеется вставка: Пророчества.

283. Цитата, как это часто у Илариона, расширена, ср.: «съдела спасение посреде земля» (Пс. 73, 12).

284. Сочетание *оцета* и желчи подтверждает необходимость перевода слова *оцет* — «вино»: стилистически обязательно здесь должны быть антонимические понятия. Следующие две строки это толкование подкрепляют: в них противопоставлено сладостное вкушение Адамовой горести.

285–286. С этими строками сопоставим отрывок из «Наставления о правой вере» (Изборник Святослава 1076 года): «иже бо грехъ сладостью вънзде горестию да проженеть». Источником самого этого мотива исследователи «Слова», начиная с И.Н. Жданова, считают апокрифы, в частности, «Сказание о Крестном» и «Сказание о пупе земном». В «Хождении гостя Василия» (1465–1466 гг.) содержание «Сказания о пупе земном» было изложено так: «И видехом то место, где Христа распяли, и гора разседеся от страха его и изыде кровь и вода до Адамли главы. Оттуда снидохом, где лежала глава Адамля, и поклонихомся ту. И близ того места гроб Мелхиседеков. Среди церкви большия пупъ земли, и ту прииде Христос со ученики своими, и рече: содеях спасение посреди земли» (см.: Жданов И.Н. Соч. Т. 1. С. 13–14).

288–289. Цитата, ср.: «и падый на камени семь съкрушится, а на немъже падеть, съкрушить и» (Мф. 21, 44) — Мет. Ев.

291. Цитата, ср.: «Несмь посланъ тъкъмо къ овцамъ погыбшиимъ дому Израилева» (Мф. 15, 24) — Остр. Ев.

292. Ср. в Евангелии: «не придохъ разорить, нъ напълнить» (Мф. 5, 17) — Остр. Ев.

294. Цитата, ср.: «Несть добро отяти хлеба чядомъ и поврещи и пьсомъ» (Мф. 15, 26) — Остр. Ев.

295. Слова, помещенные в скобки, в Синодальном списке замазаны более темными чернилами, текст восстановлен по другим спискам.

296. О Вельзевуле в Евангелии сказано: «Сь не изгонять бесъ, нъ о Вельзевуле, князи бесъ» (Мф. 12, 24) — Мст. Ев., в совр. переводе: «Он изгоняет бесов не иначе, как силою Вельзевула, князя бесовского».

297–298. Неточная цитата, ср.: «слепии прозирають, хромии ходять, прокажении очищаються и глусии слышать мрьтвии въетають и нищий благовестують» (Мф. 11, 5) — Остр. Ев.

300. Ср.: «постиж же на нихъ гневъ до конца» (1 Фес. 2, 16).

301. Глагол послуствовати может быть переведен «свидетельствовать», ср. послух — «свидетель» в юридических памятниках XI века и у самого Илариона (см. 766).

303–305. Ср.: «чьто сътворить делателемъ темъ, глаголаша ему: зълы зъле погубить я, и виноградъ предасть инемъ делателемъ иже въздадять ему плоды въ времена своя» (Мф. 21, 40–41) — Остр. Ев.

308–310. Отступление от евангельского текста значительно, ср.: «беша бо ихъ дела зъла, всакъ бо делая зълая, ненавидить света» (Ин. 3, 19–20) — Остр. Ев.

311–320. Пересказ — цитата евангельского текста, ср.: «и яко приближися, видевъ градъ, плакася о немь, глаголя: яко аще бы разумелъ въ день сь и ты, еже миру твоему, ныня же съкрыся отъ очию твоею, яко придуть дние на тя и обложать врази твои острогъ о тебе, и обидуть тя вьсюду и разбиють тя и чада твоя въ тебе и не оставять камени на камене въ тебе, понеже не разуме времене посещения твоего» (Лк. 19, 41–44) — Мст. Ев.

321–325. Цитата из Евангелия: «Иерусалимъ, Иерусалиму избивъшия пророки и каменiемь побивающи посъланыя къ тебе! Колькраты въехоте събърати чяда твоя, яко же събирaеть кокошъ пътеньця своя подъ криле. И не въехотесте. Се оставляеться вамъ домъ вашъ пусть» (Мф. 23, 37–38) — Остр. Ев.

323. Словами «сколь сильно» переведено наречие колижды, обычно определяемое «сколько раз, много раз» (Сл. РЯ XI–XVII вв.). Возможен перевод: «Много раз желал Я…» Тогда лучше и 325: «Но не пожелали вы…» Евангельское колькраты переводится «сколько раз».

324. Слово кокошь в значении «курица, наседка» употреблялось в древнерусских письменных памятниках различных жанров. «Под крыле свои» — форма двойственного числа, возможен перевод с использованием архаической формы: «…под крыла свои».

331 Цитата из Евангелия: «Въ своя приде, и свои Его не прияша» (Ин. 1, 11) — Остр. Ев.

332. Возможен перевод: «Другими же народами…»

333. Пророчество Иакова «и той чаание языкомъ» (Быт. 49, 10) — основной мотив историко-философских взглядов Илариона, так как в нем автор видит предопределение миссии Владимира. Возможен перевод «Он надежда других народов».

336. Об избиении младенцев по приказу царя Ирода говорится в Евангелии от Матфея: Мф. 2, 16.

Митрополит Иларион. СЛОВО О ЗАКОНЕ И БЛАГОДАТИ

338—340. Точная цитата: Мф. 8, 11—12 — Остр. Ев. Сыны царства — иудеи.

339. Авраам, Исаак, Иаков — ветхозаветные патриархи. К их числу принадлежит и Иосиф. Библейская традиция разделяет допотопных (живших до всемирного потопа) патриархов (Адам, Сиф, Енос, Каинан, Малелеил, Иаред, Енох, Ламех и Ной) и патриархов, живших после потопа (Авраам, Исаак, Иаков, Иосиф). Со смертью Иосифа заканчивается патриархальный период ветхозаветной истории. Ветхозаветные патриархи, согласно библейскому повествованию, были хранителями религиозных истин и нравственных правил до принятия еврейским народом Закона. В их руках была сосредоточена власть над сородичами, слугами и рабами. Они вершили суд, обладали правом осуждения преступника на смерть, избирали места для жертвоприношений, выступали в качестве военачальников. Церковная традиция рассматривает жизнь патриархов, как цепь прообразов будущих событий. Лествица Иакова прообразует божественную и человеческую природу Христа, приключения Иосифа — страдания Христа, жертвоприношение Исаака символизирует крестную смерть и воскресение.

341—342. Ср.: «яко отъимется отъ васъ ц(с)рство Божие и дасться стране, творящи плоды Его» (Мф. 21, 43) — Мет. Ев. Обратим внимание на различие в числе: *Стране* в Евангелии — *странам* у Илариона. В совр. переводе Евангелия: «... и дано будет народу...»

344—346. В цитату из Евангелия Иларион вводит свойственную ораторской речи форму повелительного наклонения с частицей *да*, ср.: «шъдъше въ вьсь миръ, проповедайте еуанглие вьсеи твари, иже веру иметь и крьститься, спсенъ будеть» (Мк. 16, 15—16) — Остр. Ев.

347—350. Точная цитата: Мф. 28, 19—20 — Остр. Ев.

352—355. Использован евангельский образ: Мф. 9, 17.

360. Иларион в этой фразе следует тексту Евангелия, ср.: «и обое съблюдется». (Мф. 9, 17). Перевод строки отходит от буквального. Вариант перевода: «и соблюдено будет то и другое».

363. Здесь обычно видят намек на хазар-иудеев. Союзниками хазар были печенеги, окончательно разгромил которых уже Ярослав в 1036 году. Предполагают, что эту победу имел в виду Иларион (Тихомиров М.Н. Русская культура XVI—XVIII вв. М., 1968. С. 132).

363—365. Противопоставление *озеро — источник* продолжает серию антитез Закон — Благодать и также восходит к Библии. В книге пророка Иеремии Бог, обращаясь к иудеям, говорит: «Меня, источник воды живой, оставили, и высекли себе водоемы разбитые, которые не могут держать воды» (Иер. 2, 13) — в совр. переводе. См. ниже 394—396.

372—377. Ср.: «несть воля Моя въ вас, глаголет Господь вседержитель, и жрътвы не прииму от рукъ вашихъ, зане от восток слнца и до западъ его имя Мое славится въ языцехъ, и на всякомъ месте фемиамъ приносится имени Моему и жертва чиста, зане велие имя Мое въ языцехъ» (Мал. 1, 10—11) — Острож. Библ. В совр. переводе здесь будущее время, что служит некоторым комментаторам основанием для вывода об «адоптионизме» Илариона. Между тем идея сошествия «благодати» не в будущем веке, а непосредственно с принятием христианства свойственна была, вероятно, всей славянской христианской традиции, то есть заложена была в кирилло-мефодиевской традиции.

378. В списках: «И Да(ви)дъ рече», на чем основан перевод — «сказал».

378–379. Ср.: «вся земля да поклониттися и поетъ тебе (Пс. 65, 4).

386. Языческий обычай приносить людей в жертву богам упомянут в «Повести временных лет» под 983 годом. Речь там идет о двух варягах, которых намеревались принести в жертву в честь победы Владимира над ятвягами. Но так как других свидетельств о человеческих жертвах на Руси нет, возможно, это был варяжский обычай.

386–390. В христианском обряде причащения дробят и съедают просвиру и пьют церковное вино, символы тела и крови Христа. Бескровная жертва христианства противопоставлена жертвенным обрядам язычников и иудеев.

391–393. Соответствующий мотив в Библии: «иже всемъ человекомъ хощетъ спастися и в разумъ истинный прийти» (1 Тим. 2, 4).

398–400. Пересказ, ср.: «яко проторжеся вода в пустыни, и дебръ в земли жаждущей, и безводная будетъ въ блата, и на жаждущей земли источникъ водный будетъ» (Ис. 35, 67).

407. Ср.: «Рождество Твое, Христе Боже наш, возсия мирови свет разума» (Тропарь Рождеству Христову).

409–410. Ср.: «Тогда отверзутся очи слепымъ, и уши глухихъ услышать» (Ис. 35, 5).

414. *Гугнити* в древнерусском «бормотать, говорить непонятно», а также «общаться с бесами». Иларион раскрывает библейское «язык гугнивых» (420), поэтому глагол не заменен в переводе.

419–420. Ср.: «тогда скочитъ хромыи яко елень, и ясенъ будетъ языкъ гуi нивыхъ» (Ис. 35, 6).

423. Возможен перевод: «и лишь о земном заботились» или «земному предавались». Слово *прилежание* в современном русском языке хранит память о значениях древнерусского *прилежати*.

427–430. «Цитата» составлена из трех фрагментов 2-й главы ветхозаветной книги пророка Осии: «И будетъ въ той день глаголетъ Господь...» (Ос. 2, 16); «и завещаю имъ заветъ в той день, съ зверми полскими, и съ птицами небесными, и съ гады земными» (Ос. 2, 18); «и реку не людемъ моимъ, людие Мои есте вы, и тии рекутъ, Господь Богъ наш Ты еси» (Ос. 2, 23).

431. Прилагательное *странный* можно переводить как «посторонный, чужой». Ср. *страны* «чужие, другие, соседние страны».

433–445. Автор сравнивает иудеев и «новые» народы, миновавшие в своем развитии стадию «закона» (сравнение дается явно в пользу последних). За основу взяты тексты евангельских чтений Страстной седмицы. Вчерашние язычники не виноваты в перечисленных преступлениях. Они приняли Благодать и прославляют ее. Апофеозом оправдания приверженцев Благодати служит приведенное Иларионом начало пасхального тропаря (445).

442. Использовано заключительное прошение так называемой «просительной ектений», ср.: «Пресвятую, Пречистую, Преблагословенную, Славную Владычицу нашу Богоро-

Митрополит Иларион. СЛОВО О ЗАКОНЕ И БЛАГОДАТИ

дицу и Приснодеву Марию, со всеми святыми помянувше, сами себе, и друг друга, и весь живот наш Христу Богу предадим».

446. Первосвященники и фарисеи, согласно Евангелию от Матфея, предложили Пилату объявить народу о том, что ученики Иисуса украли его тело и объявили о воскресении (Мф. 27, 63–64).

449. Точная цитата: Мф. 16, 16 — Остр. Ев.

450. Цитата неточная. В Остр. Ев.: «Господь мои и Богъ мои» (Ин. 20, 28). Местоимение употреблено Иларионом во множественном числе, так как он обращается ко Христу от имени всех своих соотечественников и единоверцев.

451. Ср. также: «помяни мя, Господи, егда придеши въ царьствии Твоемь» (Лк. 23, 42) — Остр. Ев.

453. Соборы единой (до разделения на западную и восточную) христианской Церкви проходили с 325 по 787 г. Занимались установлением догматики, защитой христианского учения от ересей, вопросами церковной дисциплины и отношений с государственной властью. Участники этих соборов канонизированы церковью.

457–460. Ветхозаветный текст: «и явит Господь мышцу свою святую пред всеми странами, и узрять вси языцы спасение Бога нашего» (Острож. Библ.). У Илариона: «пред всеми языки». Вероятно, для того, чтобы подчеркнуть основную идею «Слова». Ср. совр. перевод: «Обнажил Господь святую мышцу свою пред глазами всех народов; и все концы земли увидят спасение Бога нашего» (Ис. 52, 10).

461–463. Точная цитата из Послания апостола Павла к римлянам (Рим. 14, 11).

464–470. В ветхозаветном тексте: «всяка дебрь наполнися, и всяка гора и холмъ обнизеетъ и будет все кривое въправо, и остроавое въ пути гладки, и явится слава Господня и узритъ всяка плоть (спасение Божие)»; в совр. переводе: «всякий дол да наполнится, и всякая гора и холм да понизятся, кривизны выпрямятся и неровные пути сделаются гладкими; и явится слава Господня, и узрит всякая плоть (спасение Божие)» (Ис. 40, 4–5).

471. В Библии: «и вси людие, племена, языцы тому поработаютъ» (Дан. 7, 14). Слова *работа*, *работать* и производные в современном русском языке не имеют тех оттенков значения, связанных со словом *раб*, которые они имели в древнерусском. Поэтому слово *поработать* заменено в переводе — «послужить». Смысл оригинала: «будут (или станут) ему рабами».

472–474. Точная цитата из Псалтыри: Пс. 66, 4–5.

475–478. Точная цитата: Пс. 46, 2–3.

479–482. Точная цитата: Пс. 46, 7–9.

483–484. Точная цитата: Пс. 65, 4.

485–486. Цитата: Пс. 116, 1. Различие в строке 486: прославляйте. Иларион здесь всюду повторяет: хвалите, похвалите, хвално, хвала. Повтор однокоренных слов — распространенный у него стилистический прием.

487–490. В Псалтыри: «от въстокъ солнца до запад, хвално имя Господне, высокъ над всеми языки Господь, над небесы слава Его» (Пс. 112, 3–4). В совр. переводе — конструкция будущего времени «будет прославляемо». Употребление в тексте «Слова» настоящего времени закономерно: для Илариона, как и для первых переводчиков Библии, важно показать свершение ветхозаветных пророчеств, своеобразную законченность действия с точки зрения новой эпохи — эпохи Благодати и Истины.

491–492. Точная цитата: Пс. 47, 11.

493–494. Точная цитата: Пс. 64, 6. Этой фразой из 64-го псалма начинается священническая молитва во время литии.

495–496. Ср.: «познати на земли путь Твой, въ всехъ языцехъ спасение Твое» (Пс. 66, 3).

497–500. Точная цитата: Пс. 148, 11–13.

501–508. В ветхозаветный текст (Ис. 51, 4–5) сделана вставка «яко свет» (506) и опущено «и къ мышцы Моей страны надеются» (в совр. переводе: «и мышца Моя будет судить народы»). Исследователи «Слова» отмечают, что Иларион не касается в своем произведении мотива воздаяния за грехи, избегает изображения грозного и карающего судии. Исключение делается лишь для иудеев, наказанных за неспособность к восприятию Благодати, пришествие которой было предсказано им через пророков. При этом делается вывод о том, что сама идея воздаяния за грехи была чужда Илариону, что он считал воздаяние ненужным для новопросвещенных народов, перешедших к Благодати прямо от язычества, минуя Закон. Делается даже вывод об особом, «мажорном», мировосприятии Илариона, которое объясняется чуть ли не его склонностью к языческому, «радостному» видению мира. Такие утверждения окажутся необоснованными, если мы все же будем считать, что «Слово о Законе и Благодати» было пасхальной проповедью и органически вписывалось (что бесспорно) в его праздничную, жизнеутверждающую атмосферу. Покаянные мотивы, обязательные для будничного, особенно для великопостного богослужения, отходят на второй план, почти совершенно исчезают в богослужении в дни христианского «праздника праздников».

509. Фактически с этого места начинается «Похвала Владимиру», хотя сам заголовок в списках третьей редакции вставлен после нашей 516-й строки. Заголовок имеет варианты: Похвала кагану нашему Володимеру; Похвала кагану князю нашему Володимеру; Похвала князю Володимеру 1; Похвала князю Владимеру Киевъскому. «Похвала» представляет собой «заявку» на канонизацию князя Владимира, которой в то время препятствовала Византия. Используя характерный для агиографического и «похвального» жанра прием, Иларион перечисляет различные земли, жители которых «чтуть и славять коегождо ихъ учителя». Важно то, что автор «Слова» приводит в своем перечне имена апостолов, выступавших с проповедью нового учения в разных странах, а затем ставит в один ряд с ними имя киевского князя, указывая тем самым на его главную заслугу — крещение Руси. Такого рода заслугам соответствует в случае канонизации ранг «равноапостольного» — святого, либо обратившего в христианство целый народ, либо его значительную часть (равноапостольная Нина — просветительница Грузии, равноапостольные Кирилл и Мефодий — «учители словенские»).

512. Имеется в виду «Проконсульская Асия» — римская провинция на западном побережье Малой Азии. Ефес — столица Асии. Павм (Пафм, Патмос, Patmos) — один из Спо-

Митрополит Иларион. СЛОВО О ЗАКОНЕ И БЛАГОДАТИ

радских островов в Эгейском море. Был местом ссылки у римлян. Церковное предание считает Патмос местом ссылки апостола и евангелиста Иоанна, который жил здесь со своим учеником Прохором и умер в глубокой старости (Иоанн — любимый ученик Христа, согласно церковной традиции, единственный из апостолов, умерший естественной смертью. Традиция утверждает, что именно на Патмосе, в одной из пещер, Иоанн видел откровение, составившее содержание Апокалипсиса). В иконописной традиции апостол Иоанн Богослов часто изображается именно в период ссылки на о. Патмос. Иоанн и Прохор, записывающие текст Апокалипсиса, изображаются сидящими в пещере. Этими обстоятельствами можно объяснить упоминание Иларионом сравнительно небольшого острова в ряду больших стран, в которых распространялось христианство.

521–522. Старый Игорь значит здесь «древний, первый». Вероятно, это эпитет основателя рода князей киевских. Показательно как историческое свидетельство отсутствие в перечне предков Владимира легендарного Рюрика, давшего имя династии — Рюриковичи. Сразу же после указания на главную заслугу князя Владимира перед церковью — крещение Руси, упомянуты его дед Игорь и отец Святослав, князья-язычники. Илариону важно показать не только христианские добродетели Владимира, но и его принадлежность к славному роду. Этот же мотив звучит и ниже (531–533).

525–530. Илариону несвойственно нигилистическое отношение к языческому прошлому своего народа. Для него слава сегодняшняя — продолжение славы вчерашней. А принятие христианства — закономерный итог языческой истории. Кроме того, при всем неприятии «идольской лести» Иларион считает, что вчерашние язычники находятся в более выгодном положении, так как не совершили преступлений, содеянных «подзаконными» иудеями.

541–560. Крещение Руси — следствие личного прозрения князя Владимира («и въсиа разумъ в сердци его...»). Иларион даже не упоминает греческих миссионеров, отдав, правда, должное «благоверной земле греческой», с обычаями и нравами которой он хорошо знаком. Академик А.А. Шахматов считал, что «корсунская легенда», повествующая о крещении Владимира и Руси корсунскими священниками, была вставлена в «Повесть временных лет» в конце XI века. «Слово» Илариона подтверждает тогда более раннюю концепцию христианизации Руси. В «Памяти и похвале Владимиру» Иакова, мниха, памятнике XI века, говорится, например, о том, что Владимир крестился в 986 году, за два года до похода на Корсунь. Существуют и другие, не «корсунские», не «греческие» точки зрения. См. подробнее: Введение христианства на Руси. М., 1987; «Крещение Руси в трудах русских и советских историков». М., 1988.

543. Слово *правда* в XI веке активно употреблялось в значении «суд (справедливый, праведный)»; ср. формулу: «Мною (то есть Божьей волей) цесареви цесарьствують, а сильнии пишуть правьду». Иларион не случайно употреблял во множестве юридические термины: он активно участвовал в законодательной деятельности Ярослава Мудрого (см. 770).

562. Вариант: възгореся.

565–570. Образ означает рождение для вечной жизни через оставление первородного греха «ветхого человека» Адама и приобщение к «новому Адаму» — Христу.

575. Имя Василий (греч. «царственный, принадлежащий к царскому дому») было дано Владимиру при крещении. Долгое время на Руси языческие и христианские имена существовали параллельно, причем первые более активно употреблялись в быту и в общественной жизни наших предков. Славянские имена получали «равные права» с христианскими (греческого, латинского, еврейского, персидского и т.п. происхождения) лишь после того, как кто-либо из их носителей причислялся к лику святых. Имя попадало в святцы и давалось при крещении. Но в некоторых случаях святцы сохраняют «парные» имена (Всеволод — Гавриил и Довмонт — Тимофей, княгиня Ольга — Елена). Исследователи «Слова» полагают, что Иларион мог употребить имя Василий и как нарицательное, подразумевая прославившихся ранее святого Василия Великого, византийских императоров Василия I и Василия II.

617–618. Воскурение фимиама, наряду с церковным пением, колокольным звоном, чтением богослужебных текстов, согласно христианскому учению, освящает воздушную стихию.

623. Иларион использует часть литургической формулы «Един Свят, един Господь Иисус Христос, во славу Бога Отца. Аминь», которая исполняется хором во время литургии (важнейшего христианского богослужения) в ответ на слова священника: «святая Святым», которые, в свою очередь, означают начало причащения священнослужителей (совершается отдельно от мирян в алтаре храма).

625–629. Л. Мюллер видит здесь мотив средневековой латинской богослужебной формулы: «Laudes gallicanae, Christus vincit Christus regnet Christus imperat».

632. Возможно, Иларион «обыгрывает» дословный перевод христианского имени князя Владимира (см. 575).

640. См. 543.

660. Ср. евангельское: «блажени не видевъшеи и веровавъше» (Ин. 20, 29) — Остр. Ев.
666. Точная цитата: Мф. 11, 6.

674–676. Вероятнее всего, Иларион имеет в виду предание о проповеди апостола Андрея, получившего в удел по жребию Скифию, благословившего место будущего города Киева.

687. В этих словах видят «сдержанное отрицание того, что выбор веры Владимиром был полностью определен отношениями с Византией» (Богословские труды, 28. М., 1987. С. 334).

692. Это место соотносится с текстом 1 Послания апостола Павла к коринфянам: «слово бо крестное, погибающимъ убо юродство есть, а спасающемъ же ся намъ, сила Божиа есть» (Кор. 1, 18); совр. перевод: «Ибо слово о кресте для погибающих юродство есть, а для нас, спасаемых, сила Божия».

698–700. Ср. ветхозаветное: «сего ради царю совелъ мои дати будетъ угоденъ, и грехи своя милостьми расыпли, и неправды твоя щедротами убогихъ» (Дан. 4, 24).

712–713. Объединены две близкие по содержанию библейские цитаты — ветхозаветная (Сир. 17, 18) и новозаветная (Иак. 2, 13). В новозаветной цитате изменен обычный

Митрополит Иларион. СЛОВО О ЗАКОНЕ И БЛАГОДАТИ

порядок слов, сказуемое поставлено перед подлежащим, ср.: «хвалится милость на суде» — Острож. Библ.

715. Точная цитата: Мф. 5, 7 — Остр. Ев.

719—720. Иак. 5, 20.

729—730. Точная цитата: Мф. 10, 32 — Остр. Ев.; в совр. переводе: «Кто исповедает Меня пред людьми, того исповедаю и Я пред Отцом Моим небесным».

741. Князь Владимир уподобляется римскому императору Константину Великому (ок. 285—337 гг.). Константин первоначально уравнял в правах христианство с другими религиями, а затем провозгласил христианскую Церковь государственной. Обоснование такого сопоставления дается ниже (749—750).

746—748. Это место Я.Н. Щапов комментирует: «Здесь в слове "сънимаяся" упоминается особая форма высшего государственного законодательного органа Древней Руси — сънемъ, хорошо известная по «Повести временных лет», летописям XII—XIII вв. и Русской Правде. В.Т. Пашуто определил политическое значение этого совета как высшего органа власти феодалов, который рассматривал вопросы основного законодательства, а также распределения земель, войны и мира. Таким советом, состоящим из князя и епископов, выступает и «снем» в Похвале Илариона. Здесь говорится, что целью этих совещаний было установление новых законов для Древнерусского государства, недавно ставшего христианским» (Византийский временник, 31. 1971. С. 71).

751—755. Иларион распространяет свое сопоставление на мать Константина Елену и на бабку князя Владимира княгиню Ольгу — первую христианку из княжеского рода. Императрица, «царица» в русской традиции, Елена отправилась в Иерусалим и отыскала («обрела») главные реликвии христианства: крест, терновый венец, гвозди и др. Княгиня Ольга получила при крещении имя Елена.

761—765. Имеется в виду Десятинная церковь Святой Богородицы, строительство которой было закончено в 996 году. Здесь были похоронены Владимир и его жена княгиня Анна. Сюда в 1044 году князь Ярослав перенес останки Ярополка и Олега Святославичей (после совершенного над ними обряда крещения). Десятинная церковь, как усыпальница киевских князей, положила начало традиции построения на Руси Успенских церквей, соборов.

763. В словах «построил на правоверной основе» часто видят свидетельство построения Десятинной церкви на месте, где жили первые киевские христиане. Более распространен был обычай возводить церкви на местах языческих капищ. Этому обычаю и противопоставляет Иларион деяние Владимира.

766. В значении «свидетельство, доказательство» слово *послухъ* употребляется во многих древнерусских и старославянских памятниках. В юридических документах — «свидетель»; см. *послуствовати* — 301.

767. Георгий — христианское имя князя Ярослава Мудрого.

770. Вероятно, имеется в виду Церковный устав князя Ярослава, составленный при участии Илариона.

774—775. Давид (конец II — ок. 950 г. до н.э.) — второй царь израильский, царствовал после Саула. Отличался, согласно Библии, физической силой и поэтическим вдохновением. Юноша Давид победил филистимского богатыря Голиафа. Став царем над двенадцатью коленами Израилевыми, овладел Иерусалимом, основал здесь столицу. Перенес в Иерусалим Ковчег Завета — главную святыню ветхозаветных иудеев; учредил упорядоченное богослужение. Царь Давид одержал ряд побед над филистимлянами, сирийцами, моавитянами, идумеянами. Собрал материалы и средства для построения храма, посвященного Иегове. Царь Соломон, сын царя Давида (ум. в 928 г. до н.э.), построил иерусалимский храм, завершив дело, начатое его отцом. Соломон был третьим царем народа израильского. С его именем связывают расцвет государства древних евреев.

776. Имеется в виду Софийский собор в Киеве, который был заложен Ярославом Мудрым в 1017 году (по свидетельству 1 Новгородской летописи). Храм был построен на месте деревянной церкви, возведенной по повелению князя Владимира (сгорела в 1017 году).

776–783. Ср. в «Повести временных лет» под 1037 годом: «Ярославъ же сей, якоже рекохом, любимъ бе книгамъ, и многы написавъ положи в святей Софьи церкви, юже созда самъ. Украси ю златомъ и сребромъ и сосуды церковными».

789–790. Имеется в виду надвратная Благовещенская церковь, венчавшая собою сооружение Золотых ворот в Киеве. Построена князем Ярославом Мудрым. Н.Н. Розов считает, что «Слово» было произнесено Иларионом в этом храме в первый день Пасхи, 26 марта 1049 года. Первый день Пасхи в 1049 году приходился на второй день праздника Благовещения — храмового праздника церкви на Золотых вратах.

794. Точная цитата: Лк. 1, 28 — Остр. Ев. Эти слова архангела Гавриила были начертаны в верхней части мозаики «Благовещение» над аркой алтаря Софийского собора.

796. «Честьна главо» — обращение к святому в богослужебных текстах.

800. Вариант «всему миру живодавца» использован в переводе.

810. Дочь шведского короля Олафа Ингигерда, жена Ярослава Мудрого, получила при крещении имя Ирина.

846. Вариант: «правдою оболочен». Оба слова *облечен*, старославянская форма, и *оболочен* — русская, можно переводить: «(правдою) одет».

846–849. Цитата из чина пострижения здесь применена к Ярославу. Иларион, используя ее, сопоставляет символику иноческого одеяния с доспехами князя — воина.

855. Более точным был бы перевод: «бескровным (не имеющим крова) — кровом».

860. Ср. в новозаветном тексте: «яже уготова Богъ любящимъ его» (1 Кор. 2, 9).

Молитва

Молитва Илариона подчинена законам своего «жанра», который предусматривает наличие ряда обязательных моментов, а именно: славословий, покаяния в грехах и прошений. Молитва начинается (1–6) и заканчивается (136–140) славословиями.

6–45. Традиционный и обязательный для молитвы мотив покаяния подается с перечислением грехов и человеческих немощей. Иларион, перечисляя присущие человеческо-

Митрополит Иларион. СЛОВО О ЗАКОНЕ И БЛАГОДАТИ

му естеству грехи и немощи, делает оговорку (11–20), отмечая несовершенство новообращенных (15). С этой оговорки и начинает звучать в «Молитве» собственно мотив покаяния.

9–10. Точная цитата: Пс. 78, 13; см. также: Пс. 99, 3.

11. Ср.: Пс. 76, 21; Пс. 77, 52.

13. Ср.: «азъ есмь пастоухъ добрый: пастоухъ добрый доушу свою полагаеть за овьцы» (Ин. 10, 11) — Остр. Ев.

19–20. Свидетельство внутренней связи «Слова» и «Молитвы». Автор вновь подчеркивает «гарантии» спасения новообращенного народа, опираясь на евангельский текст (Лк. 12, 32).

21. Ср.: «Богъ же богатъ сыи в милости» (Еф. 2, 4).

26. Возможен перевод, «список» или «перепись».

28–30. Ср.: «Я умерщвляю и оживляю, Я поражаю и Я исцеляю, и никто не избавит от руки Моей» (Втор. 32, 39); «Господь умерщвляет и оживляет, низводит в преисподнюю и возводит» (1 Цар. 2, 6).

34. Пс. 142, 2. В цитате форма единственного числа заменена в соответствии с контекстом на форму множественного.

37–45. Перечисленные грехи обусловлены плотской природой человека, а не тем, что их совершили новообращенные.

51–52. Цитата: Пс. 129, 3–4.

55. Ср.: «яко от тебе очищение есть» (Пс. 129, 4).

57–58. Ср.: «дающий дыхание народу на ней и дух ходящим по ней» (Ис. 42, 5); «а Бога, в руке Которого дыхание твое и у Которого все пути твои» (Дан. 5, 23); «Сам дая всему жизнь и дыхание и все» (Деян. 17, 25).

66. Начальная строка «покаянного» пятидесятого псалма. Единственное число местоимения заменено на множественное, ср.: «Помилуй мя, Боже». Измененная таким образом, эта строка входит в состав одного из прошений «сугубой ектений».

69–70. Ср.: «вси оуклонишася, вкупе неключими быша» (Пс. 13, 3); «вси оуклонишася, вкупе непотребни быша» (Рим. 3, 12).

74. Ср.: «ако оскуде преподобный» (Пс. 11, 2).

78–81. Иларион просит избавить свой народ от судьбы иудеев, понесших наказание за то, что они не приняли евангельской проповеди. То же: 104–105.

81–83. Ср.: «не по безакошемъ нашимъ сътворилъ есть намъ, ни по грехом нашимъ въздалъ есть намъ» (Пс. 102, 10).

91–94. Подчеркивая верность своих соотечественников христианскому учению, автор отмежевывается от ересей и лжеучений, следование которым ставит человека вне ограды Церкви.

91. Ср.: «и аще въздехом руки наша к богу чюжему» (Пс. 43, 21).

94. Ср.: «да знають тебе единого истиньнаго Бога» (Ин. 17, 3) — Остр. Ев.

95. Ср.: «к тебе възведохъ очи мои, живущему на нбси» (Пс. 122, 1).

83

96. Ср.: «въздех к тебе руце мои» (Пс. 142, 6).

98. Ср.: «не придохъ призъватъ правьдьникъ нъ грешьникы въ покаании» (Лк. 5, 32).

99. Согласно христианскому учению, праведники займут место «одесную» (по правую руку) Спасителя.

105. Ср.: «яко обиталницы будут сема твое в земли не своей» (Быт. 15, 13).

106. Ср.: «да некогда рекуть языцы, где есть Бгъ ихъ» (Пс. 78, 10).

111. Ср.: «яко той поби ны, i исцелить ны, язвитъ, и врачуетъ ны» (Ос. 6. 1).

116. Ср.: возглас священника, произносимый по окончании так называемой «просительной ектений»: «Твое бо есть, еже миловати и спасати ны, Боже наш, и Тебе славу возсылаем, Отцу и Сыну и Святому Духу, ныне и присно и во веки веков. Аминь».

123. Слово *церковь* употреблено здесь в первоначальном своем значении: «последователи учения; христианская община».

Сокращения

Библ. Генн. — Книги Ветхого и Нового Завета. Писаны в 1499 г. в Новгороде, при дворе архиеп. Геннадия. Цит. по Сл. РЯ XI–XVII вв.

Мст. Ев. — Мстиславово Евангелие XI–XII вв., по изд.: Апракос Мстислава Великого. — М.

Л. Мюллер — Des Mitropoliten Ilarion Lobrede auf Vladimir der Heiligen und Glachbensbekentnis nach der erst Ausgabe von 1844 neu herausgegeben eingeleitet und erlautert Ludolf Muller. Wiesbaden, 1962.

Остр. Ев. — Остромирово Евангелие 1056–1057 года. — СПб., 1843.

Сл. РЯ XI–XVII вв. — Словарь русского языка XI–XVII вв. — вып. 1–15. М., 1975 и след.

Острож. Библ. — Библиа, сиречь книги ветхого и нового завета, по языку словенску. Напечатан в Остроге Иваном Федоровым, 1581.

Срезневский И.И. Материалы для словаря древнерусского языка. Т. I–III. — М., 1893–1903.

ИЗ «ИЗБОРНИКА 1076 года»

*Подготовка текста
и перевод В.В. Колесова*

Переписывая для великого князя Святослава Киевского из болгарского оригинала торжественно исполненный Изборник 1076 года, дьякон Иоанн собрал для себя самого (или для сына) выписки из различных нравоучительных текстов. Композиционная последовательность без особого выделения источников, которыми пользовались составители Изборника, в целом напоминает обычную для средневековой традиции компилятивно составленную беседу умудренного житейским опытом человека с «сыном» — быть может, сыном духовным, поскольку моральные требования первоисточников, несомненно, переработаны тут применительно к мирской жизни; «обмирщение» прослеживается отчетливо и проявляется даже в оформлении книги — карманной «осьмушки», писаной мелким почерком для себя, скромно украшенной.

Не очень еще развившиеся в пословичные формы, какими они стали позднее в связи с распространением их в устном обиходе, собранные здесь изречения воспринимаются как «заповеди для ненаказанных», т. е. людей неученых и вместе с тем — еще не постигших сложные ритуалы и нормы поведения христианской культуры. Эти изречения последовательно и упорно внедряют в сознание «новых людей» — новых христиан — моральные установки христианской этики. Все актуальные для середины XI в. нравственные проблемы нашли отражение в этом сборнике, который, по оценке современных ученых, и преследовал цели практической морали.

Многие статьи при переводе с греческого или в результате их обработки в Киеве претерпели идейное или художественное переосмысление; так, вполне сознательно при передаче греческой философской терминологии, особенно лексики стоицизма или неоплатонизма, приведены соответствующие славянские слова и понятия; встречаются перестановки или сокращения изречений; много отклонений и от первоначального южнославянского перевода. Текст, переработанный для нужд восточного славянина, широко использует русские формы произношения и грамматики, а также слова: ларь вместо ковчежьць, медъ вместо вино, вѣтвие вместо вѣие, поноси вместо укоряй и т.п. Большинство текстов — переводы византийских стихотворных или, во всяком случае, ритмически организованных произведений. Славянские переводчики старались передать эту особенность оригиналов, повышающую художественно-изобразительную их ценность.

К некоторым отрывкам найдены и греческие параллели, однако возможные несоответствия этим текстам славянской версии не учитывались при переводе на современный русский язык.

Отдельные части Изборника получили на Руси особенную известность и неоднократно использовались в поучениях, посланиях и «словах», откуда и поступили в устную речь. Впоследствии сам принцип построения сборника стал образцом для составления других средневековых сборников нравственного содержания, стал прототипом Златой Чепи, Измарагда — с XIV в., а в конце XV в. — Домостроя.

Великий князь Святослав. Царский титулярник 1672 г.

Слово некоего старца
о чтении книг

Полезно, братья, чтение книг каждому христианину, ибо сказал блаженный: «Хранящие откровения Его всем сердцем — взыщут Его». Что это — «хранящие откровение Его»? — Читая книги, не старайся быстро читать от главы до главы, но вдумайся, о чем говорят книги и слова их, трижды возвращаясь к каждой главе. Ибо сказано: «В сердце моем сокрыл Я слова твои, чтобы не согрешить пред тобою». Не сказано «устами лишь произнес», но — «в сердце сокрыл, чтобы не согрешить пред тобою», — подразумевая глубины написанного, направляемый ими. Скажу и я: «Узда и правит конем, и сдерживает его, сущность же праведного — в книгах его».

Ни корабля без гвоздей не сделать, ни праведника — без чтения книг, и как у пленников на уме родители их, так у праведника — чтение книг. Воину красота — оружие, а кораблю — паруса, так и праведнику — чтение книг. «Открой, — сказал, — очи мои, — и постигну чудо закона твоего», — ибо очами он называет воображение внутреннее, и так далее; «Не сокрой от меня заповедей твоих», — так понимай, что не от глаз скрывай, но от разума и от сердца. Потому и осудил уклоняющихся от ученья, говоря: «Прокляты избегающие заповедей Твоих...» Потому и сам себя похвалил, говоря: «Как сладки слова твои, слаще меда устам моим, дороже тысяч золота и серебра». И восхвалил, говоря: «Возрадуюсь я о словах твоих, обретая великую прибыль», прибылью называя слово Божье и говоря: «Обрел, недостойный, я дар поучаться словам Твоим день и ночь», — так и мы, братия, постигаем ушами разума услышанное и познаем силу и смысл святых книг.

Послушай же жития святого Василия и святого Иоанна Златоуста, и святого Кирилла Философа, и многих других святых, как о них говорят впервые о них поведавшие: с детства предавались они святым книгам, а после и на добрые дела подвиглись. Смотри же, что начало добрым делам в поучении книг святых! Так вот, примером этих святых и подвигнемся мы на путь жития их и на дела их, и станем всегда научаться их книжным словом, исполняя их волю, как велят они; тогда и будем достойны мы вечной жизни во веки. Аминь.

Слово некоего отца к сыну своему, слова душеполезные

Господи, благослови!

Сын мой и чадо, приклони ухо твое, внимая отцу своему, изрекающему тебе спасительное.

Чадо, приблизь разум сердца своего и внимай словам родившего тебя, ибо не во вред душе твоей, но ради укрепления разума. И к царству небесному поведут тебя.

Отвори сосуд сердца, и пусть стекают туда слова слаще меда, которые смогут и оживить, и бессмертным явить тебя.

Но с чего начну поученье мое, сын мой, что прежде всего явлю: метания и пороки света сего — или житие, богоугодное и спасительное?

Лучше всего нам, чадо, продумать жизнь от Адама, праотца нашего, до этого нашего века: как много людей прошло по земле, и все забыты, лишь единицы в памяти, прославившиеся на небесах и на земле, те, которые по заповедям Божьим все дни свои прожили, взирая лишь на Всевышнего; некоторые прожили кротко, только добрым словом уста свои утруждая; некоторые мало света сего касались, всю свою мысль, все желанья направив к бессмертной жизни и о ней единой вздыхая, Бога моля достойным Его явиться.

Поэтому, чадо, предпочти тех житье и тех в образец возьми, и тех последуй делам, и вникни, каким путем шли они и какою стезею пустились.

<...>

Голову пониже держи, ум же — высоко, очи потупя к земле, духовное зрение — к небу; сомкнуты уста, уста же сердца всегда вопиют к Богу.

Тихо ногами ступая, мысленными стопами стремись к небесным вратам; уши закрывай для дурных речей, мысленным слухом звуки лови святых слов, что записаны в книгах святых.

90

ИЗ «ИЗБОРНИКА 1076 года»

Ладони сожми на стяжанье греховных богатств сего света, но простри их на милость к убогим.

Не стыдись преклонить свою голову перед любым, кто создан по образу Божью, старшего годами почтить не ленись и упокоить старость его постарайся.

Равных тебе с миром встречай, меньших тебя с любовью прими, стань перед тем, кто честью выше тебя.

Св. Иоанн Златоуст. Фрагмент мозаики Киевского собора
Святой Софии, XI в.

Чадо, не лишай добровольно себя вечной жизни, как от врага, убегай от греха, душу твою губящего.

Не стремись веселиться в мире сем, ибо все радости света сего плачем кончаются. И это ясно видно на двух соседях: у этих свадьбу гуляют, а у других мертвеца оплакивают. Да и сам этот плач так суетен: сегодня плачут, а завтра пируют.

Так что примечай суету века этого и преходящую плоть нашу: ибо сейчас расцветаем, а завтра вянем.

Поэтому в краткой сей жизни и взыщи жизни вечной, у которой, в отличие от этой, нет ни скорби, ни воздыхания, ни плача, ни сетования, но радость и веселие, свет немеркнущий: солнце — сам Господь.

Ту жизнь возлюби, к ней каждый день устремляйся, о той всегда помышляй; пусть тебе, спящему, будет в изголовии — мысль о небесной радости, а пищей встающему — память о царстве небесном.

Чадо, голодного накорми, как тебе сам Господь повелел, жаждущего напои, путника приветь, больного посети, к темнице дойди, — взгляни на беду их и вздохни.

Пусть в скорбях твоих будет тебе спасение церковь, но и, кроме печалей, всякий день и час в церковь войдя, к Всевышнему припади, лицом покрывая землю, и попроси Его поминать тебя — и не уклонится от тебя душелюбец человеколюбивый, но примет тебя и утешит.

Под церковью же разумей небо, под алтарем — престол Всевышнего, служители же — это ангелы Божии. Поэтому в церкви, как на небесах, со страхом стой, как пред очами самого Бога; выходя же не забывай, что было или что слышал.

Стань кротчайшим из людей — и будешь небесным жителем;

Скорби о грехах, воздыхай о соблазнах, печалься в паденьи своем — очистишься, и при исходе души окажешься ты беспорочным;

ИЗ «ИЗБОРНИКА 1076 года»

Помни о смерти всегда, и память такая научит тебя больше всех, как прожить в этом кратком времени;

Будь разумен и размышляй, что есть воля Божия, чего царь небесный требует от земных, что просит от твари своей — не малой ли и легко исполняемой милостыни? Ибо писано: «Помилуй — и будешь помилован!»

Что требует Бог, преисполненный благ, от нас? Хвалы ли? — но хвалят его и ангелы; поклонения ли? — но поклоняются Ему и небесные силы.

Он просит того, что на пользу нам, во спасение: просит милосердия, желает кротости, любит мир. Этим ты, чадо, волю его исполни хоть в малом, а он твою волю — на веки: мало даруй — и получишь вечное, дай одно — и возьми сторицею; предай себя Богу — и будешь страшен врагам своим, видимым и невидимым.

Если в волнах житейских ты, в буре морской попадешь в беду, укажу тебе, сын мой, пристанище истинное — монастыри, жилища святых. К ним прибегай — и утешат тебя, в скорби приди — и возвеселишься, сын, ибо они беспечальны и могут утешить в печали.

Если же есть у тебя в доме что-то им нужное, снеси им, ибо все то ты в руки Божьи кладешь и получишь за то награду.

В городе, где ты живешь, или окрест него, найди хоть единого человека, который боится Бога и служит Ему всей душою, а если обрел человека такого, то уже не скорби, ибо тем самым обрел ты ключи к небесному царству; к нему прилепись и душою, и телом, смотри, как живет он: как ходит, сидит или ест, все привычки его изучи, но больше всего лови слова его, не дай ни единому слову его на землю упасть: ибо святые слова дороже жемчуга.

Праздники же святых почитай, не упивайся сам, но голодных и жаждущих накорми.

Пусть знают твой дом нищие, вдовицы, сироты, не имеющие где приклонить головы. Богат ли твой дом, беден ли — все то получено Божиим промыслом, все именье твое.

Не говори о владении своем: «То мое», — но скажи: «Поручено мне на недолгие дни», и точно ключник доверенное тебе раздавай, как велел то тебе поручивший. Поэтому, что тебе дал Всевышний, то сделай именьем Всевышнего.

Не оставляй его наследникам, но и детей своих, и жену свою, и всех потомков своих поручи ты Богу, хранителю доброму, ибо милость его велика и богатство несметно.

Княжеская семья. Изборник Святослава, XI в.

94

ИЗ «ИЗБОРНИКА 1076 года»

Ведь имение света сего подобно реке: стекает вниз и снова приходит с верховьев. Что же те, кто живет у истока, — не наполняют сосудов своих и скота не поят, говоря, что в низовьях живущим нужно оставить, сами же мало возьмем? — Нет, но черпают с избытком, не беспокоясь о тех, кто живет в низовье, хотя и одна их минует река.

Так и с именьем: не заботься о будущих сыновьях, внуках, правнуках, дочерях. Ибо случится другое время, и напасть, воровство иль война, и тогда пропавшее им не поможет.

Так что при жизни своей размышляй о душе своей и печалься о ней, ведь как она у тебя одна, так одно время жизни и смерть — одна.

Так страдай о себе, о себе и скорби, и еще здесь проси прощенья грехов, а при смерти — охраны от бесов, чтобы, туда отправляясь, в царство Божье от века, прийти на готовое: в палаты Его сверкающие — но только когда окупил их здесь. Если же мира сего богатством желал бы купить ты хоть самую малую из палат вышнего Иерусалима, то богатств, со всего мира собранных, не хватило бы на цену ее.

Только милостыней покупается царство Божие, а милостыня зависит не от величины, количества или малости даянья, а от возможностей дающего ее от всего сердца.

Ведь подаянье нуждающимся и есть та блаженная милостыня, наполнившая сосуды тех пяти мудрых дев, которым отверзалось царство небесное.

И ты прими ту же милостыню неотступно и навяжи ее на шею свою — пусть будет с тобою всегда на веки.

Ведь говорит Писание: «Милостыня мужа — точно печать»: если примешь ее, ни один из врагов на тебя не встанет, не скажет тебе: «Куда идешь?», видя, что носишь печати царя небесного и к Нему ты идешь.

Вопрос: Как же я приму ее?

Ответ: Все сможешь, если захочешь, ибо не трудно это: ибо если насытился пищей — накорми голодного, напился — напои жаждущего, согрелся — обогрей дрожащего от мороза, в хоромине ли красивой и высокой живешь — введи в дом свой скитающихся по улицам. Порадовался ли в застолье — возвесели и скорбящего, порадовался ли чему — порадуй и сетующего, почтили ли тебя, богатого, — почти и ты убогих, весело ли ступаешь по ступеням, выходя от князя, — сделай так, чтоб в доме твоем не ходили скорбящие.

И то уже не малая милость, если домашние твои без скорби, без воздыхания и без плача пребудут. А если достойны наказания за какую вину, пусть вместо этого будут помилованы. Если станешь так поступать, то и ты, вместо казни, будешь помилован при исходе твоей души.

Пусть твой дом будет — дом молитвы и покой иереям, служителям Божиим, и всякому чину церковному. Введи таких в дом свой, со всякою честью их усади, стол накрой им, словно Христу самому, сам же стань им служить.

И вознесут тогда у Божьего алтаря молитву они за тебя, будто фимиам восходит к Богу от них. Свеча твоя в церкви постоянно светит, и просвира твоя — лежит.

Поминай всех, живущих в монастырях, кто ангельский образ носит; а когда они будут, введи их в дом свой, поставь им трапезу по монастырскому чину, жену же свою, и детей, и слуг научи в молчанье и страхе служить им, как ангелам Божиим. А провожая их, отпусти с поклоном, дав им, что нужно, и монастырю их.

Это много, если одно лишь «Господи, помилуй!» хотя бы на день купишь у них — и это уже бесценно, ибо писано: «Много может молитва праведного». Так, если может молитва одного, насколько лучше, если многие из таковых обратятся к Богу.

Еще больше тем, кто живет в скитах, плотским ангелам, угождай; отвергли они сей мир, служа единому Богу; принеси им нужное, прими их молитву, вложи в свое сердце святые слова их, освятись их благословением, молись хоть однажды за грехи твои с воздыханием — и вернешься в свой дом чистым.

Клеветы же не слушай ни на монаха, ни на святителя, даже если и сам ты их видишь в соблазне. Больше чем глаз своих послушай Бога, сказавшего: «Не осуждайте, да не осуждены будете!»

А тем, что встречаются тебе на пути, не стыдись головой своей поклониться.

И если сможешь так поступать, не будет тебе ущерба от богатства твоего, но, как уже и сказал я прежде, станет оно водителем к царству небесному, словно защитник и добрый друг, а то, что неправедно получил и греховно хранил, явится злее дьявола, тебя губя. Богу слава ныне.

Поучение богатым

Раз уж великим от Бога сподобился ты благам, то и воздавать должен больше.

Открой уши свои к страдающим в нищете, тогда и ты встретишь Божий слух открытым.

Каковы мы бываем к рабам нашим, таков и небесный Владыка окажется к нам.

Отвращайся льстивых слов льстецов, они точно вороны: исклюют мысленное зрение.

Если хочешь, чтобы все почитали тебя, стань всеобщим благодетелем; если хочешь исполнить все, тебе данное, воздай честь творящим добро и накажи творящих зло.

Таких себе выбирай друзей и советников, которые не все тобой изрекаемое хвалят, но стараются отвечать рассуждением справедливым.

Разумно судьям подобает выслушать обе стороны, ибо нельзя решить справедливо второпях и без внимания; вдумайся в спор спокойно, суд твори не спеша.

Твердо знай: залог твоего спасения — никогда простолюдина не обижать.

Будь для своих подчиненных чином грозен, а добротою любезен: насколько силой ты выше всех, настолько и делами добрыми светить постарайся всех больше.

Прося прощенья грехов, прощай и сам пред тобой согрешающих, ибо прощая своих рабов, мы получаем свободу от гнева Божия.

И нарекут тогда истинным властелином, когда овладеет он самим собою и гнусным желаньям не станет служить.

Смерть и изгнанье, и беды, и зримые все несчастья пусть стоят пред очами твоими во все дни и часы.

Будь таким для своих рабов, каким просишь быть к тебе Бога.

Не оправдывай виноватого, даже если и друг он тебе, и не обидь не виноватого, если и враг он тебе.

Если кто-то имеет душу, свободную от страстей человеческих, и видит немощь своего естества, его увядание и скорый конец этой жизни, — в грех гордыни тот не впадет, даже будучи в чине высоком.

По тщательном размышлении в сердце своем обдумай характер всех, с тобой пребывающих, и тогда наверное различишь ты тех, кто с любовью

Изборник Святослава, XI в.

ИЗ «ИЗБОРНИКА 1076 года»

служит тебе, и кто только льстиво пресмыкается. Ибо многие лицемерной приязнью самым славным приносят беды.

Потому и не следует выслушивать клеветника, сладко тебе напевающего, или поклепы на ближнего, — и не оставит тебя Божья любовь и царствие небесное.

Останови нашептывающего тебе в уши — и не погибнешь с ним вместе.

Поскольку иметь православную веру есть основание добрых дел, так от веры начинается слово к тебе, брат, ведь и ты просил с верой, а не с хитростью: знаю, что даст мне Господь ради веры твоей написать тебе эти слова, ключи ко спасению.

Веруй в Отца и Сына и Святого Духа, в Троицу нераздельную, Божество единое — Отца нерожденного, Сына рожденного, а не созданного, Духа Святого, не рожденного и не созданного, не исходящего: три — в единой воле, в славе одной, в чести; и единое поклонение от всей твари, от ангелов и людей приемлющую, превечно и бесконечно пребывающую во веки веков.

Веруй в воплощение Сына как истинно бывшее, а не воображаемое: в двойную сущность его Божества и человечества — Бога по Божеству, человека по воочеловечиванию, но в обоих них — совершенного.

Кресту Христову покланяйся с верою, ибо на нем сотворил Господь спасенье всем людям.

Иконе Христа и пречистой его матери и всех святых его с верою честь воздавай, точно к самим им с любовью обращайся в молитве.

Имей всегда страх Божий в сердце и помни, что Бог здесь с тобою на всяком месте, где идешь иль сидишь.

Страхом пред ним как уздой обороти свой ум и удерживай постоянно, ибо, блуждая безудержно, научишься лишь суетному.

Ищи во всем самого простого — и в еде и в одежде, и не стыдись нищеты, ведь большая часть сего мира живет в нищете.

Не говори: «Богатого мужа я сын, и потому мне то стыдно» — ибо никто не богаче Христа, отца твоего небесного, тебя родившего в святой купели, но нищим и он ходил, не зная, где преклонить голову.

Правдою украшайся и старайся всем говорить истину, не свидетельствуй ложно с бесстыдным лицом, ибо губит Господь извергающих ложь, но кротко истину излагай.

Ибо лучше правдивому человеку быть ненавидимым, чем испорченному лицемерием быть любимым.

Ненавидимых в правде возвысит Господь, любимых во лжи — уничтожит, ибо и без проверки клеветникам знают цену.

Но если в ответ на правду твою во гневе обрушатся на тебя, не печалься, утешаясь сказанным Богом: «Блаженны возненавиденные за правду, ибо их есть царство небесное».

Кроток будь со всяким человеком, и кто выше тебя и кто ниже, ибо лицемерная кротость — стыдиться пред старшими и презирать низших.

Кроткая походка, кроткое сидение, кроткий взор, кроткое слово — все это пусть в тебе будет; в том ты и явишься истинным христианином.

А кротость — это ведь не досаждать никому ни словом, ни делом, ни повелением, но каждому человеку нравом своим услаждать сердце.

Славы земной не желай ни в чем, ибо слава земная насмехается над привязанным к ней, точно буря ветренная, налетев на короткое время на человека и плод добрых дел обронив, тут же исчезнув, лишь посмеется его неразумию.

Кто хочет быть славным в сем мире, тот бесчестья не терпит, кто держится веры — безвестность любит, размышляя о том, что сказал Господь: «Как можете веровать, от людей принимая славу, а славы, которая от Единого Бога, не ищете?».

Бесчестье терпи, точно чашу полыни прими ее, даже если тебе неприятно, или изгнанья недуга греховного, ведь грех через сладость входит, а горечью — изгоняется.

ИЗ «ИЗБОРНИКА 1076 года»

Того, кто мечтает о вечной жизни и худо с земным согласуется, всегда помышляя о кончине своей, не терзает поношенье людское, он как гость, пришедший в мир сей, — претерпит бесчестье от хозяев своих, поскольку завтра надеется отойти.

С мучениками ради Христа желая общаться, наготе предай свое тело, волю свою — на попрание, утробу — на пост, сердце — на твердость, а кровь, если и не на пролитье извне, то изнутри иссуши ее пищею черствой — и примешь тогда желанное.

Знаешь ты, что, приглашая князя, убирают хоромы, ты же, если желаешь Бога в дом свой телесный вселить на просвещение жизни твоей, тело очисти постом, жаждою истреби, смиреньем укрась, накади молитвою благоуханной.

Храни от ветра свечу, молитву с юности укрась, точно невесту, бденьем, трудом, терпением — и тогда возжелает ее царь небесный.

Тайное место найдя и присев в тишине, помяни и грехи, и падения царств, и умились и сердцем, и взором, голову преклони и скажи со вздохом: «Ох мне, ох, пребыванье мое затянулось, кто ж даст воду главе моей и очам моим слезы? увы мне, увы мне, ибо близок день Господен!»

А если нет слез, не отчаивайся, почаще вздыхай и тяжко от чистого сердца, ибо слезы — дар Божий, так мало-помалу умиленьем и вздохом выпросишь их у Бога, ибо всякий просящий получит.

Обретши слезы, охраняй их изо всей силы от обжорства и пьянства, но больше всего остерегайся осуждать других: делай дело свое, а не суди человека, ведь не ты его создал.

Не верь и очам своим, если видишь, что кто-то грешит, ибо и очи обманут: ведь и прежде в раю соблазнились очи, и свершилось падение их от взгляда.

Кто носит на ребрах своих рану, полную гноя, не гнушается чужими прыщами, всегда размышляя о множестве личных грехов и никогда не входя в беседы о соблазне других.

Червь мелок и слаб, ты же славен и горд, но если разумен ты сам, смири гордыню свою, размышляя о том, что твердость твоя и сила будут червям приютом.

Вспомни древних, прославленных храбростью, богатством, славой, ведь все они отошли безвестно и ныне забыты; слабые же и убогие в сем мире, о душе своей позаботившиеся, прославлены на небесах, и на земле их хвалят, призывая на помощь.

Милосердно очи свои возведи на сидящего в наготе и от холода скорченного, дай ему тело его прикрыть одеждой, лежащею у тебя, и Господь даст тебе сторицею вечную жизнь.

Подай руку скитающемуся по улицам, введи его в дом свой, раздели с такими и хлеб твой, и чашу воды ли или питья, какого тебе дал Господь.

Странника в дом свой введи, в хоромы — бездомного, мокнущего осуши, замерзающего согрей, смой грязь тела его, ибо убог он весьма и достоин спасения.

Навести в темнице сидящих по воле Бога, взгляни на беду их, взгляни на страдания и скажи: «Ох мне! это они за одно согрешение только страдают! Я же все время пред владыкой моим Христом согрешаю, но нахожусь на свободе!»

Если видишь кого-то из них по навету страдающим, помоги ему, ради Христа, яви истину к тем, кто был оклеветан, ибо весьма спасительное это дело, облегчать обиженных долю.

102

Когда сидишь за обильным столом, вспомни о том, кто ест хлеб сухой и не может воды принести в недуге.

Насыщая тело свое, отдай часть еды твоей ради души своей, ибо честней она тела, чтобы душевную часть сохранили нищие, так что когда потребуется, она в готовности. Время будет твое на исходе, а она окажется у врат небесных, тогда потребует много.

Принимая сладостное питие, подумай о пьющем теплую воду, на солнце согревшуюся, полную сора от неприкрытого места.

ИЗ «ИЗБОРНИКА 1076 года»

Имеющий благ земных изобилье, помни всегда Авраамово слово к богатому: «Ты принял благое в жизни своей, как принял убогий — злое, потому веселится он, ты же — страдаешь».

Возлегши на мягкой постели, свободно потягиваясь, вспомни лежащего в наготе под единым рубищем, того, кто не может вытянуть ноги свои из-за холода.

Когда возлежишь ты под крепкою крышей в хоромах, слушая как шумит дождь, подумай и об убогих, что ныне лежат, пронзаемы точно стрелами дождевыми каплями, а другие без сна сидят, затопленные водою.

Когда в мороз сидишь ты в теплых хоромах, без страха раздевшись, вздохни, об убогих вспомнив, как сгорбились над огоньком, согнувшись, с большой болью в глазах от дыма, чуть-чуть согревая руки, тогда как плечи и тело — все мерзнет на холоде.

Ухо свое преклони к просителю, обнищавшему в жизни сей, поставь заплату избытком своим на зияние дыр его.

Помышляй о духовном, а не о земном; знай, что по нетленной одежде крещения все равны, и убогие, и богатые. Поэтому берегись, чтобы думая по-земному, не презирать убогого, не одинаково с тобою одетого тленной одеждой.

Святым, угодившим Богу, молись, ибо они помощники и заступники прибегающих к ним, поскольку они получили право обращаться к Господу, как рабы, угодные своему господину.

Мощи святых с верой целуй и честь им воздай как честным, ибо ради Христа пострадали они.

Веруй в Божии тайны, телу и крови Его причащайся со страхом — и станешь причастником царству Его.

Неверие же отметай, не говори: «как это, хлеб — тело, а вино — кровь?», но знай: что у людей невозможно, у Бога возможно.

Верь в воскресение мертвых, в жизнь предстоящего века, по неизреченным словам Господня, которые слышишь у евангелистов.

Помни о Страшном суде, ожидая ответа и воздаяния по делам — и верь: это будет, будет!

А еще: возлюби Господа Бога своего от всей души своей и со всею твердостью, и старайся угодить ему всеми делами твоими и добронравием.

Также и ближнего своего возлюби, с которым в одной породнился купели, то есть всякого христианина, а скорее — брата тебе, ибо, сказал Господь, «Восхожу к Отцу моему и Отцу нашему».

Склоняй свою голову перед всяким, кто летами старше иль разумом, ибо возвысит смиренных Господь.

Друзей же своих и равных тебе с любовью встречай, и, обнимая, целуй, как Елизавета и Мария.

Меньших тебя и малых годами любовно прими и помилуй, и к Богу о них воздохни, ибо только что начали те познавать Господа.

Князя бойся всей силой своею, ибо страх пред ним — не пагуба для души, лишь вернее научишься Бога от того бояться.

Пренебрежение властями — пренебрежение Богом. Ведь если кто власти земной не боится, поучения видимого владыки, то как устрашится невидимого?

Боится ученик учительского слова, но больше — самого учителя, так и страшащийся Бога боится и князя, через которого и наказываются согрешающие, ибо князь — перед людьми слуга Бога, милость иль наказанье преступных.

А кроме того, пред всяким богатым склоняй свою голову смирения ради, ибо у древа много ветвей: только склонившись, под ним пройдешь.

Принявшие власть и именье от князя своего, хотят от друзей своих прославления, а от низших ждут поклонения и почитания.

Пред князем страшись говорить неправду, ибо губит Господь изрекающих ложь, но покорно истину говори ему, словно Господу самому.

ИЗ «ИЗБОРНИКА 1076 года»

Если когда-нибудь неверно что скажет тебе, а ты это знаешь, вглядись, не искушает ли он тебя: бережешь ли душу свою? Если же явишь свое безумство, не сможешь доказать ему, что сохраняешь душу его.

Ум свой от суетных мыслей отринь, воспаряя высоко к Господу, ибо этим вступаешь на стезю добродетели, освобождаешь душу от слабости.

То не диво для естества человека — ниспадать к земному, но если, павши, не встать? Разве кто-нибудь, сбившись с пути, снова его не отыщет? Если разбит отчаяньем ты сегодня — завтрашний день посвяти подвигу.

Миниатюра Изборника Святослава

Неразумно, когда приходят вечные достояния — дары благого Бога, не дожидаться их с терпением и верой, но радоваться земному и к нему стремиться, словно не веря в воскресенье.

Если бы слава сего мира приближалась к славе небесной, не распяли бы славы Господа мира сего сыновья, ибо какой раб дерзнет жить в доме, где его господина не приняли?

Голод и жажду терпи Христа ради: насколько наносишь вред телу, настолько душе создаешь благо. Воздающий суд за слова и помыслы воздаст благом и за малое, которое ради него претерпим.

Молитвы — пищи душевной — не откладывай, как тужит тело, изнемогая без пищи, так душа, лишаемая сладости молитвы, к слабости и душевной смерти приближается.

Свет в хоромах — свеча, свет же в чувстве — молитвенный разум; ясен свет от свечи, не знающей никаких примесей, но светла и молитва, не смешанная с земными помыслами.

Предай все желания Богу, ведающему все до бытия человека, и не проси о воле своей — у всякого человека мысль о ненужном, — но обращайся к Богу: «Да будет воля твоя!» Ибо строит он все нам на пользу, которой мы в нашей плоти не ведаем.

Стенай словно мытарь, вернись точно блудный сын, умились как Ахав, восплачь точно Петр, взывай как ханаанка, предстань как вдовица, молись как Иезекия, смирись как Манасия, — и если молишься так, примет благой Господь молитву твою, как мать — младенца.

Дело безгрешного осуждать чужие грехи, а кто без греха? Один только Бог. Один он безмерен, и ему подобает судить тех, кто измерен.

Гордыня и самомнение осуждать других заблуждающемуся человеку; Господь же гордым противится. Но тот, кто всегда готов дать ответ за свои грехи, не скоро поднимет голову свою, чтобы рассмотреть чужие заблуждения.

Оставь гордыню — и не похвалится гроб, гордость твою вбирая в себя, и убогий отдохнет на гробе твоем без всякого для себя вреда.

ИЗ «ИЗБОРНИКА 1076 года»

Увидев, что мертвеца несут, сжалившись как над собственным телом, проводи его до могилы и двойную получишь пользу: на смерти его свою кончину представив, смиришься, а тело его пожалев и предав могиле, сам помилован будешь.

Болящего посети, принеся ему то, что он хочет отведать, и сам ему послужи, как близкому своему, помня, что так же и тебе предстоит пострадать.

Если стонет кто-то тяжко в болезни, сострадательно слезы свои испусти и к Богу вздохни о болезни, в которой он находится, а если лекарь при этом случится, дай плату ему за его лечение.

Когда умирает он, то своими руками очи его закрой и уста его, о душе его сердцем всем помолись ты Богу и омой своими руками, а если убог, позаботься, чтобы не нагим схоронили его.

Важно для покаяний и слез посещение умирающих. Да и кто же тогда не придет в умиление, видя естество в могилу сходящее, имя угасшее, и славу богатого, рассыпавшуюся в тлен.

А если можешь просить властителей и князей, заступись за обиженных сильными, и до пота сразись за сирот — приравняет капли пота твоего Господь к крови мучеников.

Если же не знаком ты князьям, то тех попроси заступиться, кто близок к ним, поскорби об убогом — и скоро Господь, как и прежде, отплатит тебе.

Когда церковь Божья зовет на молитву, оставь свое дело земное и спеши за душевной пищей с тщаньем, точно Петр, Иоанн ко гробу Господню.

Когда направляешься в храм святой, вспомни, когда и кого прогневил ты в каком-то деле, и постарайся, как можешь, мрак гнева того разогнать и — тогда словно солнце осветит душу тебе доброта молитвы.

Ибо скрывает темная туча солнечную красоту и светлость, погубит красоту молитвы помышление гневное.

Ступив в церковные двери, помни, что там ты вратами небесными как бы проходил, творя молитвы весь тайный час, в трепетном страхе стой, с верою глядя на происходящее очами телесными и духовными, тогда и сам переменишь мысли земные на будущие блага.

Видев Христа, закалаемого в жертву Отцу за весь мир, что иное ты можешь помыслить, находясь во плоти, как только, руки воздев, сказать: «Слава великому твоему человеколюбию, Христе Боже!»

Размышляя же часто о многих согрешениях человека, увидишь премногое и бесконечное человеколюбие Божье, какое нисходит на род человеческий и нас, согрешающих, терпит и до последнего вздоха нашего ждет от нас покаяния. Потому спешим с исповедью еще до встречи с Ним. Приди, потрудись и припади пред Господом, и восплачь пред сотворившим тебя, призови его милость, проси щедрот его, пока не опередила смерть.

Не говори: «Согрешил я много, много совершил беззаконий и не дерзаю припасть к Богу» — не отчаивайся, но уж теперь не греши, и силой всемилостивого Бога не будешь отвергнут.

Прав сказавший: «Приходящего ко мне не выгоню вон», — и потом: «Все обратитесь ко мне — я исцелю Вас, не хочу смерти грешнику». Так дерзай же и веруй, что сам Чистый — приближающегося к нему очистит.

Если действительно желаешь принять покаяние, то яви это делом: если в гордыни каешься, покажи смирение, если в пьянстве, покажи воздержание, если в любодеянье, покажи чистоту. Ведь сказано: «Уклонись от зла и сотвори добро».

Но не медли в греховной тине. Внезапно поймешь и вздохнешь, но не будет слышащего: когда неожиданно ангел перед очами предстанет, враги твои, словно облако, скроют тебя.

Внимай душе своей, ибо она одна у тебя, время жизни одно и неведом конец, и непреходима пучина воздуха, наполненного врагами твоими, и нет никого, кто спасет, кроме добрых дел, — так что всей силой твоею их и взыщи.

Вступи на стезю добродетели, быстро пойди, пока не наступит вечер, подступая к вратам града вышнего, не отклоняясь ни вправо, ни влево, чтобы не заблудиться в пропасти мучений.

ИЗ «ИЗБОРНИКА 1076 года»

Пред епископами и пастырями овец словесных стада Христова голову свою преклоняй и припадай к их ногам, и моли, чтобы дали тебе благословение.

Пресвитеров и иереев Христовых, представителей тайной его трапезы и дробителей тела его всякою честью почти и со страхом взирай на них.

Затем диаконов и иподьяконов, и чтецов как служителей Божьих: с верою думай о них, стараясь никому из них ни в чем не вредить.

Ведь если стоящих перед земным царем почитаешь во страхе, боясь и словом им противоречить, то что подумаешь ты о слугах царя небесного?

В домах святых монастырей потрудись, посмотри на житье и устройство там устава и чина. Глядя на их пребывание, раскаешься в своем житье и тем исправишься потом.

Разворот Изборника Святослава

109

И с теми, кто пребывает в затворе, не ленись общаться, ищи их молитвы, проси благословения, а если есть что у тебя из потребы для тела, им принеси — и примешь тогда душевную помощь.

Но больше всего старайся, как бы не пройти мимо монаха без поклона, ибо если только одним знакомым кланяешься и чтишь их, то это только по дружбе, не из почтения к образу, ими носимому.

В результате всего сказанного: возлюбишь Господа всею душою, и страх перед ним да пребудет в сердце твоем.

Будь и праведен, и правдив, смирен, кроток, покорен, долу склоняясь, ум простирая к небу, умилен пред Богом, а к людям приветлив, опечаленного — утешитель, терпелив в напасти и нищете, щедр и милостив, нищим кормитель, странноприимник, скорбен греха ради, весел о Боге; постись и жаждай, кроток, робок, покорен, неславолюбив, не златолюбец, но друголюбец, не горд, трепетен перед царем, готовый к его повелениям, в ответах мягок, частый молитвенник, разумный труженик Бога, не осуждающий всякого человека, защитник обиженных нелицемерный.

Дитя Евангелия, сын воскресения, наследник будущей жизни во Христе Иисусе, Господе нашем, которому слава и честь, ныне и присно и во веки веков. Аминь.

Поучение Исихия, пресвитера Иерусалимского

Всегда имей страх и любовь к Богу и чистое ко всем сердце.

Что бы ты ни делал, знай, что сам Бог над тобою стоит.

Радуйся, творя добро, но не возносись, чтобы не утонуть при спокойной воде.

Знай, что насколько ты преуспеваешь в законе, настолько ты отстаешь в совершенстве.

ИЗ «ИЗБОРНИКА 1076 года»

Всякого дела конец перед началом его рассматривай день и ночь, и помни всегда о последнем дне.

Никогда не водись с теми, кого, ты видишь, порицают хорошие.

Старайся никому не вредить в его деле.

Не радуйся цветущему в мире сем, ибо все как цвет травный: только сорвешь — тотчас увядает.

В печалях благодари Бога, и ярмо грехов твоих облегчится.

Смотри на себя, иных не осуждая, ибо много и в нас того, что осуждаем в других.

Пусть псалом всегда будет в устах твоих, ибо Бог, поминаемый словом, прогоняет бесов.

Молитва твоя пусть будет с разумным смыслом, чтоб не молиться так, как неугодно Богу.

Всегда поминай Бога — и будет ум твой как небо.

Прикуси язык свой: часто он то выдает, что лучше таить.

Добродетели не выставляй свои, пусть лучше будет больше свидетелей твоему житию.

Лишь столько дай телу, сколько требуется, но не сколько захочет.

Не наслаждайся чрезмерно, ибо склонность к наслаждению привязывает к жизни, от нее же рождается враждебность к Богу.

Отвращайся от житейских радостей: на них поскользнется тот, кто ищет спасения вечного.

Все, в чем согрешил, со стеньем вспоминай, это дает облегчение.

Приобщайся служенью святым, ибо ими ты приобщишься к Богу.

БИБЛИОТЕКА ПРОЕКТА БОРИСА АКУНИНА

В церковь как в небеса ступай, в ней не болтай, не помышляй о земном.

Лучше всего имей достаточное, Богу доверь заботиться о том, чтобы всегда ты пользовался изобилием.

Плоти препону твори благими трудами.

Мед пей помалу, и чем меньше, тем лучше: не споткнешься.

Гнев утоли, ибо отец он бесу, если без меры исходит.

В болезни прежде врача прибегай к молитве.

Попов одинаково всех чти, а к помощи славных подвижников прибегай.

Божии домы люби, и сам постарайся создать Божий дом.

В церкви часто бывай, освобождает нас это от внешних сует.

Когда молитву творишь, ум возведи к Богу, а если сникнет, снова его вознеси ввысь.

Не утомляется ум, злые помыслы порождая, — так выметай же злые мысли, добрые — сей.

Возрадуйся смирением, ибо та вусота, что от смирения, непобедима, и в этом — величие.

Трудись до тех пор, покуда не начнешь обуздывать плотские желанья.

Помышляй о красоте небесного благолепия, и не будет привязанности у тебя к земному, и красота земная на ум тебе не придет.

Знай, что земные помыслы — вражие семена. Лишь оставлены эти мысли, тотчас бесы, напасть готовые, посрамятся.

Уклоняйся от частого смеха, ибо он расслабляет душу, ослабивший же узду закона становится необузданным.

ИЗ «ИЗБОРНИКА 1076 года»

На дела следует душу направлять и на молитвы, и тогда не отыщет входа в нас дьявол.

Обычным делом почитай чтение книг: ибо когда захочет кто ум с языком исцелить, пусть всегда обращается к книгам.

Когда же на дело простираешь руки, пусть язык твой поет, а ум твой молится, ведь просит нас Бог всегда о нем помнить.

Всякое дело отмечай молитвой — раздвоеньем твой ум от того не смутится.

Праздный же да не ест, но снова мы видим: иные из вас бесчинно бродят, не делая ничего, но притворяясь работающими.

Любящий труд без печали пребудет, начало гордыни — не потрудиться с близким посильно; выходя на работу — скажем, не много, но усердно выполним то, ради чего пришли.

Мать пороков — леность: добродетели, если есть, украдет, а которых нет — не даст обрести.

Если хочешь, чтобы дело рук твоих божественным было, а не земным — пусть будет делом с убогими вместе.

Радуйся о молитвах святых мужей. Святых познавай по делам их: всякий овощь по плодам познается.

Беззлобен будь сердцем, а телом чист; то и другое составит в тебе Божью церковь телесную.

<...>

Когда тебя оклевещут, подумай, что в клевете справедливо, и если нет ничего, уподобь клевету исчезающему дыму.

Когда обижают тебя, прибегай к терпению, и твое терпение поразит обидчика твоего и все устроит.

Когда богатство или славу предвидишь, вспомни, что тленно все, и тем избежишь крючка жизни сей.

Терпи несчастья, ибо в несчастьях цветут добродетели, точно в терниях цветы.

Оплачь же грешника, в богатстве живущего, ибо судный меч на себя готовит.

Если кто-то, зло творя, за него не стыдится — тяжки его раны, безнадежен становится он.

Как часто ни будешь ты в горести, подумай, сколько праведникам насылалось бед — и прибудет тебе их талант.

Каждому христианину надлежит смирение, если же пред одним смиряться, а пред другим нет, — это смирение лицемерных.

Не разговаривай со злыми, ибо они поучают тебя на злое, и с приближением к ним их же греху приобщишься.

Слушать добрых всегда и беседовать с ними старайся, ибо они подвигают на битву добрую душу.

Как церковь домашнюю каждый из нас имеет свой ум, чтоб исполнять в ней потребные церкви законы.

Тогда возненавидишь порок, когда поймешь, что он — нож беса, на нас наточенный.

Когда со святыми беседуешь, вопрошай их о духовном, а когда не с ними, то сам о духовном беседуй.

Кто не твердо живет, с тем не советуйся, а кто злому радуется, тот ненавидит добро и совета о нем не захочет дать.

Если хочешь избежать вечной муки, никого не осуждай и не клевещи ни на кого: за это Бог больше всего и гневается.

Хочешь подняться выше любого греха, вглядись в других: ибо много такого в тебе, что в другом осуждаем.

Избегай надменности, человек, даже если ты и велик: удаляясь от Бога, себя обрящешь ли?

ИЗ «ИЗБОРНИКА 1076 года»

Возлюби смирение, даже если ты и велик, чтоб в день последний тебя возвысили.

Не осуждай никогда человека — и не будешь осужден в этой жизни.

Когда идешь в церковь, пустяками не развлекайся, ведь когда стоят перед князем, не смеются, не потешаются.

Не смейся над чужим падением, иначе и сам скоро, пав, высмеян будешь теми, от кого не хочешь насмешки.

Миниатюра Изборника Святослава

Сохраняй все это учение — и пребудешь в венце славы.

Твердо следуй этим заповедям — и сотворят тебя славным среди людей и Богу угодным, ибо славится так Божество, и этим можно ему угодить.

Подобает так жить и идущему к вечной жизни, ни во что вменяя тленное.

И, если чаешь истинной жизни, всегда ожидай смерть человеческую.

Возненавидь эту жизнь, ибо видишь, что вертится колесом она.

И выше всего почитай свою душу: славный труд и без устали она для тебя совершает.

Все здесь тленно, и только душа нетленна, а чтить подобает нетленное больше, чем тленное.

Не проси у Господа славного, но проси лишь полезного: ведь славного даже попросишь — не даст, а если и даст, оно истлеет.

Не радуйся о богатстве, ибо его печали удаляют от Бога, даже если и не хотим этого.

Не отвергай никогда убогого, который плачет, — и не отринутся слезы молений твоих.

Воздержаться нужно от пьянства, ведь за отрезвлением следуют стоны и раскаяние.

Помыслов сластолюбивых лучше гнушаться, ибо они растлевают душу и плоть оскверняют.

И земное добро без труда не творится, отчего же избегаем труда благословенного?

Если хочешь без труда добро творить, помни, что труд этот временный, а награда вечная.

Свят дом молебный, потому что свято святое приводит к нам.

ПРОСТРАННАЯ ПРАВДА РУССКАЯ

*Подготовка текста
и перевод М.Б. Свердлова*

Пространная Правда Русская (далее — ППР) являлась сводом законов и представляла собой собрание законов, изданных в разное время князьями. Ее основой стала Краткая Правда Русская (далее — КПР), изданная Ярославом Мудрым. Ее названием было, вероятно: «Правда Русская. Суд Ярославль Володимеричь» (Свердлов М.Б. От Закона Русского к Русской Правде. М., 1988.)

Создание ПП исследователи датировали по-разному и с существенными различиями в толкованиях, от первой трети XII в. (большинство исследователей) до начала XIII в. (Н.Л. Дювернуа, С.В. Ведров, В.О. Ключевский, М.Н. Тихомиров, Л.В. Черепнин, Я.Н. Щапов и другие). Верным представляется первое мнение. ПП была издана, вероятно, в киевское великое княжение Владимира Всеволодовича Мономаха (1113–1125) или его сына Мстислава Владимировича Великого (1125–1132). Позднее, в период политического распада

Великие князья Владимир Всеволодович Мономах (слева) и Мстислав Владимирович Великий (справа). Царский титулярник 1672 г.

БИБЛИОТЕКА ПРОЕКТА БОРИСА АКУНИНА

Киевской Руси на множество самостоятельных княжеств такая общерусская кодификация писаного права была невозможна. Выполнен был этот свод так удачно, что до конца XV в. он использовался в качестве источника светского права (Зимин А.А. Традиции Правды Русской в Северо-Восточной Руси XIV–XV вв. — Исследования по истории и историографии феодализма: к 100-летию со дня рождения академика Б.Д. Грекова. М., 1982).

ПП написана прекрасным литературным древнерусским языком без диалектизмов. Вместе с тем она является замечательным и еще не оцененным литературным произведением. Со свойственным средневековому реализму лаконизмом излагает ПП самые различные жизненные ситуации в связи с правонарушениями, в связи с отношениями господства и подчинения, в связи с долгом и наследованием, судебно-следственной процедурой и так далее. Литературно формулировки юридических норм изложены по-разному, от лапидарных клише до обстоятельного изложения. В текст включена прямая речь, что также придает ПП стилистическое разнообразие.

В течение долгого периода практического использования ПП в XII–XV вв. ее текст развивался. В.П. Любимов доказал, что списки ПП делятся на три группы: Синодально-Троицкую, Пушкинскую и Карамзинскую, которые подразделяются на виды. Синодально-Троицкая группа наиболее близка к архетипу, тогда как другие группы являются более поздними по происхождению и содержат дополнительные статьи (Правда Русская, т. I. М.–Л., 1940, с. 34–54). Поэтому текст издается по наиболее исправному Троицкому I списку (XIV в.), относящемуся к Синодально-Троицкой группе списков.

Лучшее издание ПП: Правда Русская, т. I, с. 89–457. Издаваемый текст Троицкого I списка сверен с его факсимильным воспроизведением: Правда Русская, т. III, М. 1963, с. 43–67.

Суд Ярослава Владимировича Русская Правда

1. Если убьет муж мужа, то мстить брату за брата, или отцу, или сыну, или двоюродному брату, или сыну брата; если никто <из них> не будет за него мстить, то назначить 80 гривен за убитого, если он княжий муж или княжеский тиун; если он будет русин, или гридин, или купец, или боярский тиун, или мечник, или изгой, или словенин, то назначить за него 40 гривен.

2. По смерти Ярослава, снова собравшись, сыновья его, Изяслав, Святослав, Всеволод, и мужи их, Коснячко, Перенег, Никифор, отменили месть за убитого, заменив ее выкупом деньгами; а все остальное — как Ярослав судил, так и сыновья его установили.

3. Об убийстве. Если кто убьет княжего мужа в разбое, а убийцу не ищут, то виру в 80 гривен платить верви, где лежит убитый, если же простой свободный человек, то 40 гривен.

4. Если которая-либо вервь совместно будет платить дикую виру, пусть выплачивает ту виру столько времени, сколько будет платить, потому что они платят без преступника.

5. Если преступник является членом их верви, то в этом случае помогать <общинникам> преступнику, поскольку ранее он им помогал <выплачивать виру>; если же совместно <выплачивать> дикую виру, то платить им всем вместе 40 гривен, а за преступление платить самому преступнику, а из совместной платы 40 гривен ему заплатить свою часть.

6. Но если <кто> убил открыто, во время ссоры или на пиру, то теперь ему так платить вместе с вервью, поскольку и он вкладывается в виру.

7. Если <кто> свершит убийство без причины. <Если кто> свершил убийство без всякой ссоры, то люди за убийцу не платят, но пусть выдадут его самого с женою и детьми на изгнание и на разграбление.

8. Если кто не вкладывается в совместную виру, тому люди не помогают, но он платит сам.

9. А это вирные постановления, которые были при Ярославе: вирнику взять 7 ведер солода на неделю, а также барана или полтуши говядины, или 2 ногаты; а в среду куна или сыр, в пятницу столько же, две куры ему на день, а хлебов 7 на неделю, а пшена 7 уборков, а гороха 7 уборков, а соли

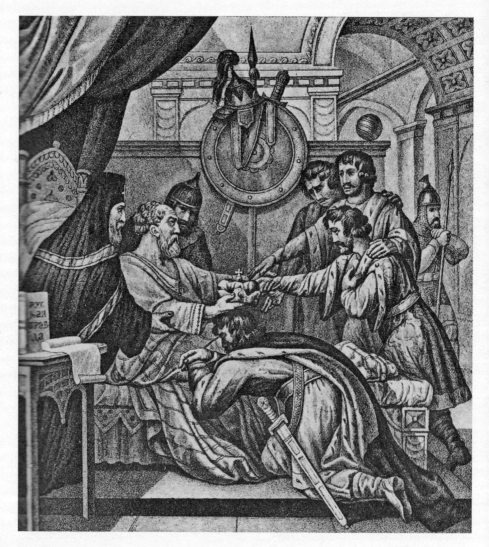

Наставление Ярослава сыновьям. 1054 г. Литография Б.А. Чорикова (1802–1866)

ПРОСТРАННАЯ ПРАВДА РУССКАЯ

7 голважень; все это — вирнику с отроком, а коней содержат четырех, на каждого коня давать овес; вирнику — 8 гривен, а 10 кун — перекладная <подать>, а метельнику — 12 векш, и еще ссадная гривна.

10. О вирах. Если вира 80 гривен, то вирнику 16 гривен и 10 кун и 12 векш, а ранее — ссадная гривна, а за убитого — 3 гривны.

11. О княжеском отроке. Если за княжеского отрока, или за конюха, или за повара, то <вира> 40 гривен.

12. А за тиуна управляющего господским хозяйством, и за конюшего — 80 гривен.

13. А за тиуна княжеского сельского или руководящего пахотными работами — 12 гривен.

14. А за рядовича — 5 гривен. Столько же и за боярского <рядовича>.

15. О ремесленнике и ремесленнице. А за ремесленника и за ремесленницу — 12 гривен.

16. А за смерда и холопа 5 гривен, а за робу — 6 гривен.

17. А за кормильца 12 гривен, столько же и за кормилицу, хотя это будет холоп или роба.

18. О недоказанном обвинении в убийстве. Если на кого будет недоказанное обвинение в убийстве, то выставить 7 свидетелей, чтобы они отвели обвинение; если же <обвиняемый> варяг или какой иной <иноземец>, то выставить двух свидетелей.

19. А за останки и за мертвеца, если не ведомо его имя и он неизвестен, то вервь не платит.

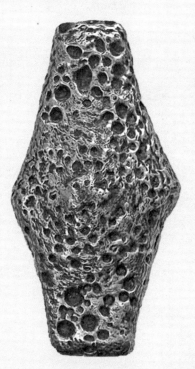

Киевская гривна

123

20. Если отведет обвинение в убийстве. А если кто отведет обвинение в убийстве, то дает отроку гривну кун за оправдание; а кто его недоказанно обвинил, то тому дать другую гривну, а за помощь в отведении обвинения в убийстве 9 кун.

21. Если ищут свидетеля и не найдут, а истец обвиняет в убийстве, то рассудить их испытанием железом.

22. Так же и во всех судебных делах, о воровстве и о клевете, если не будет поличного, а иск не менее полугривны золота, то тогда принудительно привести ответчика к испытанию железом; если же менее значительный иск, то к испытанию водой; если до двух гривен или менее, то идти ему на судебную клятву в отношение своих кун.

23. Если кто ударит мечом. Если кто ударит мечом, не обнажив его, или рукоятью, то 12 гривен штрафа в пользу князя за обиду.

24. Если же, вынув меч, не ударит, то гривна кун.

25. Если кто кого ударит батогом, или чашей, или рогом, или тыльной стороной оружия, то 12 гривен.

26. Если кто, не утерпев, ударит мечом того, кто нанес удар, то вины ему в этом нет.

27. Если посечет руку, и отпадет рука или усохнет, или нога, или глаз или нос повредит, то полувиры 20 гривен, а пострадавшему за увечье 10 гривен.

124

28. Если повредит какой-либо палец — 3 гривны штрафа князю, а пострадавшему гривна кун.

29. Если придет окровавленный человек. Если придет на <княжеский> двор человек окровавленный или избитый до синяков, то не искать ему свидетелей, а платить ему <виновному> штраф князю 3 гривны; если следов побоев нет, то привести ему свидетеля в соответствии со словами его показания; а кто начал драку, тому платить 60 кун, если даже и придет окровавленный <человек>, но он сам начал, и придут свидетели, то за это ему платить, хотя его же и били.

ПРОСТРАННАЯ ПРАВДА РУССКАЯ

30. Если <кто> ударит мечом, но не зарубит насмерть, то 3 гривны, а самому <пострадавшему> гривна за рану на лечение, если зарубит насмерть, то платить виру.

31. Если человек толкнет человека к себе или от себя, или по лицу ударит, или жердью ударит, и представят двух свидетелей, то 3 гривны штрафа князю; если будет варяг или колбяг, то вывести на суд свидетелей сполна <тоже двух> и пусть они идут на судебную клятву.

32. О челяди. Если челядин скроется, и объявят о нем на торгу, а в течение 3 дней его не вернут, то, если опознают его на третий день, <господину> забрать своего челядина, а тому <укрывателю> заплатить 3 гривны штрафа князю.

33. Если кто сядет на чужого коня. Если кто сядет на чужого коня без спросу, то 3 гривны.

34. Если у кого пропадет конь, оружие или одежда и он объявит о том на торгу, а после опознает пропажу в своем городе, то взять ему свое наличием, а за ущерб платить ему 3 гривны.

35. Если кто познает свое, что у него пропало или было украдено, или конь, или одежда, или скотина, то не говори тому <у кого пропажа обнару-

Русское денежное обращение возникло в начале IX в. в связи с массовым проникновением в русские земли восточного дирхема весом около 2,73 г, который становится к уже бытующей здесь гривне весом 68,22 г в оригинальное отношение 1:25. На Руси монета получает название куна

жена>: «Это мое», но пойди на свод, где он взял, пусть сойдутся <участники сделки и выяснят>, кто виноват, на того и падет обвинение в краже; тогда истец возьмет свое, а что пропало вместе с этим, то ему виновный выплатит; если будет конокрад, то выдать его князю на изгнание; если вор, обокравший клеть, то ему платить 3 гривны.

36. О своде. Если будет <свод> в одном городе, то идти истцу до конца этого свода; если будет свод по <разным> землям, то идти ему до третьего свода; а в отношении наличной <краденой> вещи, то третьему <ответчику> деньгами платить за наличную вещь, а с наличной вещью идти до конца свода, а истец пусть ждет остального <из пропавшего>, а где обнаружат последнего <по своду>, то тому платить за все и штраф князю.

37. О воровстве. Если <кто> купил что-либо ворованное на торгу, или коня, или одежду, или скотину, то пусть он выведет свидетелями двух свободных человек или сборщика торговых пошлин; если же он не знает, у кого купил, то пусть те свидетели идут на судебную клятву в его пользу, а истцу взять свое украденное; а что вместе с этим пропало, то о том ему лишь сожалеть, а ответчику сожалеть о своих деньгах, поскольку не знает, у кого купил краденое; если позднее ответчик опознает, у кого это купил, то пусть возьмет у него свои деньги, а тому платить <за все>, что у него <ответчика> пропало, а князю штраф.

38. Если кто опознает <свою> челядь. Если кто опознает своего украденного челядина и вернет его, то он должен вести его по денежным сделкам до третьего свода и взять у третьего ответчика челядина вместо своего, а тому дать опознанного: пусть идет до последнего свода, потому что он не скот, нельзя ему говорить: «Не знаю, у кого я куплен», но идти по показаниям челядина до конца; а когда будет выявлен истинный вор, то опять вернуть господину украденного челядина, а третьему ответчику взять своего, и за ущерб <истцу> тому же вору платить, а князю 12 гривен штрафа за кражу челядина.

39. О своде же. А из своего города в чужую землю свода нет, но также представить <ответчику> свидетелей или сборщика пошлин, перед которым была совершена покупка, а истцу взять наличное, а об остальном, что с ним пропало, только сожалеть, а тому, кто купил краденое, сожалеть о своих деньгах.

ПРОСТРАННАЯ ПРАВДА РУССКАЯ

40. О воровстве. Если убьют кого-либо у клети или во время какого иного воровства, то его можно убить как собаку; если продержат его до рассвета, то вести на княжеский двор; если же убьют его, а люди видели его уже связанным, то платить за него 12 гривен.

41. Если кто крадет скот в хлеве или клеть, то если один <крал>, то платить ему 3 гривны и 30 кун; если же их много <крало>, то всем платить по 3 гривны и по 30 кун.

Ярослав издает письменные законы под названием
Русской Правды

42. О воровстве же. Если крадет скот в поле, или овец, или коз, или свиней, то 60 кун; если воров будет много, то всем по 60 кун.

43. Если крадет на гумне или зерно в яме, то сколько их крало, всем по 3 гривны и по 30 кун.

44. А у кого <что> пропало, но будет <обнаружено> в наличии, пусть наличное возьмет, а за <каждый> год пусть возьмет по полугривне.

45. Если же наличного не будет, а это был княжеский конь, то платить за него 3 гривны, а за других по 2 гривны.

А это постановление о скоте. За кобылу — 60 кун, а за вола — гривна, а за корову — 40 кун, а за трехлетку — 30 кун, за годовалого — полгривны, за теленка — 5 кун, за свинью — 5 кун, а за поросенка — ногата, за овцу — 5 кун, за барана — ногата, а за жеребца, если он необъезжен — гривна кун, за жеребенка — 6 ногат, за коровье молоко — 6 ногат; это постановление для смердов, если платят князю судебный штраф.

46. Если окажутся воры холопами, то суд княжеский. Если окажутся воры холопами, или княжескими, или боярскими, или принадлежащими монахам, то их князь штрафом не наказывает, потому что они несвободны, но пусть вдвойне платит <их господин> истцу за ущерб.

47. Если кто денег взыщет <на ком-либо>. Если кто взыщет на другом денег, а тот станет отказываться, то если <истец> выставит против него свидетелей, а те пойдут на судебную клятву, то пусть он возьмет свои деньги; а поскольку <ответчик> не отдавал ему деньги в течение многих лет, то заплатить ему за ущерб 3 гривны.

48. Если какой-либо купец даст другому купцу денег для местных торговых сделок или для дальней торговли, то купцу не нужно предъявлять деньги перед свидетелями, свидетели ему <на суде> не нужны, но идти ему самому на судебную клятву, если <ответчик> станет запираться.

49. О товаре, данном на хранение. Если кто кладет товар на хранение у кого-либо, то здесь свидетель не нужен, но если <положивший товар на хранение> станет необоснованно требовать большего, то идти на судеб-

ПРОСТРАННАЯ ПРАВДА РУССКАЯ

ную клятву тому, у кого товар лежал, <и пусть скажет>: «Ты у меня положил именно столько, <но не более>», ведь он его благодетель и хранил товар его.

50. О проценте. Если кто дает деньги под проценты, или мед с возвратом в увеличенном количестве, или зерно с возвратом с надбавкой, то следует ему представить свидетелей: как договаривались, так ему и получить.

51. О месячном проценте. А месячный процент брать ему <кредитору>, если <договорились> о малом <сроке>; если же деньги не будут выплачены в срок, то дают ему деньги в треть, а от месячного процента отказаться.

52. Если свидетелей не будет, а <долг> составит 3 гривны кун, то идти ему на судебную клятву <с иском> на свои деньги; если же <долг составил> бо́льшую сумму, то сказать ему так: «Сам виноват, что давал в долг без свидетелей».

53. Устав Владимира Всеволодовича. А это постановил Владимир Всеволодович после смерти Святополка, созвав свою дружину в Берестове: Ратибора, киевского тысяцкого, Прокопия, белгородского тысяцкого, Станислава, переяславского тысяцкого, Нажира, Мирослава, Иванко Чудиновича, мужа <князя> Олега <Святославовича>, и постановили, что <долг> взимают из процента на два третий, если <должник> берет деньги в треть; если кто возьмет проценты дважды, то тогда ему взять сам долг; если он возьмет проценты трижды, то <самого> долга ему не брать. Если кто взимает по 10 кун на гривну за год, то этого не запрещать.

Если кто взимает по 10 кун на гривну за год, то этого не запрещать.

54. Если какой-нибудь купец потерпит кораблекрушение. Если какой-нибудь купец, отправившись куда-либо с чужими деньгами, потерпит кораблекрушение, или нападут на него, или от огня пострадает, то не творить над ним насилия, не продавать его; но если он станет погодно выплачивать долг, то пусть так и платит, ибо эта погуба от Бога, а он не виноват; если же он пропьется или пробьется об заклад <проспорит>, или по неразумению повредит чужой товар, то пусть будет так, как захотят те, чей это товар: будут ли ждать, пока он выплатит, это их право, продадут ли его, это их право.

55. О долге. Если кто-нибудь будет многим должен, а приехавший из другого города купец или чужеземец, не зная того, доверит ему свой товар, а <тот> станет не возвращать гостю денег, и первые заимодавцы станут ему препятствовать, не давая ему денег, то вести его на торг, продать <его> вместе с имуществом, и в первую очередь отдать деньги чужому купцу, а своим — те деньги, что останутся, пусть они разделят; если будут княжеские деньги, то княжеские деньги отдать в первую очередь, а остальное в раздел; если кто взимал <уже> много процентов, то тому <свою часть долга> не брать.

56. Если закуп бежит. Если закуп бежит от господина, то становится полным <холопом>; уйдет ли в поисках денег, но уходит открыто, или бежит к князю или к судьям из-за оскорблений своего господина, то за это его не превращают в холопы, но дать ему <княжеское> правосудие.

57. О закупе же. Если у господина пашенный закуп, а он погубит своего коня, то <господину> не надо платить ему, но если господин дал ему плуг и борону и от него же взимает купу, то, погубив их, он платит; если же господин отошлет его по своему делу, а что-либо господское погибнет в его отсутствие, то за это ему платить не надо.

58. О закупе же. Если из запертого хлева <скот> выведут, то закупу за это не платить; но если <он> погубит <скот> на поле, не загонит <его> во двор или не затворит, где ему велит господин, или во время работы на себя, и погубит его, то за это ему платить.

130

59. Если господин нанесет ущерб закупу, причинит вред его купе или личной собственности, то это все ему возместить, а за ущерб ему платить 60 кун.

60. Если <господин> возьмет на нем больше денег, то вернуть ему деньги, которые взял <сверх меры>, а за ущерб ему платить 3 гривны штрафа князю.

61. Если господин продаст закупа в полные холопы, то должнику под проценты свобода во всех <взятых в долг> деньгах, а господину за обиду платить 12 гривен штрафа князю.

ПРОСТРАННАЯ ПРАВДА РУССКАЯ

62. Если господин бьет закупа за дело, то он не виновен; если он бьет не соображая, пьяным и без вины, то следует платить <штраф князю> как и за свободного, так и за закупа.

63. О холопе. Если полный холоп украдет чьего-либо коня, то платить за него 2 гривны.

64. О закупе. Если закуп украдет что-либо, то господин <волен> в нем; но если где-нибудь его найдут, то господин должен прежде всего заплатить за его коня или иное, что он взял, а его <закупа> делает полным холо-

Бюст Ярослава Мудрого.
Реконструкция М.М. Герасимова

131

пом; а если господин не захочет платить за него и продаст его, то прежде всего пусть отдаст за коня, или за вола, или за товар, что взял чужого, а остальное взять ему самому себе.

65. А это, если холоп ударит. Если холоп ударит свободного человека и убежит в дом, а господин его не выдаст, то платить за него господину 12 гривен; а затем, если где найдет тот ударенный своего ответчика, который его ударил, то Ярослав постановил его убить, но сыновья после смерти отца постановили выкуп деньгами, либо бить его, развязав, либо взять гривну кун за оскорбление.

66. О свидетельстве. А свидетельства на холопа не возлагают; но если не будет свободного, то по необходимости возложить на боярского тиуна, а на других холопов не возлагать. А в малом иске по необходимости возложить свидетельство на закупа.

А в малом иске по необходимости возложить свидетельство на закупа.

67. О бороде. А кто повредит бороду и останутся следы этого и будут свидетели, то 12 гривен штрафа князю; если же свидетелей нет и обвинение не доказано, то штрафа князю нет.

Новгородская гривна из селища в районе Копорья

ПРОСТРАННАЯ ПРАВДА РУССКАЯ

68. О зубе. Если выбьют зуб и кровь видят у него <пострадавшего> во рту, и будут свидетели, то 12 гривен штрафа князю, а за зуб гривна.

69. Если кто украдет бобра, то 12 гривен.

70. Если будет разрыта земля или <обнаружен> признак <снасти>, которой производился отлов, или сеть, то по верви искать у себя вора или платить <верви> княжеский штраф.

71. Если кто уничтожит знак собственности на борти. Если кто уничтожит знак собственности на борти, то 12 гривен.

72. Если межу порубит бортную или пашенную распашет или забором перегородит дворовую межу, то 12 гривен штрафа князю.

73. Если подрубит дуб со знаком собственности или межевой, то 12 гривен штрафа князю.

74. А это дополнительные пошлины. А это дополнительные пошлины к штрафу в 12 гривен: отроку — 2 гривны и 20 кун, а самому <судебному исполнителю> ехать с отроком на двух конях, и давать им на каждого овса, а мяса дать — барана или полтуши говядины, а остального корма — сколько эти двое съедят, а писцу — 10 кун, перекладного — 5 кун, за мех две ногаты.

75. А это о борти. Если борть подрубит, то 3 гривны штрафа князю, а за дерево — полгривны.

76. Если украдет рой пчел, то 3 гривны штрафа князю; а за мед, если пчелы не приготовлены на зимовку, то 10 кун, если подготовлены, то 5 кун.

77. Если вор не будет обнаружен, то пусть ищут по следу; если след будет к селу или к торговому стану, а люди не отведут от себя следа, не поедут вести расследование или силой откажутся, то им платить украденное и штраф князю; а вести расследование с другими людьми и со свидетелями; если след потеряется на большой торговой дороге, а рядом не будет села или будет незаселенная местность, где нет ни села, ни людей, то не оплачивать ни штрафа князю, ни украденного.

78. О смерде. Если смерд мучает смерда без княжеского повеления, то 3 гривны штрафа князю, а за муку <пострадавшему> гривна кун; если кто будет мучить огнищанина, то 12 гривен штрафа князю, а за муку <пострадавшему> гривна.

79. Если кто украдет ладью, то 60 кун штрафа князю, а саму эту ладью вернуть; а за морскую ладью — 3 гривны, а за набойную ладью — 2 гривны, за челн — 20 кун, а за струг — гривна.

80. О сетях для ловли птиц. Если кто подрежет веревку в сети для ловли птиц, то 3 гривны штрафа князю, а владельцу за веревку гривна кун.

81. Если <кто> украдет в чьей-нибудь сети для ловли птиц ястреба или сокола, то штрафа князю — 3 гривны, а господину — гривна, а за голубя — 9 кун, а за куропатку (?) — 9 кун, а за утку — 30 кун, а за гуся — 30 кун, а за лебедя — 30 кун, а за журавля — 30 кун.

82. А за сено и за дрова — 9 кун, а сколько возов украдено, то владельцу получить за каждый воз по 2 ногаты.

83. О гумне. Если кто подожжет гумно, то на изгнание и разграбление весь его дом, но сначала он должен выплатить за погубленное, а остальное его хозяйство князь конфискует. Такое же наказание, если кто подожжет двор.

84. Если кто злонамеренно зарежет коня или скотину, то князю штраф 12 гривен, а за ущерб господину платить назначенное возмещение.

85. Эти все тяжбы судят при свободных свидетелях; если будет свидетель холопом, то холопу на суд не являться; но если хочет истец использовать его свидетелем, то пусть скажет так: «Я привлекаю тебя по показаниям этого <холопа>, но привлекаю тебя я, а не холоп», и может взять его <ответчика> на испытание железом; если тот будет осужден, то он возьмет свое по суду, если же тот не будет осужден, то <истцу> заплатить ему гривну за муку, ибо брали его по показаниям холопа.

86. А при испытании железом платить <в суд> 40 кун, а мечнику 5 кун, а детскому полгривны; это плата за испытание железом, кто за что получает.

ПРОСТРАННАЯ ПРАВДА РУССКАЯ

87. А если привлекают на испытание железом по показаниям свободных людей, или подозрение на нем будет, либо ночью проходил <у места преступления>, то если <обвиняемый> каким-либо образом не обожжется, то за муки ему не платят, но только судебную пошлину за испытание железом платит тот, кто вызывал на суд.

88. О женщине. Если кто убьет женщину, то судить, таким же судом, что и за убийство мужчины; если же <убитый> будет виноват, то платить полвиры 20 гривен.

89. А за убийство холопа или робы виру не платят; но если кто-нибудь из них будет убит без вины, то за холопа или за робу платят назначенные судом деньги, а князю 12 гривен штрафа.

90. Если умрет смерд. Если смерд умрет, то наследство князю; если будут у него дома дочери, то выделить им часть <наследства>; если они будут замужем, то части им не давать.

И.Я. Билибин. Суд во времена Русской Правды. — 1909 г., «Картины по русской истории (1908–1913). Издание И.Н. Кнебеля — серия из 50 выпусков брошюр в жанре школьного пособия с иллюстрациями, оригиналы для которых выполнили художники Серебряного века.

91. О наследстве боярина и дружинника. Если умрет боярин или дружинник, то наследство князю не отходит; а если не будет сыновей, то возьмут дочери.

92. Если кто, умирая, разделит хозяйство свое между детьми, то так тому и быть; если же умрет без завещания, то разделить на всех детей, а на самого <покойного> отдать часть на помин души.

93. Если после смерти мужа жена останется вдовой, то детям на нее выделить часть, а что ей завещал муж, тому она госпожа, а наследство мужа ей не следует.

94. Если будут дети от первой жены, то дети возьмут наследство своей матери; если же муж завещал это второй жене, все равно они получат наследство своей матери.

95. Если в доме будет сестра, то ей <отцовского> наследства не брать, но братьям следует отдать ее замуж, как они смогут.

96. А это <пошлины> при закладке городских укреплений. А это пошлины строителю городских укреплений: при закладке городни взять куну, а при окончании — ногату; а на корм, и питье, и мясо, и рыбу — 7 кун на неделю, 7 хлебов, 7 уборков пшена, 7 лукон овса на 4 коней; брать же ему столько, пока не будут построены городские укрепления; солода пусть дают 10 лукон один раз <на все время работы>.

97. О строителях мостов. А это пошлины строителю мостов: когда он построит мост, пусть возьмет по ногате за 10 локтей <моста>; если будет чинить старый мост, то сколько починит пролетов, взять ему от пролета по куне; а ехать строителю мостов самому с отроком на двух конях, <брать> 4 лукна овса на неделю, а есть — сколько хочет.

98. А это о наследстве. Если были у человека дети от робы, то наследства им не иметь, но предоставить свободу им с матерью.

99. Если будут в доме дети малые, и не смогут они сами о себе позаботиться, а мать их пойдет замуж, то тому, кто им будет близкий родственник, дать их на руки с приобретениями и с основным хозяйством, пока не смогут сами заботиться о себе; а товар передать перед людьми, а что этим

ПРОСТРАННАЯ ПРАВДА РУССКАЯ

товаром он наживет передачей его под проценты или торговлей, то это ему <опекуну>, а первоначальный товар воротить им <детям>, а доход ему себе, поскольку кормил и заботился о них; если же будет от челяди приплод или от скота, то все это <детям> получить наличием; если что растратит, то за все это тем детям заплатить; если же и отчим <при женитьбе> возьмет детей с наследством, то такое же условие.

100. А отчий двор без раздела всегда младшему сыну.

101. О жене, если она собралась остаться вдовой. Если жена собралась остаться вдовой, но растратит имущество и выйдет замуж, то она должна оплатить все <утраты> детям.

102. Если дети не захотят ее проживания на дворе, а она поступит по своей воле и останется, то любым образом исполнить <ее> волю, а детям воли не давать; а что ей дал муж, с тем ей и остаться <на дворе невыделенно> или, взяв свою часть, остаться <на дворе выделенно>.

103. А на <выделенную> часть материнского имущества дети прав не имеют, но кому мать отдаст, тому взять; если отдаст всем, то пусть все разделят; если умрет без завещания, то у кого на дворе она находилась и кто ее кормил, то тому взять <ее имущество>.

104. Если у одной матери будут дети от двух мужей, то одним идет наследство своего отца, а другим — своего.

105. Если отчим растратит что из имущества отца пасынков и умрет, то вернуть <утраченное> брату <сводному>, на это и люди <свидетелями> станут, что отец его растратил, будучи отчимом; а что касается <имущества> его отца, то пусть он им владеет.

106: А мать пусть даст свое <имущество> тому сыну, который был <к ней> добр, от первого ли мужа или от второго; если же все сыновья будут к ней плохи, то она может отдать <имущество> дочери, которая ее кормит.

107. А это пошлины судебные. А это пошлины судебные: от виры — 9 кун, а метельнику — 9 векш, а от <тяжбы> о бортном участке — 30 кун, а от всех иных тяжб, кому помогут <судебные исполнители> — по 4 куны, а метельнику — 6 векш.

108. О наследстве. Если братья будут судиться перед князем о наследстве, то детскому, который идет их делить, взять гривну кун.

109. Пошлины за исполнение судебной клятвы. А это пошлины за исполнение судебной присяги: от тяжбы по убийству — 30 кун, а от тяжбы о бортном участке — 30 кун без трех кун; столько же и в тяжбе о пахотной земле. А от тяжбы о свободе — 9 кун.

110. О холопстве. Полное холопство трех видов: если кто купит хотя бы до полугривны, представит свидетелей и ногату даст перед самим холопом; второй вид холопства: женитьба на робе без договора, если с договором, то как договорились, так на том и стоять; а это третий вид холопства: служба тиуном без договора или если <кто> привяжет себе ключ без договора, если же с договором, то как договорятся, на том и стоять.

111. А за дачу не холоп, ни за хлеб не превращают в холопы, ни за то, что дается сверх того <дачи или хлеба>; но если <кто> не отработает установленный срок, то вернуть ему, что получено; если отработает, то ничем более не обязан.

112. Если холоп бежит, а господин объявит об этом, если кто, услышав об этом или зная о том, что он холоп, даст ему хлеба или укажет ему путь, то платить ему за холопа 5 гривен, а за робу 6 гривен.

138

113. Если кто поймает чужого холопа и даст знать его господину, то получить ему за поимку гривну; если не устережет его, то платить ему 4 гривны, а пятая за поимку засчитывается ему, а если будет роба, то <платить> 5 гривен, а шестая за поимку засчитывается ему.

114. Если кто сам разыщет своего холопа в каком-либо городе, а посадник о том <холопе> не знал, то, когда <господин> расскажет ему, тому <господину> следует взять у посадника отрока, пойти и связать этого холопа и дать отроку вязебную пошлину в 10 кун, а вознаграждения за поимку холопа нет; если же упустит <господин>, преследуя холопа, то ему самому утрата, а за это никто не платит, и вознаграждения за поимку тоже нет.

ПРОСТРАННАЯ ПРАВДА РУССКАЯ

115. Если кто, не ведая, что <некто> является чужим холопом, спрячет его, или сообщает ему вести, или содержит его у себя, а тот от него уходит, то идти ему на судебную клятву, <утверждая>, что не знал <того>, что он холоп, а платежа в этом нет.

116. Если холоп где-либо получил обманом деньги, а тот <человек> дал деньги, не ведая того, то господину либо выкупать, либо лишиться этого холопа; если же <тот человек> дал <деньги>, зная, <что тот являлся холопом>, то денег ему лишиться.

117. Если кто пустит своего холопа в торговые дела, а тот одолжает, то господину следует выкупить его и не лишаться его.

118. Если кто купит чужого холопа, не ведая <того>, то первому господину взять холопа, а тому, <кто купил>, взять деньги <обратно>, поклясться, что купил по неведению, если же он купил, зная это, то деньги его пропадут.

Саркофаг Ярослава Мудрого из Софийского собора в Киеве

119. Если холоп, убежав <от господина>, приобретет товар, то господину <платить> долг, господину же <принадлежит> и товар, но холопа не лишаться.

120. Если кто бежал <от господина >, а украдет у соседей что-либо или товар, то господину следует платить за него то, что полагается за то, что взял.

121. Если холоп обкрадет кого-либо, то господину его выкупать или выдать с тем, с кем он крал, а жене и детям <отвечать> не надо; но если они с ним крали и прятали, то всех <их> выдать или снова их выкупает господин; если же с ним свободные крали и прятали, то они платят князю судебный штраф.

ПОУЧЕНИЕ ВЛАДИМИРА МОНОМАХА

*Подготовка текста О.В. Творогова,
перевод Д.С. Лихачева*

Автор «Поучения» князь Владимир Всеволодович Мономах (1053–1125) — один из самых талантливых и образованных русских князей домонгольской поры. Прозвание Мономаха получил по матери — дочери византийского императора Константина Мономаха. Он был князем черниговским, затем переяславским (Переяславля Южного), а с 1113 г. — киевским. Всю жизнь он провел в борьбе с половцами и с их обычным союзником — князем Олегом Святославичем. Против половцев Мономах организовал несколько походов объединенных сил русских князей. Стремясь предотвратить распад русского государства на ряд самостоятельных княжеств и вместе с тем придерживаясь принципа,

Владимир Мономах. Царский титулярник. 1672 г.

что каждый князь должен наследовать владения своего отца, он придавал огромное значение идеологической пропаганде единства Русской земли. С этой целью он организовывал съезды русских князей, поддерживал культ «святых братьев» Бориса и Глеба, жизнь которых должна была подать пример послушания младших князей старшим, покровительствовал летописанию, напоминавшему об историческом единстве Руси и всего княжеского рода («все князья — братья»), и писал сам произведения, в которых выражал те же идеи единства Руси и необходимости бескорыстного служения родине. В собственной деятельности Владимир Мономах не всегда выдерживал изложенные им принципы, но все же законодательным путем он несколько смягчил положение низов, покровительствовал духовенству, в целом ряде случаев добивался прекращения княжеских усобиц и добился прекращения на некоторое время половецких набегов, совершив успешные походы в глубь степей. Княжение Владимира — это время усиления Руси и эпоха расцвета русской литературы.

«Поучение» Владимира Мономаха читается только в Лаврентьевской летописи. В ней оно вставлено между рассуждением о происхождении половцев и рассказом о беседе летописца с новгородцем Гюрятой Роговичем. В других летописях (Ипатьевской, Радзивилловской и др.) текст, разделенный в Лаврентьевской летописи «Поучением», читается без всякого разрыва и «Поучение» отсутствует. «Поучение» — одно из выдающихся произведений древнерусской литературы. По поводу того, когда оно было написано, существует большая литература и большие расхождения во взглядах. Вероятнее всего, оно написано в 1117 г.

Поучение

Я, худой, дедом своим Ярославом, благословенным, славным, нареченный в крещении Василием, русским именем Владимир, отцом возлюбленным и матерью своею из рода Мономахов... и христианских ради людей, ибо сколько их соблюл по милости своей и по отцовской молитве от всех бед! Сидя на санях, помыслил я в душе своей и воздал хвалу Богу, который меня до этих дней, грешного, сохранил. Дети мои или иной кто, слушая эту грамотку, не посмейтесь, но кому из детей моих она будет люба, пусть примет ее в сердце свое и не станет лениться, а будет трудиться.

Прежде всего, Бога ради и души своей, страх имейте Божий в сердце своем и милостыню подавайте нескудную, это ведь начало всякого добра. Если же кому не люба грамотка эта, то пусть не посмеются, а так скажут: на дальнем пути, да на санях сидя, безлепицу молвил.

Ибо встретили меня послы от братьев моих на Волге и сказали: «Поспеши к нам, и выгоним Ростиславичей, и волость их отнимем; если же не пойдешь с нами, то мы — сами по себе будем, а ты — сам по себе». И ответил я: «Хоть вы и гневаетесь, не могу я ни с вами пойти, ни крестоцелование преступить».

И, отпустив их, взял Псалтырь, в печали разогнул ее, и вот что мне вынулось: «О чем печалишься, душа моя? Зачем смущаешь меня?» — и прочее. И потом собрал я эти полюбившиеся слова и расположил их по порядку и написал. Если вам последние не понравятся, начальные хоть возьмите.

«Зачем печалишься, душа моя? Зачем смущаешь меня? Уповай на Бога, ибо верю в него». «Не соревнуйся с лукавыми, не завидуй творящим беззаконие, ибо лукавые будут истреблены, послушные же Господу будут владеть землей». И еще немного: «И не будет грешника; посмотришь на место его и не найдешь его. Кроткие же унаследуют землю и многим насладятся миром. Злоумышляет грешный против праведного и скрежещет на него зубами своими; Господь же посмеется над ним, ибо видит, что настанет день его.

Оружие извлекли грешники, натягивают лук свой, чтобы пронзить нищего и убогого, заклать правых сердцем. Оружие их пронзит сердца их, и луки их сокрушатся. Лучше праведнику малое, нежели многие богатства грешным. Ибо сила грешных сокрушится, праведных же укрепляет Господь. Как грешники погибнут, — праведных же милует и одаривает. Ибо благословляющие его наследуют землю, клянущие же его истребятся. Господом стопы человека направляются. Когда он упадет, то не разобьется, ибо Господь поддерживает руку его. Молод был и состарился, и не видел

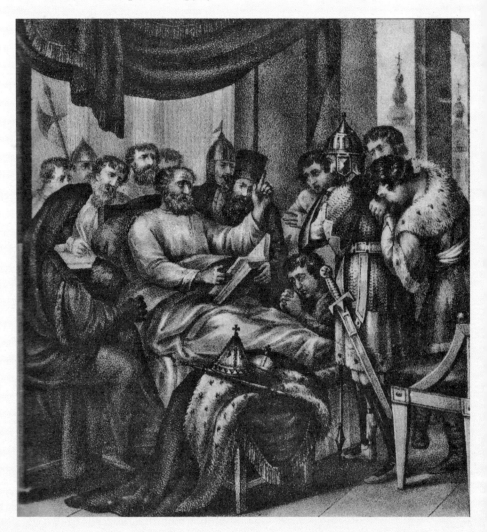

Завещание Владимира Мономаха детям. 1125 г. Литография по рисунку Б. Чорикова

ПОУЧЕНИЕ ВЛАДИМИРА МОНОМАХА

праведника покинутым, ни потомков его просящими хлеба. Всякий день милостыню творит праведник и взаймы дает, и племя его благословенно будет. Уклонись от зла, сотвори добро, найди мир и отгони зло, и живи во веки веков».

«Когда восстали бы люди, то живыми пожрали бы нас; когда прогневалась бы на нас ярость его, то воды бы потопили нас».

«Помилуй меня, Боже, ибо попрал меня человек; всякий день нападая, теснит меня. Попрали меня враги мои, ибо много восстающих на меня свыше». «Возвеселится праведник и, когда увидит отмщение, руки омоет свои в крови грешника. И скажет человек: "Если есть награда праведнику, значит есть Бог, творящий суд на земле"». «Освободи меня от врагов моих, Боже, и от восстающих на меня защити меня. Избавь меня от творящих беззаконие и от мужа крови спаси меня, ибо уже уловили душу мою». «Ибо гнев в мгновение ярости его, а вся жизнь в воле его: вечером водворится плач, а наутро радость». «Ибо милость твоя лучше, чем жизнь моя, и уста мои да восхвалят тебя. Так благословлю тебя при жизни моей и во имя твое воздену руки мои». «Укрой меня от сборища лукавых и от множества делающих неправду». «Возвеселитесь все праведные сердцем. Благословлю Господа во всякое время, непрестанна хвала ему», и прочее.

Ибо как Василий учил, собрав юношей: иметь душу чистую и непорочную, тело худое, беседу кроткую и соблюдать слово Господне: «Есть и пить без шума великого, при старых молчать, премудрых слушать, старшим покоряться, с равными и младшими любовь иметь, без лукавства беседуя, а побольше разуметь; не свирепствовать словом, не хулить в беседе, не смеяться много, стыдиться старших, с нелепыми женщинами не беседовать, глаза держать книзу, а душу ввысь, избегать суеты; не уклоняться учить увлекающихся властью, ни во что ставить всеобщий почет. Если кто из вас может другим принести пользу, от Бога на воздаяние пусть надеется и вечных благ насладится». «О владычица Богородица! Отними от сердца моего бедного гордость и дерзость, чтобы не величался я суетою мира сего» в ничтожной этой жизни.

Научись, верующий человек, быть благочестию свершителем, научись, по евангельскому слову, «очам управлению, языка воздержанию, ума смирению, тела подчинению, гнева подавлению, иметь помыслы чистые, побуждая себя на добрые дела, Господа ради; лишаемый — не мсти, ненавидимый — люби, гонимый — терпи, хулимый — молчи, умертви грех». Избавляйте обижаемого, давайте суд сироте, оправдывайте вдовицу. Приходите да соединимся, — говорит Господь. — Если будут грехи ваши как обагренные, — как снег обелю их», и прочее. «Воссияет весна поста и цветок покаяния; очистим себя, братья, от всякой крови телесной и душевной. Взывая к Светодавцу, скажем: "Слава тебе, Человеколюбец!"»

Поистине, дети мои, разумейте, что человеколюбец Бог милостив и премилостив. Мы, люди, грешны и смертны, и если кто нам сотворит зло, то мы хотим его поглотить и поскорее пролить его кровь; а Господь наш, владея и жизнью и смертью, согрешения наши превыше голов наших терпит всю нашу жизнь. Как отец, чадо свое любя, бьет его и опять привлекает к себе, так же и Господь наш показал нам победу над врагами, как тремя делами добрыми избавляться от них и побеждать их: покаянием, слезами и милостынею. И это вам, дети мои, не тяжкая заповедь Божия, как теми делами тремя избавиться от грехов своих и царствия небесного не лишиться.

Бога ради, не ленитесь, молю вас, не забывайте трех дел тех, не тяжки ведь они; ни затворничеством, ни монашеством, ни голоданием, которые иные добродетельные претерпевают, но малым делом можно получить милость Божию.

«Что такое человек, как подумаешь о нем?» «Велик ты, Господи, и чудны дела твои; разум человеческий не может постигнуть чудеса твои», — и снова скажем: «Велик ты, Господи, и чудны дела твои, и благословенно и славно имя твое вовеки по всей земле». Ибо кто не восхвалит и не прославит силу твою и твоих великих чудес и благ, устроенных на этом свете: как небо устроено, или как солнце, или как луна, или как звезды, и тьма, и свет, и земля на водах положена, Господи, твоим промыслом! Звери различные, и птицы и рыбы украшены твоим промыслом, Господи! И этому чуду подивимся, как из праха создал человека, как разнообразны человеческие лица; если и всех людей собрать, не у всех один облик, но каждый имеет свой облик лица, по Божьей мудрости. И тому подивимся, как птицы небесные из рая идут, и прежде всего в наши руки, и не поселяются в одной стране, но и сильные и слабые идут по всем землям, по Божьему повелению, чтобы наполнились леса и поля. Все же это дал Бог на пользу людям, в пищу и на радость. Велика, Господи, милость твоя к нам, так как блага эти сотворил ты ради человека грешного. И те же птицы небесные

ПОУЧЕНИЕ ВЛАДИМИРА МОНОМАХА

умудрены тобою, Господи: когда повелишь, то запоют и людей веселят; а когда не повелишь им, то и, имея язык, онемеют. «И благословен, Господи, и прославлен зело!» «Всякие чудеса и эти блага сотворил и совершил. И кто не восхвалит тебя, Господи, и не верует всем сердцем и всей душой во имя Отца и Сына и Святого Духа, да будет проклят!»

Прочитав эти божественные слова, дети мои, похвалите Бога, подавшего нам милость свою; а то дальнейшее — это моего собственного слабого ума наставление. Послушайте меня: если не все примете, то хоть половину.

Если вам Бог смягчит сердце, пролейте слезы о грехах своих, говоря: «Как блудницу, разбойника и мытаря помиловал ты, так и нас, грешных, помилуй». И в церкви то делайте и ложась. Не пропускайте ни одной ночи, — если можете, поклонитесь до земли; если вам занеможется, то трижды. Не забывайте этого, не ленитесь, ибо тем ночным поклоном и молитвой человек побеждает дьявола, и что нагрешит за день, то этим человек избавляется. Если и на коне едучи не будет у вас никакого дела и если других молитв не умеете сказать, то «Господи помилуй» взывайте беспрестанно втайне, ибо эта молитва всех лучше, — нежели думать безлепицу, ездя.

Всего же более убогих не забывайте, но, насколько можете, по силам кормите и подавайте сироте и вдовицу оправдывайте сами, а не давайте сильным губить человека. Ни правого, ни виновного не убивайте и не повелевайте убить его; если и будет повинен смерти, то не губите никакой христианской души. Говоря что-либо, дурное или хорошее, не клянитесь Богом, не креститесь, ибо нет тебе в этом никакой нужды. Если же вам придется крест целовать братии или кому-либо, то, проверив сердце свое, на чем можете устоять, на том и целуйте, а поцеловав, соблюдайте, чтобы, преступив, не погубить души своей. Епископов, попов и игуменов чтите, и с любовью принимайте от них благословение, и не устраняйтесь от них, и по силам любите и заботьтесь о них, чтобы получить по их молитве от Бога. Паче же всего гордости не имейте в сердце и в уме, но скажем: смертны мы, сегодня живы, а завтра в гробу; все это, что ты нам дал, не наше, но твое, поручил нам это на немного дней. И в земле ничего не сохраняйте, это нам великий грех. Старых чтите, как отца, а молодых, как братьев. В дому своем не ленитесь, но за всем сами наблюдайте; не полагайтесь на тиуна или на отрока, чтобы не посмеялись приходящие к вам, ни над до-

149

мом вашим, ни над обедом вашим. На войну выйдя, не ленитесь, не полагайтесь на воевод; ни питью, ни еде не предавайтесь, ни спанью; сторожей сами наряживайте, и ночью, расставив стражу со всех сторон, около воинов ложитесь, а вставайте рано; а оружия не снимайте с себя второпях, не оглядевшись по лености, внезапно ведь человек погибает. Лжи остерегайтеся, и пьянства, и блуда, от того ведь душа погибает и тело. Куда бы вы ни держали путь по своим землям, не давайте отрокам причинять вред ни своим, ни чужим, ни селам, ни посевам, чтобы не стали проклинать вас. Куда же пойдете и где остановитесь, напоите и накормите нищего, более же всего чтите гостя, откуда бы к вам ни пришел, простолюдин ли, или знатный, или посол; если не можете почтить его подарком, — то пищей и питьем: ибо они, проходя, прославят человека по всем землям, или добрым, или злым. Больного навестите, покойника проводите, ибо все мы смертны. Не пропустите человека, не поприветствовав его, и доброе слово ему молвите. Жену свою любите, но не давайте им власти над собой. А вот вам и основа всему: страх Божий имейте превыше всего.

Если не будете помнить это, то чаще перечитывайте: и мне не будет стыдно, и вам будет хорошо.

Что умеете хорошего, то не забывайте, а чего не умеете, тому учитесь — как отец мой, дома сидя, знал пять языков, оттого и честь от других стран. Леность ведь всему мать: что кто умеет, то забудет, а чего не умеет, тому не научится. Добро же творя, не ленитесь ни на что хорошее, прежде всего к церкви: пусть не застанет вас солнце в постели. Так поступал отец мой блаженный и все добрые мужи совершенные. На заутрене воздавши Богу хвалу, потом на восходе солнца и увидев солнце, надо с радостью прославить Бога и сказать: «Просвети очи мои, Христе Боже, давший мне свет твой прекрасный». И еще: «Господи, прибавь мне год к году, чтобы впредь, в остальных грехах своих покаявшись, исправил жизнь свою»; так я хвалю Бога и тогда, когда сажусь думать с дружиною, или собираюсь творить суд людям, или ехать на охоту или на сбор дани, или лечь спать: спанье в полдень назначено Богом; по этому установленью почивают ведь и зверь, и птица, и люди.

Рассказ Мономаха о своей жизни

А теперь поведаю вам, дети мои, о труде своем, как трудился я в разъездах и на охоте с тринадцати лет. Сначала я к Ростову пошел сквозь землю вятичей; послал меня отец, а сам он пошел к Курску; и снова вторично ходил я к Смоленску, со Ставком Гордятичем, который затем пошел к Берестью с Изяславом, а меня послал к Смоленску; а из Смоленска пошел во Владимир. Той же зимой послали меня в Берестье братья на пожарище, что поляки пожгли, и там правил я городом утишенным. Затем ходил в Переяславль к отцу, а после Пасхи из Переяславля во Владимир — в Сутейске мир заключить с поляками. Оттуда опять на лето во Владимир.

Затем послал меня Святослав в Польшу: ходил я за Глогов до Чешского леса, и ходил в земле их четыре месяца. И в том же году и сын родился у меня старший, новгородский. А оттуда ходил я в Туров, а на весну в Переяславль и опять в Туров.

И Святослав умер, и я опять пошел в Смоленск, а из Смоленска той же зимой в Новгород; весной — Глебу в помощь. А летом с отцом — под Полоцк, а на другую зиму со Святополком под Полоцк, и выжгли Полоцк; он пошел к Новгороду, а я с половцами на Одреск войною и в Чернигов. И снова пришел я из Смоленска к отцу в Чернигов. И Олег пришел туда, из Владимира выведенный, и я позвал его к себе на обед с отцом в Чернигове, на Красном дворе, и дал отцу триста гривен золота. И опять из Смоленска же придя, пробился я через половецкие войска с боем до Переяславля и отца застал, вернувшегося из похода. Затем ходили мы опять в том же году с отцом и с Изяславом к Чернигову биться с Борисом и победили Бориса и Олега. И опять пошли в Переяславль и стали в Оброве.

И Всеслав Смоленск пожег, и я с черниговцами верхом с поводными конями помчался и не застали... в Смоленске. В том походе за Всеславом пожег землю и повоевал ее до Лукомля и до Логожска, затем на Друцк войною и опять в Чернигов.

А в ту зиму повоевали половцы Стародуб весь, и я, идя с черниговцами и со своими половцами, на Десне взяли в плен князей Асадука и Саука, а дружину их перебили. И на следующий день за Новым Городом разбили сильное войско Белкатгина, а семечей и пленников всех отняли.

А в Вятическую землю ходили подряд две зимы на Ходоту и на сына его и к Корьдну ходили первую зиму. И опять ходили мы и за Ростиславичами за Микулин, и не настигли их. И на ту весну — к Ярополку на совет в Броды.

И.Я. Билибин. Владимир Мономах. 1926 г.

ПОУЧЕНИЕ ВЛАДИМИРА МОНОМАХА

В том же году гнались за Хорол за половцами, которые взяли Горошин.

На ту осень ходили с черниговцами и с половцами-читеевичами к Минску, захватили город и не оставили в нем ни челядина, ни скотины.

В ту зиму ходили к Ярополку на сбор в Броды и дружбу великую заключили.

И на весну посадил меня отец в Переяславле выше всей братии, и ходили за Супой. И по пути к Прилуку городу встретили нас внезапно половецкие князья, с восьмью тысячами, и хотели было с ними сразиться, но оружие было отослано вперед на возах, и мы вошли в город; только семца одного живым захватили да смердов несколько, а наши половцев больше убили и захватили, и половцы, не смея сойти с коней, побежали к Суле в ту же ночь. И на следующий день, на Успение, пошли мы к Белой Веже, Бог нам помог и святая Богородица: перебили девятьсот половцев и двух князей взяли, Багубарсовых братьев, Осеня и Сакзя, и только два мужа убежали.

И потом на Святославль гнались за половцами, и затем на Торческ город, и потом на Юрьев за половцами. И снова на той же стороне, у Красна, половцев победили, и потом с Ростиславом же у Варина вежи взяли. И затем ходил во Владимир опять, Ярополка там посадил, и Ярополк умер.

И снова, по смерти отца и при Святополке, на Стугне бились мы с половцами до вечера, бились у Халепа, и потом мир сотворили с Тугорканом и с другими князьями половецкими, и у Глебовой чади отняли дружину свою всю.

И потом Олег на меня пришел со всею Половецкою землею к Чернигову, и билась дружина моя с ними восемь дней за малый вал и не дала им войти в острог; пожалел я христианских душ, и сел горящих, и монастырей и сказал: «Пусть не похваляются язычники». И отдал брату отца его стол, а сам пошел на стол отца своего в Переяславль. И вышли мы на святого Бориса день из Чернигова и ехали сквозь полки половецкие, около ста человек, с детьми и женами. И облизывались на нас половцы точно волки, стоя у перевоза и на горах, — Бог и святой Борис не выдали меня им на поживу, невредимы дошли мы до Переяславля.

И сидел я в Переяславле три лета и три зимы с дружиною своею, и много бед приняли мы от войны и голода. И ходили на воинов их за Римов, и Бог нам помог, перебили их, а других захватили.

И вновь Итлареву чадь перебили, и вежи их взяли, идя за Голтав.

И к Стародубу ходили на Олега, потому что он сдружился с половцами. И на Буг ходили со Святополком на Боняка, за Рось.

И в Смоленск пошли, с Давыдом помирившись. Вновь ходили во второй раз с Вороницы.

Тогда же и торки пришли ко мне с половцами-читеевичами, и ходили мы им навстречу на Сулу.

И потом снова ходили к Ростову на зиму, и три зимы ходили к Смоленску. Из Смоленска пошел я в Ростов.

С.В. Иванов. Русские князья заключают мир в Уветичах

ПОУЧЕНИЕ ВЛАДИМИРА МОНОМАХА

И опять со Святополком гнались за Боняком, но... убили, и не настигли их. И потом за Боняком гнались за Рось, и снова не настигли его.

И на зиму в Смоленск пошел; из Смоленска после Пасхи вышел; и Юрьева мать умерла.

В Переяславль вернувшись к лету, собрал братьев.

И Боняк пришел со всеми половцами к Кснятину; мы пошли за ними из Переяславля за Сулу, и Бог нам помог, и полки их победили, и князей захватили лучших, и по Рождестве заключили мир с Аепою, и, взяв у него дочь, пошли к Смоленску. И потом пошел к Ростову.

Придя из Ростова, вновь пошел на половцев на Урусову со Святополком, и Бог нам помог.

И потом опять ходили на Боняка к Лубну, и Бог нам помог.

А.Д. Кившенко. «Долобский съезд князей — свидание князя Владимира Мономаха с князем Святополком»

И потом ходили к Воиню со Святополком, и потом снова на Дон ходили со Святополком и с Давыдом, и Бог нам помог.

И к Вырю пришли было Аепа и Боняк, хотели взять его; к Ромну пошли мы с Олегом и с детьми на них, и они, узнав, убежали.

И потом к Минску ходили на Глеба, который наших людей захватил, и Бог нам помог, и сделали то, что задумали.

И потом ходили к Владимиру на Ярославца, не стерпев злодеяний его.

А из Чернигова в Киев около ста раз ездил к отцу, за один день проезжая, до вечерни. А всего походов было восемьдесят и три великих, а остальных и не упомню меньших. И миров заключил с половецкими князьями без одного двадцать, и при отце и без отца, а раздаривал много скота и много одежды своей. И отпустил из оков лучших князей половецких столько: Шаруканевых двух братьев, Багубарсовых трех, Осеневых братьев четырех, а всего других лучших князей сто. А самих князей Бог живыми в руки давал: Коксусь с сыном, Аклан Бурчевич, таревский князь

Гривна, предположительно принадлежавшая киевскому князю Владимиру Мономаху. 2 половина XI в. Золото. На лицевой стороне — архангел Михаил, на оборотной — горгона Чернигова

ПОУЧЕНИЕ ВЛАДИМИРА МОНОМАХА

Азгулуй и иных витязей молодых пятнадцать, этих я, приведя живых, иссек и бросил в ту речку Сальню. А врозь перебил их в то время около двух сот лучших мужей.

А вот как я трудился, охотясь, пока сидел в Чернигове; а из Чернигова выйдя и до этого года по сту угонивал и брал без трудов, не считая другой охоты, вне Турова, где с отцом охотился на всякого зверя.

А вот что я в Чернигове делал: коней диких своими руками связал я в пущах десять и двадцать, живых коней, помимо того, что, разъезжая по равнине, ловил своими руками тех же коней диких. Два тура метали меня рогами вместе с конем, олень меня один бодал, а из двух лосей один ногами топтал, другой рогами бодал; вепрь у меня на бедре меч оторвал, медведь мне у колена потник укусил, лютый зверь вскочил ко мне на бедра и коня со мною опрокинул. И Бог сохранил меня невредимым. И с коня много падал, голову себе дважды разбивал и руки и ноги свои повреждал — в юности своей повреждал, не дорожа жизнью своею, не щадя головы своей.

Что надлежало делать отроку моему, то сам делал — на войне и на охотах, ночью и днем, в жару и стужу, не давая себе покоя. На посадников не полагаясь, ни на биричей, сам делал, что было надо; весь распорядок и в доме у себя также сам устанавливал. И у ловчих охотничий распорядок сам устанавливал, и у конюхов, и о соколах и о ястребах заботился.

Также и бедного смерда и убогую вдовицу не давал в обиду сильным и за церковным порядком и за службой сам наблюдал.

Не осуждайте меня, дети мои или другой, кто прочтет: не хвалю ведь я ни себя, ни смелости своей, но хвалю Бога и прославляю милость его за то, что он меня, грешного и худого, столько лет оберегал от тех смертных опасностей, и не ленивым меня, дурного, создал, на всякие дела человеческие годным. Прочитав эту грамотку, постарайтесь на всякие добрые дела, славя Бога со святыми его. Смерти ведь, дети, не боясь, ни войны, ни зверя, дело исполняйте мужское, как вам Бог пошлет. Ибо, если я от войны, и от зверя, и от воды, и от падения с коня уберегся, то никто из вас не может повредить себя или быть убитым, пока не будет от Бога повелено. А если случится от Бога смерть, то ни отец, ни мать, ни братья не могут вас отнять от нее, но если и хорошее дело — остерегаться самому, то Божие сбережение лучше человеческого.

157

Письмо Мономаха к Олегу Святославичу

О я, многострадальный и печальный! Много борешься, душа, с сердцем и одолеваешь сердце мое; все мы тленны, и потому помышляю, как бы не предстать перед страшным судьею, не покаявшись и не помирившись между собою.

Ибо кто молвит: «Бога люблю, а брата своего не люблю», — ложь это. И еще: «Если не простите прегрешений брату, то и вам не простит Отец ваш небесный». Пророк говорит: «Не соревнуйся лукавствующим, не завидуй творящим беззаконие». «Что лучше и прекраснее, чем жить братьям вместе». Но все наущение дьявола! Были ведь войны при умных дедах наших, при добрых и при блаженных отцах наших. Дьявол ведь ссорит нас, ибо не хочет добра роду человеческому. Это я тебе написал, потому что понудил меня сын мой, крещенный тобою, что сидит близко от тебя; прислал он ко мне мужа своего и грамоту, говоря в ней так: «Договоримся и помиримся, а братцу моему Божий суд пришел. А мы не будем за него мстителями, но положим то на Бога, когда предстанут перед Богом; а Русскую землю не погубим». И я видел смирение сына моего, сжалился и, Бога устрашившись, сказал: «Он по молодости своей и неразумению так смиряется, на Бога возлагает; я же — человек, грешнее всех людей».

Послушал я сына своего, написал тебе грамоту: примешь ли ты ее по-доброму или с поруганием, то и другое увижу из твоей грамоты. Этими ведь словами я предупредил тебя, чего я ждал от тебя, смирением и покаянием желая от Бога отпущения прошлых своих грехов. Господь наш не человек, но Бог всей вселенной, — что захочет, во мгновение ока все сотворит, — и все же сам претерпел хулу, и оплевание, и удары и на смерть отдал себя, владея жизнью и смертью. А мы что такое, люди грешные и худые? — сегодня живы, а завтра мертвы, сегодня в славе и чести, а завтра в гробу и забыты, — другие собранное нами разделят.

Посмотри, брат, на отцов наших: что они скопили и на что им одежды? Только и есть у них, что сделали душе своей. С этими словами тебе перво-

ПОУЧЕНИЕ ВЛАДИМИРА МОНОМАХА

му, брат, надлежало послать ко мне и предупредить меня. Когда же убили дитя, мое и твое, перед тобою, следовало бы тебе, увидев кровь его и тело его, увянувшее подобно цветку, впервые распустившемуся, подобно агнцу заколотому, сказать, стоя над ним, вдумавшись в помыслы души своей: «Увы мне, что я сделал! И, воспользовавшись его неразумием, ради неправды света сего суетного нажил я грех себе, а отцу и матери его принес слезы!»

Надо было бы сказать тебе словами Давида: «Знаю, грех мой всегда передо мной». Не из-за пролития крови, а свершив прелюбодеяние, помазанник Божий Давид посыпал главу свою и плакал горько, — в тот час отпустил ему согрешенья его Бог. Богу бы тебе покаяться, а ко мне написать грамоту утешительную да сноху мою послать ко мне, — ибо нет в ней ни зла, ни добра, — чтобы я, обняв ее, оплакал мужа ее и ту свадьбу их, вместо песен: ибо не видел я их первой радости, ни венчания их, за грехи мои. Ради Бога, пусти ее ко мне поскорее с первым послом, чтобы, поплакав с нею, поселил у себя, и села бы она как горлица на сухом дереве, горюя, а сам бы я утешился в Боге.

Тем ведь путем шли деды и отцы наши: суд от Бога пришел ему, а не от тебя. Если бы тогда ты свою волю сотворил и Муром добыл, а Ростова бы не занимал и послал бы ко мне, то мы бы отсюда и уладились. Но сам рассуди, мне ли было достойно послать к тебе или тебе ко мне? Если бы ты велел сыну моему: «Сошлись с отцом», десять раз я бы послал.

Печать Олега Святославича, князя Черниговского. Изготовлена после 1094 г.

Дивно ли, если муж пал на войне? Умирали так лучшие из предков наших. Но не следовало ему искать чужого и меня в позор и в печаль вводить. Подучили ведь его слуги, чтобы себе что-нибудь добыть, а для него добыли зла. И если начнешь каяться Богу и ко мне будешь добр сердцем, послав посла своего или епископа, то напиши грамоту с правдою, тогда и волость получишь добром, и наше сердце обратишь к себе, и лучше будем, чем прежде: ни враг я тебе, ни мститель. Не хотел ведь я видеть крови твоей у Стародуба; но не дай мне Бог видеть кровь ни от руки твоей, ни от повеления твоего, ни от кого-либо из братьев. Если же я лгу, то Бог мне судья и крест честной! Если же в том состоит грех мой, что на тебя пошел к Чернигову из-за язычников, я в том каюсь, о том я не раз братии своей говорил и еще им поведал, потому что я человек.

Если тебе хорошо, то... если тебе плохо, то вот сидит подле тебя сын твой крестный с малым братом своим и хлеб едят дедовский, а ты сидишь на своем хлебе, об этом и рядись; если же хочешь их убить, то вот они у тебя оба. Ибо не хочу я зла, но добра хочу братии и Русской земле. А что ты хочешь добыть насильем, то мы, заботясь о тебе, давали тебе и в Стародубе отчину твою. Бог свидетель, что мы с братом твоим рядились, если он не сможет рядиться без тебя. И мы не сделали ничего дурного, не сказали: пересылайся с братом до тех пор, пока не уладимся. Если же кто из вас не хочет добра и мира христианам, пусть тому от Бога мира не видать душе своей на том свете!

Не от нужды говорю я это, ни от беды какой-нибудь, посланной Богом, сам поймешь, но душа своя мне дороже всего света сего.

160

На Страшном суде без обвинителей сам себя обличаю. И прочее.

СКАЗАНИЕ О БОРИСЕ И ГЛЕБЕ

*Подготовка текста
и перевод Л.А. Дмитриева*

В 1015 г. умер киевский князь Владимир I Святославич. Киевский великокняжеский стол занял Святополк. По старшинству он имел право претендовать на это, но обстоятельства рождения Святополка и характер отношения к нему Владимира заставляли его опасаться за прочность своего положения. За 35 лет до этих событий, в 980 г., Владимир, убив своего старшего брата Ярополка, княжившего в Киеве, взял себе в жены его беременную жену «грекиню» (гречанку). Таким образом, хотя Святополк родился, когда его мать являлась женой Владимира I, он был сыном не Владимира, а Ярополка. Поэтому-то, как говорит «Сказание о Борисе и Глебе», — «и не любляаше его» Владимир. Стремясь утвердиться на киевском великокняжеском престоле, Святополк стал уничтожать своих возможных соперников. Были убиты по его приказанию сыновья Владимира Святослав, Борис и Глеб. В борьбу за киевский княжеский стол вступил княживший в Новгороде сын Владимира от Рогнеды Ярослав, прозванный впоследствии Мудрым. В результате упорной и длительной борьбы, продолжавшейся до 1019 г. и окончившейся поражением и гибелью Святополка, Ярослав утвердился на киевском престоле (княжил до 1054 г.). Деятельность Ярослава была направлена на усиление могущества и самостоятельности Руси. Важное государственное и политическое значение в этом процессе приобретало положение русской церкви. Стремясь укрепить независимость русской церкви от Византии, Ярослав добивался канонизации (признания святыми) русских государственных и церковных деятелей. Такими первыми, официально признанными Византией русскими святыми стали погибшие в межкняжеских распрях Борис и Глеб. В честь Бориса и Глеба был установлен церковный праздник (24 июля), причисленный к великим годовым праздникам русской церкви.

Культ Бориса и Глеба имел важное государственно-политическое значение. Поведением Бориса и Глеба, не поднявших руки на старшего брата даже в защиту своей жизни, освящалась идея родового старшинства в системе княжеской иерархии: князья, не нарушившие этой заповеди, стали святыми. Политическая тенденция почитания первых русских святых заключалась в осуждении княжеских распрь, в стремлении укрепить государственное единство Руси на основе строгого соблюдения феодальных взаимоотношений между князьями: все князья — братья, но старшие обязаны защищать младших и покровительствовать им, а младшие беззаветно покоряться старшим.

Государственное, церковное и политическое значение культа Бориса и Глеба способствовало созданию и широкому распространению в древнерусской письменности многочисленных произведений о них. Им посвящена летописная повесть (под 1015 г.) об убийстве Бориса (см. Повесть временных лет), «Сказание и страсть и похвала святую мученику Бориса и Глѣба», написанное неизвестным автором, «Чтение о житии и о погублении блаженную страстотерпцю Бориса и Глѣба», автором которого был Нестор, проложные сказания (краткие рассказы в Прологах — особом виде древнерусских литературных сборников), паремийное чтение (текст, включенный в богослужебные книги — Паремийники и Служебные Минеи). Вопрос о взаимоотношении всех этих текстов и их хронологии весьма

Владимир, Борис и Глеб (с житием). XVI в.

СКАЗАНИЕ О БОРИСЕ И ГЛЕБЕ

сложен и до настоящего времени не может считаться разрешенным. По мнению большинства ученых в основе и «Сказания», и «Чтения» лежит летописная повесть (есть, правда, и гипотеза о первичности «Сказания» по отношению к летописной повести). По вопросу о взаимоотношении «Сказания» и «Чтения» в науке существуют две противоположных точки зрения.

С.А. Бугославский на основе текстологического изучения 255 списков всего цикла памятников о Борисе и Глебе пришел к заключению, что «Сказание» возникло в последние годы княжения Ярослава Мудрого (т. е. в середине XI в.). Позже к «Сказанию о Борисе и Глебе» было присоединено «Сказание о чудесах», составлявшееся последовательно тремя авторами на протяжении 1089–1115 гг. Наиболее ранний список «Сказания» (в Успенском сборнике конца XII — нач. XIII вв.) дошел до нас уже в таком виде (т. е. текст «Сказания о Борисе и Глебе», дополненный «Сказанием о чудесах»). На основе «Сказания о Борисе и Глебе», дополненного рассказами о чудесах в редакции второго автора, скорее всего около 1108 г., Нестором было составлено «Чтение». Противоположная точка зрения, обоснованная А.А. Шахматовым, поддержанная и развитая Н. Серебрянским, Д.И. Абрамовичем, Н.Н. Ворониным (мы называем имена тех исследователей, которые специально занимались этой проблемой), сводится к следующему. Сначала, в 80-х гг. XI в., было написано «Чтение» Нестором. На основе Несторового «Чтения» и летописной повести после 1115 г. было создано «Сказание», с самого начала включавшее в свой состав и рассказы о чудесах. Гипотетичность обеих точек зрения требует дальнейшей разработки данного вопроса.

В «Сказании», по сравнению с «Чтением», гораздо драматичнее и динамичнее изображены описываемые события, сильнее показаны эмоциональные переживания героев. Сочетание в «Сказании» патетичности с лиричностью, риторичности с лаконизмом, близким к летописному стилю повествования, делают этот памятник самого раннего периода древнерусской литературы одним из наиболее ярких произведений Древней Руси. У древнерусских читателей «Сказание» пользовалось значительно большей популярностью, чем «Чтение»: списков первого произведения гораздо больше, чем второго.

Образ Бориса и Глеба, как святых-воинов, покровителей и защитников Русской земли и русских князей, неоднократно использовался в древнерусской литературе, особенно в произведениях, посвященных воинским темам. В течение нескольких веков древнерусские писатели обращались к литературным памятникам о Борисе и Глебе, преимущественно к «Сказанию», заимствуя из этих источников сюжетные ситуации, поэтические формулы, отдельные обороты и целые отрывки текста. Столь же популярны Борис и Глеб, как святые князья-воины, были и в древнерусском изобразительном искусстве.

Летописная повесть о Борисе и Глебе неоднократно издавалась в составе «Повести временных лет». Научное издание текстов «Сказания», «Чтения» и других памятников этого цикла см.: «Жития святых мучеников Бориса и Глеба и службы им». Подготовил к печати Д.И. Абрамович. Пг., 1916; *Бугославский С.П.* Украіно-руські пам'ятки XI–XVIII вв. про князив Бориса и Гліба. У Київі, 1928.

Мы публикуем текст «Сказания о Борисе и Глебе» по списку Успенского сборника (по изд.: Успенский сборник XII—XIII вв. Издание подготовили О.А. Князевская, В.Г. Демьянов, М.В. Ляпон. М., 1971), но в том составе, который, по гипотезе С.А. Бугославского, это произведение имело в своем первоначальном виде, т. е. без «Сказания о чудесах», но сохраняя приложенную после похвалы Борису и Глебу, перед «Сказанием о чудесах», статью «О Борисѣ, какъ бѣ възъръм». Исправления ошибок и восполнение пропусков делаются по спискам «Сказания», входящим в редакцию Успенского сборника (по изд. Бугославского).

Сказание и страдание и похвала мученикам святым Борису и Глебу

Господи, благослови, отче!

«Род праведных благословится, — говорил пророк, — и потомки их благословенны будут».

Так и свершилось незадолго до наших дней при самодержце всей Русской земли Владимире, сыне Святославовом, внуке Игоревом, просветившем святым крещением всю землю Русскую. О прочих его добродетелях в другом месте поведаем, ныне же не время. О том же, что начали, будем рассказывать по порядку. Владимир имел 12 сыновей, и не от одной жены: матери у них были разные. Старший сын — Вышеслав, после него — Изяслав, третий — Святополк, который и замыслил это злое убийство. Мать его гречанка, прежде была монахиней. Брат Владимира Ярополк, прельщенный красотой ее лица, расстриг ее, и взял в жены, и зачал от нее окаянного Святополка. Владимир же, в то время еще язычник, убив Ярополка, овладел его беременной женою. Вот она-то и родила этого окаянного Святополка, сына двух отцов-братьев. Поэтому и не любил его Владимир, ибо не от него был он. А от Рогнеды Владимир имел четырех сыновей: Изяслава, и Мстислава, и Ярослава, и Всеволода. От другой жены были Святослав и Мстислав, а от жены-болгарки — Борис и Глеб. И посадил их всех Владимир по разным землям на княжение, о чем в другом месте скажем, здесь же расскажем про тех, о ком сия повесть.

Посадил Владимир окаянного Святополка на княжение в Пинске, а Ярослава — в Новгороде, а Бориса — в Ростове, а Глеба — в Муроме. Не стану, однако, много толковать, чтобы во многословии не забыть о главном, но, о ком начал, поведаем вот что. Протекло много времени, и, когда минуло 28 лет после святого крещения, подошли к концу дни Владимира — впал он в тяжкий недуг. В это же время пришел из Ростова Борис, а печенеги вновь двинулись ратью на Русь, и великая скорбь охватила Владимира, так как не мог он выступить против них, и это сильно печалило его. Призвал тогда он к себе Бориса, нареченного в святом крещении Романом, блаженного и скоропослушливого, и, дав ему под начало много воинов, послал его против безбожных печенегов. Борис же с радостью пошел, говоря: «Готов я пред очами твоими свершить, что велит воля сердца твоего». О таких Приточник говорил: «Был сын отцу послушный и любимый матерью своею».

Когда Борис, выступив в поход и не встретив врага, возвращался обратно, прибыл к нему вестник и поведал ему о смерти отца. Рассказал он, как преставился отец его Василий (этим именем назван был Владимир в святом крещении) и как Святополк, утаив смерть отца своего, ночью разобрал помост в Берестове и, завернув тело в ковер, спустил его на веревках на землю, отвез на санях и поставил в церкви святой Богородицы. И как услышал это святой Борис, стал телом слабеть и все лицо его намокло от слез, обливаясь слезами, не в силах был говорить. Лишь в сердце своем так размышлял: «Увы мне, свет очей моих, сияние и заря лица моего, узда юности моей, наставник неопытности моей! Увы мне, отец и го-

1. Князь Владимир посылает Бориса против печенегов. 2. Смерть князя Владимира. Лицевые миниатюры из Сильвестровского сборника XIV в.

СКАЗАНИЕ О БОРИСЕ И ГЛЕБЕ

сподин мой! К кому прибегну, к кому обращу взор свой? Где еще найду такую мудрость и как обойдусь без наставлений разума твоего? Увы мне, увы мне! Как же ты зашло, солнце мое, а меня не было там! Был бы я там, то сам бы своими руками честное тело твое убрал и могиле предал. Но не нес я доблестное тело твое, не сподобился целовать прекрасные твои седины. О, блаженный, помяни меня в месте успокоения твоего! Сердце мое горит, душа мой разум смущает и не знаю, к кому обратиться, кому поведать эту горькую печаль? Брату, которого я почитал как отца? Но тот, чувствую я, о мирской суете печется и убийство мое замышляет. Если он кровь мою прольет и на убийство мое решится, буду мучеником перед Господом моим. Не воспротивлюсь я, ибо написано: «Бог гордым противится, а смиренным дает благодать». И в послании апостола сказано: «Кто говорит: "Я люблю Бога", а брата своего ненавидит, тот лжец». И еще: «В любви нет страха, совершенная любовь изгоняет страх». Поэтому, что я скажу, что сделаю? Вот пойду к брату моему и скажу: «Будь мне отцом — ведь ты брат мой старший. Что повелишь мне, господин мой?»

И, помышляя так в уме своем, пошел к брату своему и говорил в сердце своем: «Увижу ли я хотя бы братца моего младшего Глеба, как Иосиф Вениамина?» И решил в сердце своем: «Да будет воля твоя, Господи!» Про себя же думал: «Если пойду в дом отца своего, то многие люди станут уговаривать меня прогнать брата, как поступал, ради славы и княжения в мире этом, отец мой до святого крещения. А ведь все это преходяще и непрочно, как паутина. Куда я приду по отшествии своем из мира этого? Где окажусь тогда? Какой получу ответ? Где скрою множество грехов своих? Что приобрели братья отца моего или отец мой? Где их жизнь и слава мира сего, и багряницы, и пиры, серебро и золото, вина и меды, яства обильные, и резвые кони, и хоромы изукрашенные и великие, и богатства многие, и дани и почести бесчисленные, и похвальба боярами своими? Всего этого будто и не было: все с ним исчезло, и ни от чего нет подспорья — ни от богатства, ни от множества рабов, ни от славы мира сего. Так и Соломон, все испытав, все видев, всем овладев и все собрав, говорил обо всем: "Суета сует — все суета!" Спасение только в добрых делах, в истинной вере и в нелицемерной любви».

Идя же путем своим, думал Борис о красоте и молодости своей и весь обливался слезами. И хотел сдержаться, но не мог. И все видевшие его тоже оплакивали юность его и его красоту телесную и духовную. И каждый в душе своей стенал от горести сердечной, и все были охвачены печалью.

Кто же не восплачется, представив пред очами сердца своего эту пагубную смерть?

169

Весь облик его был уныл, и сердце его святое было сокрушено, ибо был блаженный правдив и щедр, тих, кроток, смиренен, всех он жалел и всем помогал.

Так помышлял в сердце своем богоблаженный Борис и говорил: «Знал я, что брата злые люди подстрекают на убийство мое, и погубит он меня. И когда прольет кровь мою, то буду я мучеником пред Господом моим, и примет душу мою Владыка». Затем, забыв смертную скорбь, стал утешать он сердце свое Божьим словом: «Тот, кто пожертвует душой своей ради меня и моего учения, обретет и сохранит ее в жизни вечной». И пошел с радостным сердцем, говоря: «Господи премилостивый, не отринь меня, на тебя уповающего, но спаси душу мою!»

Святополк же, сев на княжение в Киеве после смерти отца, призвал к себе киевлян и, щедро одарив их, отпустил. К Борису же послал такую весть: «Брат, хочу жить с тобой в любви и к полученному от отца владению добавлю еще». Но не было правды в его словах. Святополк, придя ночью в Вышгород, тайно призвал к себе Путьшу и вышегородских мужей и сказал им: «Признайтесь мне без утайки — преданы ли вы мне?» Путьша ответил: «Все мы готовы головы свои положить за тебя».

Когда увидел дьявол, исконный враг всего доброго в людях, что святой Борис всю надежду свою возложил на Бога, то стал строить козни и, как в древние времена Каина, замышлявшего братоубийство, уловил Святополка. Угадал он помыслы Святополка, поистине второго Каина: ведь хотел перебить он всех наследников отца своего, чтобы одному захватить всю власть.

Тогда призвал к себе окаянный треклятый Святополк сообщников злодеяния и зачинщиков всей неправды, отверз свои прескверные уста и вскричал злобным голосом Путьшиной дружине: «Раз вы обещали положить за меня свои головы, то идите тайно, братья мои, и где встретите брата моего Бориса, улучив подходящее время, убейте его». И они обещали ему сделать это.

О таких пророк говорил: «Скоры они на подлое убийство. Оскверненные кровопролитием, они навлекают на себя несчастья. Таковы пути всех, совершающих беззаконие, — нечестием губят душу свою».

Блаженный же Борис возвратился и раскинул свой стан на Альте. И сказала ему дружина: «Пойди, сядь в Киеве на отчий княжеский стол — ведь все воины в твоих руках». Он же им отвечал: «Не могу я поднять руку на брата своего, к тому же еще и старшего, которого чту я как отца». Услышав это, воины разошлись, и остался он только с отроками своими. И был день субботний. В тоске и печали, с удрученным сердцем вошел он в шатер

СКАЗАНИЕ О БОРИСЕ И ГЛЕБЕ

свой и заплакал в сокрушении сердечном, но, с душой просветленной, жалобно восклицая: «Не отвергай слез моих, Владыка, ибо уповаю я на тебя! Пусть удостоюсь участи рабов твоих и разделю жребий со всеми святыми твоими, ты Бог милостивый, и славу тебе возносим вовеки! Аминь».

Вспомнил он о мучении и страданиях святого мученика Никиты и святого Вячеслава, которые были убиты так же, и о том, как убийцей святой Варвары был ее родной отец. И вспомнил слова премудрого Соломона: «Праведники вечно живут, и от Господа им награда и украшение им от Всевышнего». И только этими словами утешался и радовался.

Между тем наступил вечер, и Борис повелел петь вечерню, а сам вошел в шатер свой и стал творить вечернюю молитву со слезами горькими, частым воздыханием и непрерывными стенаниями. Потом лег спать, и сон

Борис видит сон о грядущей смерти. Клеймо иконы

его тревожили тоскливые мысли и печаль горькая, и тяжелая, и страшная: как претерпеть мучение и страдание, и окончить жизнь, и веру сохранить, и приуготовленный венец принять из рук Вседержителя. И, проснувшись рано, увидел, что время уже утреннее. А был воскресный день. Сказал он священнику своему: «Вставай, начинай заутреню». Сам же, обувшись и умыв лицо свое, начал молиться к Господу Богу.

Посланные же Святополком пришли на Альту ночью, и подошли близко, и услышали голос блаженного страстотерпца, поющего на заутреню Псалтырь. И получил он уже весть о готовящемся убиении его. И начал петь: «Господи! Как умножились враги мои! Многие востают на меня» — и остальную часть псалма, до конца. И, начавши петь по Псалтыри: «Окружили меня скопища псов и тельцы тучные обступили меня», продолжил: «Господи Боже мой! На тебя я уповаю, спаси меня!» И после этого пропел канон. И когда окончил заутреню, стал молиться, взирая на икону Господню и говоря: «Господи Иисусе Христе! Как ты, в этом образе явившийся на землю и собственною волею давший пригвоздить себя к кресту и принять страдание за грехи наши, сподобь и меня так принять страдание!»

И когда услышал он зловещий шепот около шатра, то затрепетал, и потекли слезы из глаз его, и промолвил: «Слава тебе, Господи, за все, ибо удостоил меня зависти ради принять сию горькую смерть и претерпеть все ради любви к заповедям твоим. Не захотели мы сами избегнуть мук, ничего не пожелали себе, последуя заповедям апостола: "Любовь долготерпелива, всему верит, не завидует и не превозносится". И еще: "В любви нет страха, ибо истинная любовь изгоняет страх". Поэтому, Владыка, душа моя в руках твоих всегда, ибо не забыл я твоей заповеди. Как Господу угодно — так и будет». И когда увидели священник Борисов и отрок, прислуживающий князю, господина своего, объятого скорбью и печалью, то заплакали горько и сказали: «Милостивый и дорогой господин наш! Какой благости исполнен ты, что не восхотел ради любви Христовой воспротивиться брату, а ведь сколько воинов держал под рукою своей!» И, сказав это, опечалились.

И вдруг увидел устремившихся к шатру, блеск оружия, обнаженные мечи. И без жалости пронзено было честное и многомилостивое тело святого и блаженного Христова страстотерпца Бориса. Поразили его копьями окаянные Путьша, Талец, Елович, Ляшко.

Видя это, отрок его прикрыл собою тело блаженного, воскликнув: «Да не оставлю тебя, господин мой любимый, — где увядает красота тела твоего, тут и я сподоблюсь окончить жизнь свою!»

СКАЗАНИЕ О БОРИСЕ И ГЛЕБЕ

Был же он родом венгр, по имени Георгий, и наградил его князь золотой гривной, и был любим Борисом безмерно. Тут и его пронзили.

И, раненный, выскочил он в оторопе из шатра. И заговорили стоящие около шатра: «Что стоите и смотрите! Начав, завершим повеленное нам». Услышав это, блаженный стал молиться и просить их, говоря: «Братья мои милые и любимые! Погодите немного, дайте помолиться Богу». И воззрев на небо со слезами, и горько вздохнув, начал молиться такими словами: «Господи Боже мой многомилостивый и милостивый и премилостивый! Слава тебе, что сподобил меня уйти от обольщения этой обманчивой жизни! Слава тебе, щедрый дарователь жизни, что сподобил меня подвига достойного святых мучеников! Слава тебе, Владыка человеколюбец, что сподобил меня свершить сокровенное желание сердца моего! Слава тебе, Христос, слава безмерному твоему милосердию, ибо направил ты стопы

Убийство Бориса и Георгия Угрина в шатре. Клеймо иконы

мои на правый путь! Взгляни с высоты святости твоей и узри боль сердца моего, которую претерпел я от родственника моего — ведь ради тебя умерщвляют меня в день сей. Меня уравняли с овном, уготовленным на убой. Ведь ты знаешь, Господи, не противлюсь я, не перечу и, имев под своей рукой всех воинов отца моего и всех, кого любил отец мой, ничего не замышлял против брата моего. Он же, сколько смог, воздвиг против меня. "Если бы враг поносил меня — это я стерпел бы; если бы ненавистник мой клеветал на меня, — укрылся бы я от него". Но ты, Господи, будь свидетель и сверши суд между мною и братом моим. И не осуждай их, Господи, за грех этот, но прими с миром душу мою. Аминь».

И воззрев на своих убийц горестным взглядом, с осунувшимся лицом, весь обливаясь слезами, промолвил: «Братья, приступивши, заканчивайте порученное вам. И да будет мир брату моему и вам, братья!»

И все, кто слышали слова его, не могли вымолвить ни слова от страха и печали горькой и слез обильных. С горькими воздыханиями жалобно сетовали и плакали, и каждый в душе своей стенал: «Увы нам, князь наш милостивый и блаженный, поводырь слепым, одежда нагим, посох старцам, наставник неразумным! Кто теперь их всех направит? Не восхотел славы мира сего, не восхотел веселиться с вельможами честными, не восхотел величия в жизни сей. Кто не поразится столь великому смирению, кто не смирится сам, видя и слыша его смирение?»

И так почил Борис, предав душу свою в руки Бога живого в 24-й день месяца июля, за 9 дней до календ августовских.

Перебили и отроков многих. С Георгия же не могли снять гривны и, отрубив ему голову, отшвырнули ее прочь. Поэтому и не смогли опознать тела его.

Блаженного же Бориса, обернув в шатер, положили на телегу и повезли. И когда ехали бором, начал приподнимать он святую голову свою. Узнав об этом, Святополк послал двух варягов, и те пронзили Бориса мечом в сердце. И так скончался, восприняв неувядаемый венец. И, принесши тело его, положили в Вышгороде и погребли в земле у церкви святого Василия.

И не остановился на этом убийстве окаянный Святополк, но в неистовстве своем стал готовиться на большее преступление. И увидев осуществление заветного желания своего, не думал о злодейском своем убийстве и о тяжести греха, и нимало не раскаивался в содеянном. И тогда вошел в сердце его сатана, начав подстрекать на еще большие злодеяния и новые убийства. Так говорил в душе своей окаянной: «Что сделаю? Если остановлюсь на этом убийстве, то две участи ожидают меня: когда

СКАЗАНИЕ О БОРИСЕ И ГЛЕБЕ

узнают о случившемся братья мои, то, подстерегши меня, воздадут мне горше содеянного мною. А если и не так, то изгонят меня и лишусь престола отца моего, и сожаление по утраченной земле моей изгложет меня, и поношения поносящих обрушатся на меня, и княжение мое захватит другой, и в жилищах моих не останется живой души. Ибо я погубил возлюбленного Господом и к болезни добавил новую язву, добавлю же к беззаконию беззаконие. Ведь и грех матери моей не простится и с праведниками я не буду вписан, но изымется имя мое из книг жизни». Так и случилось, о чем после поведаем. Сейчас же еще не время, а вернемся к нашему рассказу.

И, замыслив это, злой дьявола сообщник послал за блаженным Глебом, говоря: «Приходи не медля. Отец зовет тебя, тяжко болен он».

Глеб быстро собрался, сел на коня и отправился с небольшой дружиной. И когда пришли на Волгу, в поле оступился под ним конь в яме, и повредил слегка ногу. А как пришел Глеб в Смоленск, отошел от Смоленска недалеко и стал на Смядыни, в ладье. А в это время пришла весть от Предславы к Ярославу о смерти отца. И Ярослав прислал к Глебу, говоря: «Не ходи, брат! Отец твой умер, а брат твой убит Святополком».

И, услышав это, блаженный возопил с плачем горьким и сердечной печалью, и так говорил: «О, увы мне, Господи! Вдвойне плачу и стенаю, вдвойне сетую и тужу. Увы мне, увы мне! Плачу горько по отце, а еще горше плачу и горюю по тебе, брат и господин мой, Борис. Как пронзен был, как без жалости убит, как не от врага, но от своего брата смерть воспринял? Увы мне! Лучше бы мне умереть с тобою, нежели одинокому и осиротевшему без тебя жить на этом свете. Я-то думал, что скоро увижу лицо твое ангельское, а вот какая беда постигла меня, лучше бы мне с тобой умереть, господин мой! Что же я буду делать теперь, несчастный, лишенный твоей доброты и многомудрия отца моего? О милый мой брат и господин! Если твои молитвы доходят до Господа, — помолись о моей печали, чтобы и я сподобился такое же мучение восприять и быть с тобою, а не на этом суетном свете».

И когда он так стенал и плакал, орошая слезами землю и призывая Бога с частыми вздохами, внезапно появились посланные Святополком злые слуги его, безжалостные кровопийцы, лютые братоненавистники с душою свирепых зверей.

Святой же плыл в это время в ладье, и они встретили его в устье Смядыни. И когда увидел их святой, то возрадовался душою, а они, увидев его, помрачнели и стали грести к нему, и подумал он — приветствовать его хотят. И, когда поплыли рядом, начали злодеи перескакивать в ладью его с блещущими, как вода, обнаженными мечами в руках. И сразу у всех весла из рук выпали, и все помертвели от страха. Увидев это, блаженный понял, что хотят убить его. И, глядя на убийц кротким взором, омывая лицо свое слезами, смирившись, в сердечном сокрушении, трепетно вздыхая, заливаясь слезами и ослабев телом, стал жалостно умолять: «Не трогайте меня, братья мои милые и дорогие! Не трогайте меня, никакого зла вам не причинившего! Пощадите, братья и повелители мои, пощадите! Какую обиду нанес я брату моему и вам, братья и повелители мои? Если есть какая-какая обида, то ведите меня к князю вашему и к брату моему и господину. Пожалейте юность мою, смилуйтесь, повелители мои! Будьте господами моими, а я буду вашим рабом. Не губите меня, в жизни юного, не пожинайте колоса, еще не созревшего, соком беззлобия налитого! Не срезайте лозу, еще не выросшую, но плод имеющую! Умоляю вас и отдаюсь на вашу

Убийство Глеба в ладье. Клеймо иконы

176

СКАЗАНИЕ О БОРИСЕ И ГЛЕБЕ

милость. Побойтесь сказавшего устами апостола: "Не будьте детьми умом: на дело злое будьте как младенцы, а по уму совершеннолетни будьте". Я же, братья, и делом и возрастом молод еще. Это не убийство, но живодерство! Какое зло сотворил я, скажите мне, и не буду тогда жаловаться. Если же кровью моей насытиться хотите, то я, братья, в руках ваших и брата моего, а вашего князя».

И ни единое слово не устыдило их, но как свирепые звери напали на него. Он же, видя, что не внемлют словам его, стал говорить: «Да избавятся от вечных мук и любимый отец мой и господин Василий, и мать госпожа моя, и ты, брат Борис, — наставник юности моей, и ты, брат и пособник Ярослав, и ты, брат и враг Святополк, и все вы, братья и дружина, пусть все спасутся! Уже не увижу вас в жизни сей, ибо разлучают меня с вами насильно». И говорил плача: «Василий, Василий, отец мой и господин! Преклони слух свой и услышь глас мой, посмотри и узри случившееся с сыном твоим, как ни за что убивают меня. Увы мне, увы мне! Услышь, небо, и внемли, земля! И ты, Борис брат, услышь глас мой. Отца моего Василия призвал, и не внял он мне, неужели и ты не хочешь услышать меня? Погляди на скорбь сердца моего и боль души моей, погляди на потоки слез моих, текущих как река! И никто не внемлет мне, но ты помяни меня и помолись обо мне перед Владыкой всех, ибо ты угоден ему и предстоишь пред престолом его».

И, преклонив колени, стал молиться: «Прещедрый и премилостивый Господь! Не презри слез моих, смилуйся над моей печалью. Воззри на сокрушение сердца моего: убивают меня неведомо за что, неизвестно, за какую вину. Ты знаешь, Господи Боже мой! Помню слова, сказанные тобою своим апостолам: "За имя мое, меня ради поднимут на вас руки, и преданы будете родичами и друзьями, и брат брата предаст на смерть, и умертвят вас ради имени моего". И еще: "Терпением укрепляйте души свои". Смотри, Господи, и суди: вот готова моя душа предстать пред тобою, Господи! И тебе славу возносим, Отцу и Сыну и Святому Духу, ныне и присно и во веки веков. Аминь».

Потом взглянул на убийц и промолвил жалобным и прерывающимся голосом: «Раз уж начали, приступивши, свершите то, на что посланы!»

Тогда окаянный Горясер приказал зарезать его без промедления. Повар же Глебов, по имени Торчин, взял нож и, схватив блаженного, заклал его, как агнца непорочного и невинного, месяца сентября в 5-й день, в понедельник.

И была принесена жертва Господу чистая и благоуханная, и поднялся в небесные обители к Господу, и свиделся с любимым братом, и восприня-

177

ли оба венец небесный, к которому стремились, и возрадовались радостью великой и неизреченной, которую получили.

Окаянные же убийцы возвратились к пославшему их, как говорил Давид: «Возвратятся нечестивые во ад и все забывающие Бога». И еще: «Обнажают меч нечестивые и натягивают лук свой, чтобы поразить идущих прямым путем, но меч их войдет в их же сердце, и луки их сокрушатся, а нечестивые погибнут». И когда сказали Святополку, что «исполнили повеление твое», то, услышав это, вознесся он сердцем, и сбылось сказанное псалмопевцем Давидом: «Что хвалишься злодейством сильный? Беззаконие в сей день, неправду замыслил язык твой. Ты возлюбил зло больше добра, больше ложь, нежели говорить правду. Ты возлюбил всякие гибельные речи, и язык твой льстивый. Поэтому Бог сокрушит тебя до

Тело Глеба, брошенное в пустыне между двумя колодами.
Клеймо иконы

178

СКАЗАНИЕ О БОРИСЕ И ГЛЕБЕ

конца, изринет и исторгнет тебя из жилища твоего и род твой из земли живых».

Когда убили Глеба, то бросили его в пустынном месте меж двух колод. Но Господь, не оставляющий своих рабов, как сказал Давид, «хранит все кости их, и ни одна из них не сокрушится».

И этого святого, лежавшего долгое время, не оставил Бог в неведении и небрежении, но сохранил невредимым и явлениями ознаменовал: проходившие мимо этого места купцы, охотники и пастухи иногда видели огненный столп, иногда горящие свечи или слышали ангельское пение.

И ни единому, видевшему и слышавшему это, не пришло на ум поискать тело святого, пока Ярослав, не стерпев сего злого убийства, не двинулся на братоубийцу окаянного Святополка и не начал с ним жестоко воевать. И всегда соизволением Божьим и помощью святых побеждал в битвах Ярослав, а окаянный бывал посрамлен и возвращался побежденным.

И вот однажды этот треклятый пришел со множеством печенегов, и Ярослав, собрав войско, вышел навстречу ему на Альту и стал в том месте, где был убит святой Борис. И, воздев руки к небу, сказал: «Кровь брата моего, как прежде Авелева, вопиет к тебе, Владыка. И ты отомсти за него и, как братоубийцу Каина, повергни Святополка в ужас и трепет. Молю тебя, Господи, — да воздастся ему за это». И помолился и сказал: «О, бра-

Битва Ярослава со Святополком. Миниатюра

тья мои, хотя телом вы и отошли отсюда, но благодатию живы и предстоите перед Господом и своей молитвой поможете мне!»

После этих слов сошлись противники друг с другом, и покрылось поле Альтское множеством воинов. И на восходе солнца вступили в бой, и была сеча зла, трижды вступали в схватку и так бились целый день, и лишь к вечеру одолел Ярослав, а окаянный Святополк обратился в бегство. И обуяло его безумие, и так ослабели суставы его, что не мог сидеть на коне, и несли его на носилках. Прибежали с ним к Берестью. Он же говорит: «Бежим, ведь гонятся за нами!» И послали разведать, и не было ни преследующих, ни едущих по следам его. А он, лежа в бессилии и приподнимаясь, восклицал: «Бежим дальше, гонятся! Горе мне!» Невыносимо ему было оставаться на одном месте, и пробежал он через Польскую землю, гонимый гневом Божьим.

И прибежал в пустынное место между Чехией и Польшей и тут бесчестно скончался. И принял отмщение от Господа: довел Святополка до гибели охвативший его недуг, и по смерти — муку вечную. И так потерял обе жизни: здесь не только княжения, но и жизни лишился, а там не только царства небесного и с ангелами пребывания не получил, но мукам и огню был предан. И сохранилась могила его до наших дней, и исходит от

Гибель Святополка. Клеймо иконы

СКАЗАНИЕ О БОРИСЕ И ГЛЕБЕ

нее ужасный смрад в назидание всем людям. Если кто-нибудь поступит так же, зная об этом, то поплатится еще горше. Каин, не ведая об отмщении, единую кару принял, а Ламех, знавший о судьбе Каина, в семьдесят раз тяжелее наказан был. Такова месть творящим зло. Вот Юлиан цесарь — пролил он много крови святых мучеников, и постигла его страшная и бесчеловечная смерть: неведомо кем пронзен был копьем в сердце. Так же и этот — неизвестно от кого бегая, позорной смертью скончался.

И с тех пор прекратились усобицы в Русской земле, а Ярослав принял всю землю Русскую. И начал он расспрашивать о телах святых — как и где похоронены? И о святом Борисе поведали ему, что похоронен в Вышгороде. А о святом Глебе не все знали, что у Смоленска был убит. И тогда рассказали Ярославу, что слышали от приходящих оттуда: как видели свет и свечи в пустынном месте. И, услышав это, Ярослав послал к Смоленску священников разузнать в чем дело, говоря: «Это брат мой». И нашли его, где были видения, и, придя туда с крестами, и свечами многими, и с кадилами, торжественно положили Глеба в ладью и, возвратившись, похоронили его в Вышгороде, где лежит тело преблаженного Бориса; раскопав землю, тут и Глеба положили с подобающим почетом.

И вот что чудесно и дивно и памяти достойно: столько лет лежало тело святого Глеба и оставалось невредимым, не тронутым ни хищным зверем, ни червями, даже не почернело, как обычно случается с телами мертвых, но оставалось светлым и красивым, целым и благоуханным. Так Бог сохранил тело своего страстотерпца.

И не знали многие о лежащих тут мощах святых страстотерпцев. Но, как говорил Господь: «Не может укрыться город, стоящий на верху горы, и, зажегши свечу, не ставят ее под спудом, но на подсвечнике выставляют, чтобы светила всем». Так и этих святых поставил Бог светить в мире, многочисленными чудесами сиять в великой Русской земле, где многие страждущие исцеляются: слепые прозревают, хромые бегают быстрее серны, горбатые выпрямляются.

Невозможно описать или рассказать о творимых чудесах, воистину весь мир их не может вместить, ибо дивных чудес больше песка морского. И не только здесь, но и в других странах, и по всем землям они проходят, отгоняя болезни и недуги, навещая заключенных в темницах и закованных в оковы. И в тех местах, где были увенчаны они мученическими венцами, созданы были церкви в их имя. И много чудес совершается с приходящими сюда.

Не знаю поэтому, какую похвалу воздать вам, и недоумеваю, и не могу решить, что сказать? Нарек бы вас ангелами, ибо без промедления являе-

Строительство Борисоглебского храма в Вышгороде и перенесение мощей в новый храм.
Миниатюра «Сказания о Борисе и Глебе» из Сильвестровского сборника. XIV в.

тесь всем скорбящим, но жили вы на земле среди людей во плоти человеческой. Если же назову вас людьми, то ведь своими бесчисленными чудесами и помощью немощным превосходите вы разум человеческий. Провозглашу ли вас цесарями или князьями, но самых простых и смиренных людей превзошли вы своим смирением, это и привело вас в горние места и жилища.

Воистину вы цесари цесарям и князья князьям, ибо вашей помощью и защитой князья наши всех противников побеждают и вашей помощью гордятся. Вы наше оружие, земли Русской защита и опора, мечи обоюдоострые, ими дерзость поганых низвергаем и дьявольские козни на земле попираем. Воистину и без сомнений могу сказать: вы небесные люди и земные ангелы, столпы и опора земли нашей! Защищаете свое отечество и помогаете так же, как и великий Димитрий своему отечеству. Он сказал: «Как был с ними в радости, так и в погибели их с ними умру». Но если

СКАЗАНИЕ О БОРИСЕ И ГЛЕБЕ

великий и милосердый Димитрий об одном лишь городе так сказал, то вы не о едином граде, не о двух, не о каком-то селении печетесь и молитесь, но о всей земле Русской!

О, блаженны гробы, принявшие ваши честные тела как сокровище многоценное! Блаженна церковь, в коей поставлены ваши гробницы святые, хранящие в себе блаженные тела ваши, о Христовы угодники! Поистине блажен и величественнее всех городов русских и высший город, имеющий такое сокровище. Нет равного ему во всем мире. По праву назван Вышгород — выше и превыше всех городов: второй Солунь явился в Русской земле, исцеляющий безвозмездно, с Божьей помощью, не только наш единый народ, но всей земле спасение приносящий. Приходящие из всех земель даром получают исцеление, как в святых Евангелиях Господь гово-

Борис и Глеб. Конец XIII в.
Киевский музей русского искусства

рил святым апостолам: «Даром получили, даром давайте». О таких и сам Господь говорил: «Верующий в меня, в дела, которые я творю, сотворит сам их, и больше сих сотворит».

Но, о блаженные страстотерпцы Христовы, не забывайте отечества, где прожили свою земную жизнь, никогда не оставляйте его. Так же и в молитвах всегда молитесь за нас, да не постигнет нас беда и болезни, да не коснутся тела рабов ваших. Вам дана благодать, молитесь за нас, вас ведь Бог поставил перед собой заступниками и ходатаями за нас. Потому и прибегаем к вам, и, припадая со слезами, молимся, да не окажемся мы под пятой вражеской, и рука нечестивых да не погубит нас, пусть никакая пагуба не коснется нас, голод и беды удалите от нас, и избавьте нас от неприятельского меча и межусобных раздоров, и от всякой беды и нападения защитите нас, на вас уповающих. И к Господу Богу молитву нашу с усердием принесите, ибо грешим мы сильно, и много в нас беззакония, и бесчинствуем с излишком и без меры. Но, на ваши молитвы надеясь, возопием к Спасителю, говоря: «Владыко, единый без греха! Воззри со святых небес своих на нас, убогих, и хотя согрешили, но ты прости, и хотя беззаконие творим, помилуй, и, впавших в заблуждение, как блудницу, прости нас и, как мытаря, оправдай! Да снизойдет на нас милость твоя! Да прольется на нас человеколюбие твое! И не допусти нас погибнуть из-за грехов наших, не дай уснуть и умереть горькою смертью, но избавь нас от царящего в мире зла и дай нам время покаяться, ибо много беззаконий наших пред тобою, Господи! Рассуди нас по милости твоей, Господи, ибо имя твое нарицается в нас, помилуй нас и спаси и защити молитвами преславных страстотерпцев твоих. И не предай нас в поругание, а излей милость твою на овец стада твоего, ведь ты Бог наш и тебе славу воссылаем, Отцу и Сыну и Святому Духу, ныне и присно и во веки веков. Аминь!»

184

О Борисе, какой был видом. Сей благоверный Борис был благого корени, послушен отцу, покорялся во всем отцу. Телом был красив, высок, лицом кругл, плечи широкие, тонок в талии, глазами добр, весел лицом, борода мала и ус — ибо молод еще был, сиял по-царски, крепок был, всем был украшен — точно цветок цвел он в юности своей, на ратях храбр, в советах мудр и разумен во всем, и благодать Божия цвела в нем.

ПРЯДЬ ОБ ЭЙМУНДЕ ХРИНГССОНЕ

Перевод Е.А. Рыдзевской,
комментарии Т.Н. Джаксон

«Прядь об Эймунде», чаще называемая «Сагой об Эймунде», сохранилась в составе «Саги об Олаве Святом» по рукописи «Книга с Плоского острова» (1387–1394). Исследователи относят «Прядь» к королевским сагам. «Прядь об Эймунде» уникальна тем, что практически всё ее действие происходит в Гардарики (на Руси), а не в Скандинавии. В ней подробно описывается деятельность скандинавских наемников на Руси во времена князя Ярослава Мудрого (конунга Ярицлейва). Рассказ «Пряди» совпадает в известных деталях с описанием в летописи событий после смерти Владимира Святославича в 1015 г., однако расхождения весьма значительны. Как справедливо замечает Р. Кук, «такого рода расхождений, естественно, следует ожидать, когда монастырская летопись XII века (сама по себе не во всем достоверная) и исландское светское сочинение XIV века отражают одни и те же события XI века. Одни лишь расстояния во времени и пространстве неминуемо должны были послужить причиной искажения фактов, но в придачу к ним на характере искажений сказывается и то обстоятельство, что исландское сочинение очень последовательно... подменяет историю повествованием определенного типа» (Cook 1986: 70).

В тексте «Пряди» говорится, что рассказ был составлен со слов участников похода Эймунда, состоявшегося в начале XI в. Столь детальное знакомство саги с событиями на Руси, естественно, возможно было только на основе устных рассказов непосредственных участников событий. История устного бытования этого повествования реконструирована Р. Куком (Cook 1986: 67–68; ср.: Глазырина 2001; Глазырина 2002: 62–68). Исходя из того, что рассказы об усобице между сыновьями Владимира Святославича, равно как и условия договора между русским князем и скандинавскими наемниками не были широко известны на скандинавском Севере и в массе своей не нашли отражения в других древнескандинавских памятниках, Г.В. Глазырина заключает, что «"Прядь об Эймунде" достигла Скандинавии в виде уже оформившегося рассказа», воспроизводившегося вновь и вновь «в среде скандинавских наемников при русском дворе» (Глазырина 2008: 128). Время записи «Пряди» установить сложно. Целым рядом исследователей было принято предположение Я. де Фриса, что «Прядь» была написана в конце XIII в. (de Vries 1967: 304; см.: Джаксон 1994a: 87; Назаренко 2001: 453; Пріцак 2003: 164; Hermann Pálsson, Edwards 1989: 8). Е.А. Мельникова готова принять датировку «Пряди» даже «третьей четвертью XIV в.», поскольку она «исходит из времени составления компиляции», но категорически отвергает отнесение ее к концу XIII в., ибо оно «сугубо произвольно»; при этом сама исследовательница утверждает, что рассказы об Эймунде передавались изустно на протяжении как минимум двух с половиной столетий, что отодвигает запись «Пряди» к последней трети (или даже четверти) XIII в. (Мельникова 2008б: 146, 148). Основываясь на анализе внетекстовых данных, и в частности на общей картине развития интереса к историческим сюжетам, связанным с Русью, в определенных жанрах древнеисландской письменности, Г. В. Глазырина относит «Прядь» ко времени не позднее середины XIII в. (Глазырина 2001: 153). Наиболее осторожен (и, вероятно, прав) был в 2005 г. С.М. Михеев, когда он писал: «Между тем необходимо отметить, что твердые основания для сколько-нибудь точных датировок создания этого памятника отсутствуют. Его первая письменная фиксация могла состояться и в XII, и в XIV в. При этом текст источника мог претерпеть значительные изменения уже в ходе переписывания и при помещении в контекст "Саги об Олаве Святом" "Книги с Плоского острова"» (Михеев 2005: 30). Увы, со временем позиция автора несколько изменилась: «Сага о подвигах Эймунда долгое время передавалась изустно в Исландии и была записана лишь в XIII или даже XIV веке» (Михеев 2009: 174). Важные наблюдения сделаны в последние годы над структурой текста «Пряди», что позволило выделить в ней как минимум два слоя и показать поздний характер ее пролога и эпилога (Михеев 2006; Мельникова 2008б; Михеев 2009: 159–174). К сожалению, пока не был проведен сопоставительный анализ языка выделяемых слоев

Книга с Плоского острова (др.-сканд. Flateyjarbók) — важный исландский манускрипт, содержащий множество древнеисландских саг. Манускрипту присвоен номер GkS 1005 fol., он также известен под латинским названием Codex Flatöiensis

ПРЯДЬ ОБ ЭЙМУНДЕ ХРИНГССОНЕ

текста «Пряди», что дало бы возможность перейти от экстралингвистических предположений к основательно фундированным заключениям, строящимся на выявлении интертекстовых связей.

История знакомства русских исследователей с «Прядью об Эймунде» весьма примечательна. В 1833 г. «Королевское общество северных антиквариев» в Копенгагене издало «Прядь» тиражом в семьдесят экземпляров (в оригинале и латинском переводе) и разослало ее по научным центрам России. В кратчайший срок, а именно уже к 1834 г., в России вышло два перевода «Пряди». Один из них был выполнен с латинского текста студентом Словесного отделения Московского университета Д. Лавдовским и сопровождался статьей М.П. Погодина, отметившего, что история Эймунда «хронологически верна» и «доставляет немаловажное дополнение к Русской Истории» (Погодин 1834: 379, 385).

Второй перевод «Пряди об Эймунде», и уже непосредственно с исландского оригинала, был выполнен профессором Санкт-Петербургского университета, историком и филологом, издателем журнала «Библиотека для чтения» О.И. Сенковским. Предваряющая перевод статья Сенковского о сагах была написана (вопреки устоявшемуся к тому времени мнению) с позиции полного и безоговорочного доверия к скандинавскому источнику. Автор ставил свидетельства «Пряди об Эймунде» выше данных русских летописей, полагая, что летописец создал «значительную часть своей книги» из варяжских саг, приведя их в соответствие с хронологией византийских авторов, писавших о Руси. Анализируя «Прядь об Эймунде», которая, по его словам, «непосредственно относится к Русской Истории», Сенковский объяснял расхождения этой саги с русской летописью либо сокращениями, которым якобы подверглась сага, либо незнанием и ошибками Нестора (Сенковский 1834а).

Подобная трактовка летописи и саг, естественно, вызвала немедленную реакцию: статья подверглась язвительной критике С.В. Руссова, защищавшего от нападок оппонента творение Нестора — «драгоценный памятник Русской письменности и основание нашей Истории» (Руссов 1834: 102), и С.М. Строева (псевдоним — С. Скромненко), который объяснял расхождение саг с летописью или отсутствие в летописи каких-либо фактов (например, имени Эймунда, главного действующего лица исландской саги) недостоверностью известий саг в целом (Скромненко 1834). М.П. Погодин, напротив, высоко оценил статью Сенковского, а Строева обвинил в формальном подходе к саге. Он полагал, что, несмотря на недостоверность отдельных деталей («Нечего искать в сагах подробностей, обстоятельности сообщаемых событий»), сохраненные в сагах общие черты русской действительности важны для истории (Погодин 1846).

Прядь об Эймунде Хрингссоне

Здесь начинается повесть об Эймунде и Олаве конунге

Хринг звался конунг, который правил в Упланде в Нореге. Хрингарики называлась та область, над которой он был конунгом. Был он мудр и любим, добр и богат. Он был сыном Дага, сына Хринга, сына Харальда Прекрасноволосого; вести свой род от него считалось в Нореге самым лучшим и почетным. У Хринга было три сына, и все они были конунгами. Старшего звали Хрёрек, второго — Эймунд, третьего — Даг. Все они были храбры, защищали владения отца, бывали в морских походах и так добывали себе почет и уважение. Это было в то время, когда конунг Сигурд Свинья правил в Упланде; он был женат на Асте Гудбранд-сдоттир, матери Олава конунга Святого. Торни звалась сестра ее, мать Халльварда Святого, а другая — Исрид, бабушка Стейгар-Торира. Они были побратимами, когда росли, Олав Харальдссон и Эймунд Хрингссон; они были к тому же почти одних лет[1]. Они занимались всеми физически-ми упражнениями, какие подобают мужественному человеку, и жили то у Сигурда конунга, то у Хринга конунга, отца Эймунда. Когда Олав ко-нунг поехал в Энгланд[2], поехал с ним и Эймунд; еще был с ними Рагнар, сын Агнара, сына Рагнара Рюкиль, сына Харальда Прекрасноволосого[3], и много других знатных мужей. Чем дальше они ехали, тем больше стано-вилась их слава и известность. О конунге Олаве Святом теперь уже из-вестно, что имя его знает вся северная половина [мира]. И когда он овла-дел Норегом, он покорил себе всю страну и истребил в ней всех област-ных конунгов, как говорится в саге о нем и о разных событиях, как писали мудрые люди; всюду говорится, что он в одно утро отнял власть у пяти конунгов, а всего — у девяти внутри страны, как о том говорит Стюрмир Мудрый[4]. Одних он велел убить или искалечить, а других из-гнал из страны. В эту беду попали Хринг, Хрёрек и Даг, а Эймунд и ярл Рагнар Агнарссон были в морских походах, когда все это случилось. Ушли они из страны, Хринг и Даг, и долго были в походах, а после отправились на восток в Ёталанд, и долго правили там. А Хрёрек был ослеплен и жил у Олава конунга, пока не стал умышлять против него и перессорил его гридей между собой так, что они стали убивать друг друга. И напал он на Олава конунга в день вознесения на клиросе в церкви Христа, и порезал парчовую одежду на конунге, но Бог сохранил конунга, и он не был ранен. И Олав конунг тогда разгневался на него и послал его в Гренланд, если будет попутный ветер, с Торарином Невьольвссоном, но они прибыли в Исланд, и жил он у Гудмунда Богатого в Мёдрувеллир, в Эйяфьорде, и умер он в Кальвскинн.

Об Эймунде и Рагнаре

Прежде всего надо сказать, что Эймунд и Рагнар пришли в Норег немного спустя[5] со многими кораблями. Олава конунга тогда нигде поблизости не было. Тут они узнали о тех событиях, о которых уже было сказано. Эймунд собирает тинг с местными людьми и говорит так: «С тех пор, как мы уехали, в стране были великие события; мы потеряли наших родичей, а некоторые из них изгнаны и претерпели много мучений. Нам жаль наших славных и знатных родичей и обидно за них. Теперь один конунг в Нореге, где раньше их было много. Думаю, что хорошо будет стране, которой правит Олав конунг, мой побратим, хоть и нелегка его власть. Для себя я от него жду доброго почета, но не имени конунга». Друзья их обоих стали настаивать, чтобы он повидался с Олавом конунгом и попытал, не

Король Харольд I получает Норвегию из рук своего отца.
Иллюстрация из «Книги с Плоского острова»

даст ли он ему имя конунга. Эймунд ответил: «Не подниму я боевого щита против Олава конунга и не буду во враждебной ему рати, но при тех великих обидах, что случились между нами, не хочу и отдаваться на его милость, и сложить с себя свое высокое достоинство. Раз мы не хотим идти на мир с ним, не думаете ли вы, что нам остается лишь не встречаться с ним? Если бы мы встретились, знаю, он воздал бы мне великую честь, потому что я не пойду на него, но не думаю, чтобы вы все, мои люди, также стерпели, видя великое унижение своих родичей. Вы теперь побуждаете меня [мириться с ним], а по мне это тяжело, потому что нам пришлось бы сначала дать клятву, которую нам подобало бы сдержать». Тогда сказали воины Эймунда: «Если не идти на мир с конунгом, но и не быть во враждебной ему рати, то, значит, остается, по-твоему, не встречаться с конунгом и уйти изгнанником из своих владений?» Рагнар сказал: «Эймунд говорил много такого, что я и сам думаю; не верю я в нашу удачу против счастья Олава конунга, но думается мне, что если мы покинем в бегстве наши земли, то надо нам позаботиться о том, чтобы в нас видели больших людей, чем дру-

Св. Олаф на фреске в одной из шведских церквей

ПРЯДЬ ОБ ЭЙМУНДЕ ХРИНГССОНЕ

гие купцы». Эймунд сказал: «Если вы хотите поступить по-моему, то я скажу вам, если хотите, что я задумал. Я слышал о смерти Вальдимара конунга[6] с востока из Гардарики[7], и эти владения держат теперь трое сыновей его[8], славнейшие мужи. Он наделил их не совсем поровну — одному теперь досталось больше, чем тем двум. И зовется Бурицлав[9] тот, который получил большую долю отцовского наследия, и он — старший из них. Другого зовут Ярицлейв[10], а третьего Вартилав[11]. Бурицлав держит Кэнугард[12], а это — лучшее княжество[13] во всем Гардарики. Ярицлейв держит Хольмгард[14], а третий — Палтескью[15] и всю область, что сюда принадлежит[16]. Теперь у них разлад из-за владений, и всех более недоволен тот, чья доля по разделу больше и лучше: он видит урон своей власти в том, что его владения меньше отцовских, и считает, что он потому ниже своих предков. И пришло мне теперь на мысль, если вы согласны, отправиться туда и побывать у каждого из этих конунгов, а больше у тех, которые хотят держать свои владения и довольствоваться тем, чем наделил их отец. Для нас это будет хорошо — добудем и богатство, и почесть. Я на этом решу с вами». Все они согласны. Было там много людей, которым хотелось добыть богатства и отомстить за свои обиды в Нореге. Они были готовы покинуть страну, только бы не оставаться и не терпеть притеснений от конунга и своих недругов. Собираются они в путь с Эймундом и Рагнаром и отплывают с большой дружиной, избранной по храбрости и мужеству, и стали держать путь в Аустрвег[17]. И узнал об этом Олав конунг, когда их уже не было, и сказал он, что это худо, что он не встретился с Эймундом, «потому что мы должны были бы расстаться лучшими [чем до того] друзьями; так и можно было ожидать, что у него гнев на нас, но теперь уехал из страны муж, которому мы оказали бы величайшие почести в Нореге, кроме имени конунга». Олаву конунгу было сказано, что говорил Эймунд на тинге, и сказал конунг, что это на него похоже — найти хороший исход. И больше об этом нечего сказать, и сага возвращается к Эймунду и ярлу Рагнару.

Эймунд прибыл в Гардарики

Эймунд и его спутники не останавливаются в пути, пока не прибыли на восток в Хольмгард к Ярицлейву конунгу. Идут они в первый раз к конунгу Ярицлейву после того, как Рагнар попросил. Ярицлейв конунг был в свойстве с Олавом, конунгом свеев.

Он был женат на дочери его, Ингигерд. И когда конунг узнает об их прибытии в страну, он посылает мужей к ним с поручением дать им мир в

А.И. Транковский. Ярослав Мудрый (Ярицлейв) и шведская принцесса Ингигерда

стране[18] и позвать их к конунгу на хороший пир[19]. Они охотно соглашаются. И когда они сидят на пиру, конунг и княгиня много расспрашивают их об известиях из Норега, о конунге Олаве Харальдссоне. И Эймунд говорил, что может сказать много хорошего о нем и о его обычае; он сказал, что они долго были побратимами и товарищами, но Эймунд не хотел говорить о том, что ему было не по душе, — о тех событиях, о которых было уже сказано. Эймунда и Рагнара очень уважал конунг, и княгиня не меньше, потому что она была как нельзя более великодушна и щедра на деньги, а Яриилейв конунг не слыл щедрым, но был хорошим правителем и властным[20].

Договор Эймунда
с Ярицлейвом конунгом

Спрашивает конунг, куда они думают держать путь, и они говорят так: «Мы узнали, господин, что у вас могут уменьшиться владения из-за ваших братьев, а мы позорно изгнаны из [нашей] страны и пришли сюда на восток в Гардарики к вам, трем братьям. Собираемся мы служить тому из вас, кто окажет нам больше почета и уважения, потому что мы хотим добыть себе богатства и славы и получить честь от вас. Пришло нам на мысль, что вы, может быть, захотите иметь у себя храбрых мужей, если чести вашей угрожают ваши родичи, те самые, что стали теперь вашими врагами. Мы теперь предлагаем стать защитниками этого княжества и пойти к вам на службу[21], и получать от вас золото и серебро и хорошую одежду. Если вам это не нравится и вы не решите это дело скоро, то мы пойдем на то же с другими конунгами, если вы отошлете нас от себя». Ярицлейв конунг отвечает: «Нам очень нужна от вас помощь и совет, потому что вы, норманны, — мудрые мужи и храбрые. Но я не знаю,

ПРЯДЬ ОБ ЭЙМУНДЕ ХРИНГССОНЕ

сколько вы просите наших денег за вашу службу». Эймунд отвечает: «Прежде всего ты должен дать нам дом и всей нашей дружине, и сделать так, чтобы у нас не было недостатка ни в каких ваших лучших припасах, какие нам нужны». «На это условие я согласен», — говорит конунг. Эймунд сказал: «Тогда ты будешь иметь право на эту дружину, чтобы быть вождем ее и чтобы она была впереди в твоем войске и княжестве. С этим ты должен платить каждому нашему воину[22] эйрир серебра, а каждому рулевому на корабле — еще, кроме того, половину эйрира[23]». Конунг отвечает: «Этого мы не можем». Эймунд сказал: «Можете, господин, потому что мы будем брать это бобрами и соболями[24] и другими вещами, которые легко добыть в вашей стране, и будем мерить это мы, а не наши воины. И если будет какая-нибудь военная добыча, вы нам выплатите эти деньги, а если мы будем сидеть спокойно, то наша доля станет меньше». И тогда соглашается конунг на это, и такой договор должен стоять двенадцать месяцев[25].

Эймунд победил в Гардарики

Эймунд и его товарищи вытаскивают тогда свои корабли на сушу и хорошо устраивают их. А Ярицлейв конунг велел выстроить им каменный дом и хорошо убрать драгоценной тканью[26]. И было им дано все, что надо, из самых лучших припасов. Были они тогда каждый день в великой радости и веселы с конунгом и княгиней. После того как они там пробыли недолго в доброй чести, пришли письма от Бурицлава конунга к Ярицлейву конунгу[27], и говорится в них, что он просит несколько волостей и торговых городов у конунга, которые ближе всего к его княжеству, и говорил он, что они ему пригодятся для поборов[28]. Ярицлей конунг сказал тогда Эймунду конунгу, чего просит у него брат. Он отвечает: «Немного могу я сказать на это, но у вас есть право на нашу помощь, если вы хотите за это взяться. Но надо уступить твоему брату, если он поступает по-хорошему. Но если, как я подозреваю, он попросит больше, то, когда это ему уступят, тебе придется выбирать — хочешь ли отказаться от своего княжества или нет, и держать его мужественно и чтобы между вами, братьями, была борьба до конца, если ты увидишь, что можешь держаться. Всегда уступать ему все, чего он просит, не так опасно, но многим может показаться малодушным и недостойным конунга, если ты будешь так поступать. Не знаю также, зачем ты держишь здесь иноземное войско, если ты не полагаешься на нас[29]. Теперь ты должен сам выбирать». Ярицлейв конунг говорит, что ему не хочется уступать свое княжество безо всякой попытки [борьбы]. Тогда сказал Эймунд: «Скажи послам твоего брата, что ты будешь защищать свои владения. Не давай им только долгого срока, чтобы собрать войско против тебя, потому-то мудрые сказали, что лучше воевать на своей земле, чем на чужой». Поехали послы обратно и сказали своему конунгу, как все было и что Ярицлейв конунг не хочет отдавать своему брату нисколько от своих владений и готов воевать, если он нападет на них. Конунг сказал: «Он, верно, надеется на помощь и защиту, если думает бороться с нами. Или к нему пришли какие-нибудь иноземцы и посоветовали ему держать крепко свое княжество?» Послы сказали, что слышали, что там норманнский конунг и шестьсот норманнов. Бурицлав конунг сказал: «Они, верно, и посоветовали ему так». Он стал тогда собирать к себе войско.

Ярицлейв конунг послал боевую стрелу[30] по всему своему княжеству, и созывают конунги всю рать. Дело пошло так, как думал Эймунд, — Бурицлав выступил из своих владений против своего брата, и сошлись они там, где большой лес у реки, и поставили шатры, так что река была посередине; разница по силам была между ними невелика. У Эймунда и всех норманнов были свои шатры; четыре ночи они сидели спокойно — ни те, ни другие не готовились к бою. Тогда сказал Рагнар: «Чего мы ждем и что это значит, что мы сидим спокойно?» Эймунд конунг отвечает: «Нашему конунгу рать наших недругов кажется слишком мала; его замыслы мало чего стоят». После этого идут они к Ярицлейву конунгу и спрашивают, не собирается ли он начать бой. Конунг отвечает: «Мне кажется, войско у нас подобрано хорошее и большая сила и защита». Эймунд конунг отвечает: «А мне кажется иначе, господин: когда мы пришли сюда, мне сначала казалось, что мало воинов в каждом шатре и стан только для виду устроен большой, а теперь уже не то — им приходится ставить еще шатры или жить снаружи, а у вас много войска разошлось домой по волостям, и ненадежно оно, господин». Конунг спросил: «Что же теперь делать?» Эймунд отвечает: «Теперь все гораздо хуже, чем раньше было; сидя здесь, мы упустили победу из рук, но мы, норманны, дело делали: мы отвели вверх по реке все наши корабли с боевым снаряжением. Мы пойдем отсюда с нашей дружиной и зайдем им в тыл, а шатры пусть стоят пустыми, вы же с вашей дружиной как можно скорее готовьтесь к бою». Так и было сделано; затрубили к бою, подняли знамена, и обе стороны стали готовиться к битве. Полки сошлись, и начался самый жестокий бой, и вскоре пало много людей. Эймунд и Рагнар предприняли сильный натиск на Бурицлава и напали на него в открытый щит. Был тогда жесточайший бой, и много людей погибло, и после этого был прорван строй Бурицлава, и люди его побежа-

ПРЯДЬ ОБ ЭЙМУНДЕ ХРИНГССОНЕ

ли. А Эймунд конунг прошел сквозь его рать и убил так много людей, что было бы долго писать все их имена. И бросилось войско бежать, так что не было сопротивления, и те, кто спаслись, бежали в леса и так остались в живых[31]. Говорили, что Бурицлав погиб в том бою. Взял Ярицлейв конунг тогда большую добычу после этой битвы. Большинство приписывает победу Эймунду и норманнам. Получили они за это большую честь, и все было по договору, потому что господь Бог, Иисус Христос, был в этом справедлив, как и во всем другом. Отправились они домой в свое княжество, и достались Ярицлейву конунгу и его владения, и боевая добыча, которую он взял в этом бою.

Совет Эймунда

После этого летом и зимой было мирно, и ничего не случилось, и правил Ярицлейв обоими княжествами по советам и разуму Эймунда конунга. Норманны были в большой чести и уважении, и были конунгу защитой в том, что касалось советов и боевой добычи. Но не стало жалованья от конунга, и думает он, что ему теперь дружина не так нужна, раз тот конунг пал и во всей его земле казалось мирно. И когда настал срок уплаты жалованья, пошел Эймунд конунг к Ярицлейву конунгу и сказал так: «Вот мы пробыли некоторое время в вашем княжестве, господин, а теперь выбирайте — оставаться ли нашему договору или ты хочешь, чтобы наше с тобой товарищество кончилось и мы стали искать другого вождя, потому что деньги выплачивались плохо». Конунг отвечает: «Я думаю, что ваша помощь теперь не так нужна, как раньше, а для нас — большое разорение давать вам такое большое жалованье, какое вы назначили». «Так оно и есть, господин, — говорит Эймунд, — потому что теперь надо будет платить эйрир золота каждому мужу и половину марки золота каждому рулевому на корабле». Конунг сказал: «По мне лучше тогда порвать наш договор». «Это в твоей власти, — говорит Эймунд конунг, — но знаете ли вы, наверное, что Бурицлав умер?» «Думаю, что это правда», — говорит конунг. Эймунд спросил: «Его, верно, похоронили с пышностью, но где его могила?» Конунг отвечал: «Этого мы наверное не знаем». Эймунд сказал: «Подобает, господин, вашему высокому достоинству знать о вашем брате, таком же знатном, как вы, — где он положен. Но я подозреваю, что ваши воины неверно сказали, и нет еще верных вестей об этом деле». Конунг сказал: «Что же такое вы знаете, что было бы вернее и чему мы могли бы больше поверить?» Эймунд отвечает: «Мне говорили, что Бурицлав конунг жил в Бьярмаланде[32] зимой, и узнали мы наверное, что он собирает против тебя великое множество людей, и это вернее». Конунг сказал: «Когда же он придет в наше княжество?» Эймунд отвечает: «Мне говорили, что он придет сюда через три недели». Тогда Ярицлейв конунг не захотел лишаться их помощи. Заключают они договор еще на двенадцать месяцев. И спросил конунг: «Что же теперь делать — собирать ли нам войско и бороться с ними?» Эймунд отвечает: «Это мой совет, если вы хотите держать Гардарики против Бурицлава конунга». Ярицлейв спросил: «Сюда ли собирать войско, или против них?» Эймунд отвечает: «Сюда надо собрать все, что только может войти в город, а когда рать соберется, мы еще будем решать, что лучше всего сделать».

Бой между братьями

Сразу же после этого Ярицлейв послал зов на войну по всей своей земле, и приходит к нему большая рать бондов. После этого Эймунд конунг посылает своих людей в лес и велит рубить деревья и везти в город, и поставить по стенам его. Он велел повернуть ветви каждого дерева от города так, чтобы нельзя было стрелять вверх в город. Еще велел он выкопать большой ров возле города и ввести в него воду, а после того — наложить сверху деревья и устроить так, чтобы не было видно и будто земля цела. А когда эта работа была кончена, узнали они о Бурицлаве конунге, что он пришел в Гардарики и направляется туда, к городу, где стояли конунги. Эймунд конунг и его товарищи также сильно укрепили двое городских ворот и собирались там защищать [город], а также и уйти, если бы пришлось. И вечером, когда наутро ждали рать [Бурицлава], велел Эймунд конунг женщинам выйти на городские стены со всеми своими драгоценностями и насадить на шесты толстые золотые кольца, чтобы их как нельзя лучше было видно. «Думаю я, — говорит он, — что бьярмы жадны до драгоценностей и поедут быстро и смело к городу, когда солнце будет светить на золото и на парчу, тканую золотом». Сделали так, как он велел[33]. Бурицлав выступил из лесу со своей ратью и подошел к городу, и видят они всю красоту в нем, и думают, что хорошо, что не шло перед ними никаких слухов. Подъезжают они быстро и храбро и не замечают [рва]. Много людей упало в ров и погибло там. А Бурицлав конунг был дальше в войске, и увидел он тогда эту беду. Он сказал так: «Может быть, нам здесь так же трудно нападать, как мы и думали; это норманны такие ловкие и находчивые». Стал он думать — где лучше нападать, и уже ис-

198

ПРЯДЬ ОБ ЭЙМУНДЕ ХРИНГССОНЕ

чезла вся красота, что была показана. Увидел он тогда, что все городские ворота заперты, кроме двух, но и в них войти нелегко, потому что они хорошо укреплены и там много людей. Сразу же раздался боевой клич, и городские люди были готовы к бою. Каждый из конунгов, Ярицлейв и Эймунд, был у своих городских ворот.

Начался жестокий бой, и с обеих сторон пало много народу. Там, где стоял Ярицлейв конунг, был такой сильный натиск, что [враги] вошли в те ворота, которые он защищал, и конунг был тяжело ранен в ногу[34]. Много там погибло людей, раньше чем были захвачены городские ворота. Тогда сказал Эймунд конунг: «Плохо наше дело, раз конунг наш ранен. Они убили у нас много людей и вошли в город. Делай теперь, как хочешь, Рагнар, — сказал он, — защищай эти ворота или иди вместе с нашим конунгом и помоги ему». Рагнар отвечает: «Я останусь здесь, а ты иди к конунгу, потому что там нужен совет». Пошел Эймунд тогда с большим отрядом и увидел, что бьярмы уже вошли в город. Он сразу же сильно ударил на них, и им пришлось плохо. Убили они тут много людей у Бурицлава конунга. Эймунд храбро бросается на них и ободряет своих людей, и никогда еще такой жестокий бой не длился так долго. И побежали из города все бьярмы, которые еще уцелели, и бежит теперь Бурицлав конунг с большой потерей людей. А Эймунд и его люди гнались за беглецами до леса и убили знаменщика конунга, и снова был слух, что конунг пал, и можно теперь было хвалиться великой победой. Эймунд конунг очень прославился в этом бою, и стало теперь мирно. Были они в великой чести у конунга, и ценил их всякий в той стране, но жалование шло плохо, и трудно было его получить, так что оно не уплачивалось по договору.

Об Эймунде

Случилось однажды, что Эймунд конунг говорит конунгу, что он должен выплатить им жалование, как подобает великому конунгу. Говорит он также, что думает, что они добыли ему в руки больше денег, чем он им должен был жалованья. «И мы говорим, что это у вас неправильно, и не нужна вам теперь наша помощь и поддержка». Конунг сказал: «Может быть, теперь будет хорошо, даже если вы не будете нам помогать; все-таки вы нам очень помогли. Мне говорили, что ваша помощь нужна во всех делах». Эймунд отвечает: «Что же это значит, господин, что вы хотите один судить обо всем? Мне кажется, многие мои люди немало потеряли, иные — ноги или руки, или какие-нибудь члены, или у них попорчено боевое оружие; многое мы потратили, но ты можешь нам это возместить: ты выбирай — или да, или нет». Конунг сказал: «Не хочу я выбирать, чтобы вы ушли, но не дадим мы вам такого же большого жалованья, раз мы не ждем войны». Эймунд отвечает: «Нам денег надо, и не хотят мои люди трудиться за одну только пищу. Лучше мы уйдем во владения других конунгов и будем там искать себе чести. Похоже на то, что не будет теперь войны в этой стране, но знаешь ли ты наверное, что конунг убит?» «Думаю, что это правда, — говорит конунг, — потому что его знамя у нас». Эймунд спрашивает: «Знаешь ли ты его могилу?» «Нет», — говорит конунг. Эймунд сказал: «Неразумно не знать этого». Конунг отвечает: «Или ты это знаешь вернее, чем другие люди, у которых есть об этом верные вести?» Эймунд отвечает: «Не так жаль ему было оставить знамя, как жизнь, и думаю я, что он опасен и был в Тюркланде зимой, и намерен еще идти войной на вас, и у него с собой войско, которое не станет бежать, и это — тюрки и блокумен[35], и многие другие злые народы. И слышал я, что похоже на то, что он отступится от христианства, и собирается он поделить страну между этими злыми народами, если ему удастся отнять у вас Гардарики. А если будет так, как он задумал, то скорее всего можно ждать, что он с позором выгонит из страны всех ваших родичей. Конунг спрашивает: «Скоро ли он придет сюда с этой злой ратью?» Эймунд отвечает: «Через полмесяца». «Что же теперь делать? — сказал конунг. — Мы ведь теперь не можем обойтись без вашего разумения». Рагнар сказал, что он хотел бы, чтобы они уехали, а конунгу предложил решать самому. Эймунд сказал: «Худая нам будет слава, если мы расстанемся с конунгом [когда он] в такой опасности, потому что у него был мир, когда мы пришли к нему. Не хочу я теперь так расставаться с ним, чтобы он остался, когда у него немирно; лучше мы договоримся с ним на эти двенадцать месяцев, и пусть он выплатит нам наше жалованье, как у нас было условлено. Теперь надо подумать и решить — собирать ли войско, или вы хотите, господин, чтобы мы, норманны, одни защищали страну, а ты будешь сидеть спокойно, пока мы будем иметь дело с ними, и обратишься к своему войску, когда мы ослабеем?» «Так и я хочу», — говорит конунг. Эймунд сказал: «Не спеши с этим, господин. Можно еще сделать по-иному и держать войско вместе; по-моему, это нам больше подобает, и мы, норманны, не побежим первыми, но знаю я, что многие на это готовы из тех, кто побывал перед остриями копий. Не знаю, каковы окажутся на деле те, которые теперь больше всего к этому побуждают. Но как же быть, господин, если мы доберемся до конунга, — убить его или нет? Ведь никогда не будет конца раздорам, пока вы оба живы». Конунг отвечает: «Не стану я ни побуждать людей к бою с

ПРЯДЬ ОБ ЭЙМУНДЕ ХРИНГССОНЕ

Бурицлавом конунгом, ни винить, если он будет убит». Разошлись они все по своим домам, и не собирали войска, и не готовили снаряжения. И всем людям казалось странным, что меньше всего готовятся, когда надвигается такая опасность. А немного спустя узнают они о Бурицлаве, что он пришел в Гардарики с большой ратью и многими злыми народами. Эймунд делал вид, будто не знает, как обстоит дело, и не узнавал. Многие говорили, что он не решится бороться с Бурицлавом.

Эймунд убил Бурицлава конунга

Однажды рано утром Эймунд позвал к себе Рагнара, родича своего, десять других мужей, велел оседлать коней, и выехали они из города двенадцать вместе, и больше ничего с ними не было. Все другие остались. Бьёрн звался исландец, который поехал с ними, и Гарда-Кетиль, и муж, который звался Аскель, и двое Тордов[36]. Эймунд и его товарищи взяли с собой еще одного коня и на нем везли свое боевое снаряжение и припасы. Выехали они, снарядившись, как купцы, и не знали люди, что значит эта поездка и какую они задумали хитрость. Они въехали в лес и ехали весь тот день, пока не стала близка ночь. Тогда они выехали из лесу и подъехали к большому дубу; кругом было прекрасное поле и широкое открытое место. Тогда сказал Эймунд конунг: «Здесь мы остановимся. Я узнал, что здесь будет ночлег у Бурицлава конунга и будут поставлены на ночь шатры». Они обошли вокруг дерева и пошли по просеке и обдумывали — где лучшее место для шатра. Тогда сказал Эймунд конунг: «Здесь Бурицлав конунг поставит свой стан. Мне говорили, что он всегда становится поближе к лесу, когда можно, чтобы там скрыться, если понадобится». Эймунд конунг взял веревку или канат и велел им выйти на просеку возле того дерева, и сказал, чтобы кто-нибудь влез на ветки и прикрепил к ним веревку, и так было сделано. После этого они нагнули дерево так, что ветви опустились до земли, и так согнули дерево до самого корня. Тогда сказал Эймунд конунг: «Теперь, по-моему, хорошо, и нам это будет очень кстати». После того они натянули веревку и закрепили концы. А когда эта работа была кончена, была уже середина вечера. Тут слышат они, что идет войско конунга, и уходят в лес к своим коням. Видят они большое войско и прекрасную повозку; за нею идет много людей, а впереди несут знамя. Они повернули к лесу и [пошли] по просеке туда, где было лучшее место для шатра, как догадался Эймунд конунг. Там они ставят шатер, и вся рать также, возле леса. Уже совсем стемнело. Шатер у конунга был ро-

201

скошный и хорошо устроен: было в нем четыре части и высокий шест сверху, а на нем — золотой шар с флюгером. Они видели из лесу все, что делалось в стане, и держались тихо. Когда стемнело, в шатрах зажглись огни, и они поняли, что там теперь готовят пищу. Тогда сказал Эймунд конунг: «У нас мало припасов — это не годится; я добуду пищу и пойду в их стан». Эймунд оделся нищим, привязал себе козлиную бороду и идет с двумя посохами к шатру конунга[37], и просит пищи, и подходит к каждому человеку. Пошел он и в соседний шатер и много получил там, и хорошо благодарил за добрый прием. Пошел он от шатров обратно, и припасов было довольно. Они пили и ели, сколько хотели; после этого было тихо.

Эймунд конунг разделил своих мужей; шесть человек оставил в лесу, чтобы они стерегли коней и были готовы, если скоро понадобится выступить. Пошел тогда Эймунд с товарищами, всего шесть человек, по просеке к шатрам, и казалось им, что трудностей нет. Тогда сказал Эймунд: «Рёгнвальд и Бьёрн, и исландцы пусть идут к дереву, которое мы согнули». Он дает каждому в руки боевой топор. «Вы — мужи, которые умеют наносить тяжелые удары, хорошо пользуйтесь этим теперь, когда это нужно». Они идут туда, где ветви были согнуты вниз, и еще сказал Эймунд конунг: «Здесь пусть стоит третий, на пути к просеке, и делает только одно — держит веревку в руке и отпустит ее, когда мы потянем ее за другой конец. И когда мы устроим все так, как хотим, пусть он ударит топорищем по веревке, как я назначил. А тот, кто держит веревку, узнает, дрогнула ли она от того, что мы ее двинули, или от удара. Мы подадим тот знак, какой надо, — от него все зависит, если счастье нам поможет, и тогда пусть тот скажет, кто держит веревку, и рубит ветви дерева, и оно быстро и сильно выпрямится». Сделали они так, как им было сказано. Бьёрн идет с Эймундом конунгом и Рагнаром, и подходят они к шатру, и завязывают петлю на веревке, и надевают на древко копья, и накидывают на флюгер, который был наверху на шесте в шатре конунга, и поднялась она до шара, и было все сделано тихо. А люди крепко спали во всех шатрах, потому что они устали от похода и были сильно пьяны. И когда это было сделано, они тянут за концы и укорачивают тем самым веревку, и стали советоваться. Эймунд конунг подходит поближе к шатру конунга и не хочет быть вдали, когда шатер будет сорван. По веревке был дан удар, и замечает тот, кто ее держит, что она дрогнула. Говорит об этом тем, кто должен был рубить, и стали они рубить дерево, и оно быстро выпрямляется и срывает весь шатер конунга, и [закидывает его] далеко в лес. Все огни сразу погасли.

Эймунд конунг хорошо заметил вечером, где лежит в шатре конунг, идет он сразу туда и сразу же убивает конунга и многих других[38]. Он взял

ПРЯДЬ ОБ ЭЙМУНДЕ ХРИНГССОНЕ

с собой голову Бурицлава конунга. Бежит он в лес и его мужи, и их не нашли. Стало страшно тем, кто остался из мужей Бурицлава конунга при этом великом событии, а Эймунд конунг и его товарищи уехали, и вернулись они домой рано утром[39]. И идет Эймунд к Ярицлейву конунгу и рассказывает ему всю правду о гибели Бурицлава. «Теперь посмотрите на голову, господин, — узнаете ли ее?» Конунг краснеет, увидя голову[40]. Эймунд сказал: «Это мы, норманны, сделали это смелое дело, господин; позаботьтесь теперь о том, чтобы тело вашего брата было хорошо, с почетом, похоронено». Ярицлейв конунг отвечает: «Вы поспешно решили и сделали это дело, близкое нам: вы должны позаботиться о его погребении. А что будут делать те, кто шли с ним?» Эймунд отвечает: «Думаю, что они соберут тинг и будут подозревать друг друга в этом деле, потому что они не видели нас, и разойдутся они в несогласии, и ни один не станет верить другому и не пойдет с ним вместе, и думаю я, что не многие из этих людей станут обряжать своего конунга». Выехали норманны из города и ехали тем же путем по лесу, пока не прибыли к стану. И было так, как думал Эймунд конунг, — все войско Бурицлава конунга ушло и разошлось в несогласии. И едет Эймунд конунг на просеку, а там лежало тело конунга, и никого возле него не было. Они обрядили его и приложили голову к телу, и повезли домой. О погребении его знали многие[41]. Весь народ в стране пошел под руку Ярицлейва конунга и поклялся клятвами, и стал он конунгом над тем княжеством, которое они раньше держали вдвоем.

Эймунд конунг ушел от Ярицлейва к его брату

Прошли лето и зима, ничего не случилось, и опять не выплачивалось жалованье. Некоторые открыто говорили конунгу, что много можно вспомнить о братоубийстве, и говорили, что норманны теперь кажутся выше конунга. И настал день, когда должно было выплатить жалованье, и идут они в дом конунга. Он хорошо приветствует их и спрашивает, чего они хотят так рано утром. Эймунд конунг отвечает: «Может быть, вам, господин, больше не нужна наша помощь, уплатите теперь сполна то жалованье, которое нам полагается». Конунг сказал: «Многое сделалось от того, что вы сюда пришли». «Это правда, господин, — говорит Эймунд, — потому что ты давно был бы изгнан и лишился власти, если бы не воспользовался нами. А что до гибели брата твоего, то дело обстоит теперь так же, как тогда, когда ты согласился на это». Конунг сказал: «На чем же вы теперь порешите?» Эймунд отвечает: «На том, чего тебе менее всего хочется». «Этого я не знаю», — говорит конунг. Эймунд отвечает: «А я знаю наверное — менее всего тебе хочется, чтобы мы ушли к Вартилаву конунгу, брату твоему, но мы все же поедем туда и сделаем для него все, что можем, а теперь будь здоров, господин». Они быстро уходят к своим кораблям, которые были уже совсем готовы. Ярицлейв конунг сказал: «Быстро они ушли и не по нашей воле». Княгиня отвечает: «Если вы с Эймундом конунгом будете делить все дела, то это пойдет к тому, что вам с ним будет тяжело». Конунг сказал: «Хорошее было бы дело, если бы их убрать». Княгиня отвечает: «До того еще будет вам от них какое-нибудь бесчестие».

В 1020 году племянник Ярослава Брячислав (Вартилаф) напал на Новгород, и на обратном пути был настигнут Ярославом (Ярицлейвом) на реке Судоме и разбит здесь. Миниатюры из Радзивилловской летописи

ПРЯДЬ ОБ ЭЙМУНДЕ ХРИНГССОНЕ

После того отправилась она к кораблям, и ярл Рёгнвальд Ульвссон с несколькими мужами, туда, где стояли у берега Эймунд и его товарищи, и было им сказано, что она хочет повидать Эймунда конунга. Он сказал: «Не будем ей верить, потому что она умнее конунга, но не хочу я ей отказывать в разговоре». «Тогда я пойду с тобой», — сказал Рагнар. «Нет, — сказал Эймунд, — это не военный поход и не пришла неравная нам сила». На Эймунде был плащ с ремешком, а в руках — меч. Они сели на холме, а внизу была глина. Княгиня и Рёгнвальд сели близко к нему, почти на его одежду. Княгиня сказала: «Нехорошо, что вы с конунгом так расстаетесь. Я бы очень хотела сделать что-нибудь для того, чтобы между вами было лучше, а не хуже». Ни у того, ни у другого из них руки не оставались в покое. Он расстегнул ремешок плаща, а она сняла с себя перчатку и взмахнула ею над головой. Он видит тогда, что тут дело не без обмана и что она поставила людей, чтобы убить его по знаку, когда она взмахнет перчаткой. И сразу же выбегают люди [из засады]. Эймунд увидал их раньше, чем они добежали до него, быстро вскакивает, и раньше, чем они опомнились, остался [только] плащ, а [сам] он им не достался[42]. Рагнар увидел это и прибежал с корабля на берег, и так один за другим, и хотели они убить людей княгини. Но Эймунд сказал, что не должно этого быть. Они столкнули их с глинистого холма и схватили. Рагнар сказал: «Теперь мы не дадим тебе решать, Эймунд, и увезем их с собой». Эймунд отвечает: «Это нам не годится, пусть они вернутся домой с миром, потому что я не хочу так порвать дружбу с княгиней».

Поехала она домой и не радовалась затеянному ею делу. А они отплывают и не останавливаются, пока не прибыли в княжество Вартилава конунга, и идут к нему[43], а он принимает их хорошо и спросил — что нового. И Эймунд рассказал все, что случилось, — как началось у них с Ярицлейвом конунгом и как они расстались. «Что же вы теперь думаете делать?» — говорит конунг. Эймунд отвечает: «Сказал я Ярицлейву конунгу, что мы сюда, к вам, поедем, потому что я подозреваю, что он хочет уменьшить твои владения, как брат его сделал с ним, и решайте теперь сами, господин, — хотите ли вы, чтобы мы были с вами или ушли, и думаете ли вы, что вам нужна наша помощь». «Да, — говорит конунг, — хотелось бы нам вашей помощи, но чего вы хотите за это?» Эймунд отвечает: «Того же самого, что было у нас у брата твоего». Конунг сказал: «Дайте мне срок посоветоваться с моими мужами, потому что они дают деньги, хотя выплачиваю их я»[44]. Эймунд конунг соглашается на это. Вартилав конунг собирает тинг со своими мужами[45] и говорит им, какой слух прошел о Ярицлейве конунге, брате его, — что он замышляет отнять его владения, и говорит, что пришел сюда Эймунд конунг и предлагает им свою помощь и поддержку. Они очень уговаривают конунга принять их. И тут заключают они договор, и оставляет конунг для себя его советы, «потому что я не так находчив, как Ярицлейв конунг, брат мой, и все-таки между нами понадобилось посредничество. Мы будем часто беседовать с вами и платить вам все по условию». И вот они в великом почете и уважении у конунга.

Мир между братьями Ярицлейвом и Вартилавом

Случилось, что пришли послы от Ярицлейва конунга просить деревень и городов, которые лежат возле его владений, у Вартилава конунга[46]. Он говорит об этом Эймунду конунгу, а он отвечает так: «Это вы должны решать, господин». Конунг сказал: «Теперь надо сделать так, как было условлено, — что вы будете давать нам советы». Эймунд отвечает: «По мне, господин, похоже на то, что надо ждать схватки с жадным волком. Будет взято еще больше, если это уступить. Пусть послы едут обратно с миром, — говорит он, — они узнают о нашем решении». «А сколько времени тебе надо, чтобы собрать войско?» «Полмесяца», — говорит конунг. Эймунд сказал: «Назначь, господин, где встретиться для боя, и скажи послам, чтобы они сказали своему конунгу». И было так сделано, и поехали послы домой. С обеих сторон войско стало готовиться к бою, и сошлись они в назначенном месте на границе, поставили стан и пробыли там несколько ночей. Вартилав конунг сказал: «Что же мы будем здесь сидеть без дела? Не станем упускать победу из рук». Эймунд сказал: «Дай мне распорядиться самому, потому что отсрочка — лучше всего, когда дело плохо, и еще нет Ингигерд княгини, которая решает за них всех, хотя конунг — вождь этой рати; я буду держать стражу, господин». Конунг отвечает: «Как вы хотите». Сидят они так семь ночей с войском. И однажды ночью было ненастно и очень темно. Тогда Эймунд ушел от своей дружины и Рагнар. Они пошли в лес и позади стана Ярицлейва сели у дороги. Тогда сказал Эймунд конунг: «Этой дорогой поедут мужи Ярицлейва конунга, и, если я хочу скрыться, мне надо было бы уйти, но побудем сначала здесь». После того как они посидели немного, сказал Эймунд конунг: «Неразумно мы сидим». И тут же слышат они, что едут и что там женщина. Увидели они, что перед нею едет один человек, а за нею другой. Тогда сказал Эймунд конунг: «Это, верно, едет княгиня; станем по обе стороны дороги, а когда они подъедут к нам, раньте ее коня, а ты, Рагнар, схвати ее».

ПРЯДЬ ОБ ЭЙМУНДЕ ХРИНГССОНЕ

И когда те проезжали мимо, они ничего не успели увидеть, как конь уже пал мертвым, а княгиня вовсе исчезла. Один говорит, что видел, как мелькнул человек, бежавший по дороге, и не смели они встретиться с конунгом, потому что не знали, кто это сделал — люди или тролли. Поехали они тайком домой и [больше] не показывались. Княгиня сказала побратимам: «Вы, норманны, не спешите перестать оскорблять меня». Эймунд сказал: «Мы с вами хорошо поступим, княгиня, но не знаю, придется ли тебе сразу же целовать конунга».

Вернулись они в стан Вартилава конунга и говорят ему, что княгиня здесь. Он обрадовался, и сам стал сторожить ее. Наутро она позвала к себе Эймунда конунга, и когда он пришел к ней, сказала княгиня: «Лучше всего было бы нам помириться, и я предлагаю сделать это между вами. Хочу сначала объявить, что выше всего буду ставить Ярицлейва конунга». Эймунд конунг отвечает: «Это во власти конунга». Княгиня отвечает: «Но твои советы ведь больше всего значат». После этого идет Эймунд к Вартилаву конунгу и спрашивает его, хочет ли он, чтобы княгиня устроила мир между ними. Конунг отвечает: «Не скажу, чтобы это можно было посоветовать, — ведь она уже хотела уменьшить нашу долю». Эймунд сказал: «Ты будешь доволен тем, что у тебя было до сих пор?» «Да», — говорит конунг. Эймунд сказал: «Не скажу, чтобы это было [правильное] решение, — чтобы твоя доля не увеличилась, потому что ты должен получить наследство после брата твоего наравне с ним». Конунг отвечает: «Тебе больше хочется, чтобы я выбрал ее решение, — пусть так и будет». Эймунд конунг говорит княгине, что есть согласие на то, чтобы она устроила мир между конунгами. «Это, верно, твой совет, — говорит она, — и ты увидишь, в чем меньше зла и какому быть решению». Эймунд конунг сказал: «Я не мешал тому, чтобы вам была оказана честь». Затрубили тогда, сзывая на собрание, и было сказано, что Ингигерд княгиня хочет говорить с конунгами и их дружинниками. И когда собрались, увидели все, что Ин-

Ингигерда в Русской Православной Церкви почитается как Анна Новгородская

Смерть Олафа

гигерд княгиня — в дружине Эймунда конунга и норманнов. Было объявлено от имени Вартилава конунга, что княгиня будет устраивать мир. Она сказала Ярицлейву конунгу, что он будет держать лучшую часть Гардарики — это Хольмгард, а Вартилав — Кэнугард, другое лучшее княжество с данями и поборами[47]; это — наполовину больше, чем у него было до сих пор. А Палтескью и область, которая сюда принадлежит, получит Эймунд конунг и будет над нею конунгом[48], и получит все земские поборы целиком, которые сюда принадлежат, «потому что мы не хотим, чтобы он ушел из Гардарики». Если Эймунд конунг оставит после себя наследников, то будут они после него в том княжестве. Если же он не оставит после себя сына, то [оно] вернется к тем братьям. Эймунд конунг будет также держать у них оборону страны и во всем Гардарики[49], а они должны помогать ему военной силой и поддерживать его. Ярицлейв конунг будет над Гардарики[50]. Рёгнвальд ярл будет держать Альдейгьюборг[51] так, как держал до сих пор[52].

На такой договор и раздел княжеств согласился весь народ в стране и подтвердил его[53]. Эймунд конунг и Ингигерд должны были решать все трудные дела[54]. И все поехали домой по своим княжествам. Вартилав конунг прожил не дольше трех зим, заболел и умер[55]; это был конунг, которо-

ПРЯДЬ ОБ ЭЙМУНДЕ ХРИНГССОНЕ

Нидаросский собор — лютеранский собор в Нидаросе (Тронхейме).
Возведение собора началось в 1070 г. на месте захоронения Олафа Святого,
павшего в битве при Стикластадире в 1030 г.

209

го любили как нельзя больше. После него принял власть Ярицлейв и правил с тех пор один обоими княжествами[56]. А Эймунд конунг правил своими и не дожил до старости. Он умер без наследников и умер от болезни, и это была большая потеря для всего народа в стране, потому что не бывало в Гардарики иноземца более мудрого, чем Эймунд конунг, и пока он держал оборону страны у Ярицлейва конунга, не было нападений на Гардарики. Когда Эймунд конунг заболел, он отдал свое княжество Рагнару, побратиму своему, потому что ему больше всего хотелось, чтобы он им пользовался. Это было по разрешению Ярицлейва конунга и Ингигерд. Рёгнвальд Ульвссон был ярлом над Альдейгьюборгом; они с Ингигерд княгиней были детьми сестер. Он был великий вождь и обязан данью Ярицлейву конунгу, и дожил до старости. И когда Олав Святой Харальдссон был в Гардарики, был он у Рёгнвальда Ульвссона и между ними была самая большая дружба, потому что все знатные и славные люди очень ценили Олава конунга, когда он был там, но всех больше Рёгнвальд ярл и Ингигерд княгиня, потому что они любили друг друга тайной любовью[57].

ПРЯДЬ ОБ ЭЙМУНДЕ ХРИНГССОНЕ

Комментарии

[1] *Эймунд*, сын Хринга (*Eymundr Hringsson*) — Эймунд, сын Хринга, сына Дага, сына Хринга, сына Харальда Прекрасноволосого, четвероюродный брат Олава Святого Харальдссона. Таким предстает Эймунд в одноименной пряди. Е.А. Мельникова указывает на несовпадение ряда генеалогических деталей в «Пряди об Эймунде» и в «Круге земном» Снорри Стурлусона и высказывает предположение, что Эймунд в пряди «снабжен» «королевским» происхождением, «чтобы придать ему высокий социальный статус»; при этом исследовательница не сомневается в историчности Эймунда и факте его пребывания на Руси (Мельникова 2008б: 147). Р. Кук полагал, что какой-то скандинавский (вероятнее — шведский) отряд принимал участие в событиях, описанных в «Пряди», а их предводитель мог и не носить имени *Эймунд*, приписанного ему в процессе устной передачи этих рассказов (Cook 1986: 67). С.М. Михеев за счет нагромождения допущений приходит к выводу, что «главный герой "Эймундовой пряди" был старшим сыном шведского короля Олава Шётконунга» (Михеев 2009: 193). Херманн Палссон и П. Эдвардс, напротив, полагают, что титульный персонаж «Пряди об Эймунде» создан фантазией автора этого сочинения (Hermann Pálsson, Edwards 1989: 8). Как видим, Эймунд крайне противоречиво оценивается в историографии. Лично меня убеждает предельно взвешенная, осторожная и источниковедчески строгая позиция Р. Кука.

[2] *Когда Олав конунг поехал в Энгланд...* — Вероятно, имеются в виду военные походы юного Олава Харальдссона, которые, правда, по другим источникам, начались не с поездки в Англию, а с военных действий по *Аустрвегу* «Восточному пути».

[3] *Рагнар*, сын Агнара (*Ragnarr Agnarsson*) — Рагнар, сын Агнара, сына Рагнара Рюкиля, сына Харальда Прекрасноволосого, троюродный дядя Эймунда Хрингссона и Олава Харальдссона.

[4] *О конунге Олаве Святом теперь уже известно, что имя его знает вся северная половина [мира].* — Ср. у Адама Бременского («Деяния архиепископов Гамбургской церкви», ок. 1070 г.) о распространении культа св. Олава по всей Скандинавии: «Празднование его [страстей] происходит в 4-е календы августа; вечное почитание его принято у всех народов северного океана — нортманнов, свеонов, готов, [сембов], данов и склавов» (lib. II, cap. LXI).

[5] *...как говорится в саге о нем.* — Имеется в виду некая сага об Олаве Святом. Самая ранняя письменная сага об этом конунге, «Древнейшая сага», была, по мнению исследователей, создана ок. 1200 г.; к 1230 г. уже существовало значительное число саг об Олаве, конунге и святом, — «Обзор саг о норвежских конунгах», «Легендарная сага», «Жизнеописание Олава Святого» Стюрмира Карасона, «Красивая кожа», «Отдельная сага об Олаве Святом» и «Круг земной» Снорри Стурлусона (Подробнее см.: Джаксон 2012: 229–236). О какой именно саге говорится в прологе «Пряди», сказать трудно.

[6] *...наряду с различными событиями, описанными мудрыми людьми.* — Вероятно, эти слова следует воспринимать как отсылку к сочинениям основоположников исландско-норвежской историографии Сэмунда Сигфуссона (1056–1133 гг.) и Ари Торгильссона (1067/68–1148 гг.), более известных как Сэмунд Мудрый и Ари Мудрый.

[7] *...как о том говорит Стюрмир Мудрый.* — Составленное в 1210–1225 гг. исландским священником Стюрмиром Карасоном (Мудрым) «Жизнеописание Олава Святого» послужило общим источником «Отдельной саги» Снорри и пролога «Пряди об Эймунде» (см.: Hermann Pálsson, Edwards 1989: 9; Мельникова 2008б: 149). В целом очевидно, что присутствующие здесь указания на то, как говорится в саге об Олаве Святом, как писали мудрые люди и как говорит Стюрмир Мудрый, недвусмысленно выдают поздний характер либо «Пряди об Эймунде», либо, что более вероятно, ее «"пролога"-экспозиции» (термин Е.А. Мельниковой — 2008в: 149).

[8] *...Эймунд и Рагнар пришли в Норег немного спустя.* — Если слова «немного спустя» относятся к рассказу о том, как ослепленный конунг Хрёрек напал в день Вознесения на конунга Олава, после чего был отправлен с Торарином Невьольвссоном в Гренландию, а именно та к их можно понимать, то речь идет о времени после лета 1018 г., по хронологии «Круга земного» и «Отдельной саги» Снорри. Так что на Русь Эймунд мог попасть не раньше поздней осени (до прекращения на зимний сезон судоходства) 1018 г. Согласно «Пряди», норманны, оказавшись у конунга Ярицлейва (Ярослава Мудрого), застают его женатым на Ингигерд, а брак этот был заключен после лета 1019 г. (см.: Джаксон 2012: 336–343), так что, казалось бы, возвращение Эймунда в Норвегию и путешествие на Русь приходятся на осень 1019 г. Однако в данном случае мы не можем полагаться на «относительную хронологию саги» (как это делает А.В. Назаренко — 1993: 184), ибо «Книга с Плоского острова» не является единой сагой и ее составитель не пытался упорядочить хронологию включенных в нее саг, а потому соединение различных текстов в этой рукописи порой весьма условно с хронологической точки зрения. Более того, и сами эти тексты, в силу специфики жанра саги, не во всех отношениях надежны. Е.А. Рыдзевская охарактеризовала «Прядь» так: «Последовательность событий в ее изложении довольно близка к тому, что дает наша "Повесть временных лет", [...] хотя во многом она сбивчива, неточна, противоречива и местами носит явные следы путаницы и вымысла — результат того, что она прошла через много рук на своем пути от устного предания до того вида, в каком мы ее теперь знаем» (Рыдзевская 1940: 69). С этим мнением трудно не согласиться, равно как и с замечанием В.Д. Королюка, что «скандинавские саги — это очень сложный источник, и поэтому опираться на их сведения при реконструкции событий политической истории слишком рискованно» (Королюк 1964: 239). Добавим к этому, что изучение структуры текста «Пряди» (Михеев 2006; Мельникова 2008б; Михеев 2009: 159–174; Мельникова 2011) позволяет говорить о разновременности ее слоев и выделять пролог и эпилог «Пряди» как значительно более поздние части. «Поэтому представляется, что попытка извлечь из Пролога какие-либо "исторические" факты совершенно неоправданна» (Мельникова 2008б: 151).

ПРЯДЬ ОБ ЭЙМУНДЕ ХРИНГССОНЕ

Исследователи нередко весьма вольно трактуют и датируют события, описанные в «Пряди об Эймунде». Так, А.И. Лященко в ответ на самому себе заданный вопрос: «В котором году собрался Эймунд с дружиной на Русь?» — пишет: «С уверенностью можно сказать, что летом 1016 года», а, подводя итоги, отмечает, что «хронология саги, идущая по годам договоров Эймунда с Ярославом, соответствует хронологии летописи, начиная с 1016 года» (Лященко 1926. С. 1067, 1086). Но ведь 1016 год саге «навязал» сам Лященко, высчитав, что слухи о положении на Руси после смерти Владимира могли достичь Норвегии только в конце 1015 г., что о «трех русских князьях» можно говорить после убиения Бориса, Глеба и Святослава и после прочного утверждения Святополка в Киеве, но до выступления Ярослава поздней осенью 1016 г. у Любеча. Так исследователь и нашел в саге то, что приписал ей сам: ее хронологическое совпадение с русской летописью. С.Х. Кросс вообще без объяснений заявляет, что Эймунд вернулся в Норвегию в 1015 г. (Cross 1929: 186).

[9] «*...Нам жаль наших славных и знатных родичей и обидно за них...*» — Е.А. Мельникова обращает внимание на тот факт, что у Эймунда «известие об убийстве ближайших родственников вызывает не яростное желание отомстить за них, а лишь "сожаление" и "обиду" за них, потому что он сознает необходимость этой тяжелой жертвы ради благополучия страны». Исследовательница совершенно справедливо отмечает, что здесь, в прологе «Пряди», использован «мотив, абсолютно немыслимый для культуры эпохи викингов и в корне противоречащий обычаям, этическим нормам, поведенческим установкам как викинга начала XI в., так и составителей саг, королевских и родовых, XIII в.». Это наблюдение позволяет исследовательнице отнести возникновение пролога ко времени близкому (если не совпадающему) с включением пряди в «Книгу с Плоского острова», т. е. к концу XIV в. (Мельникова 2008б: 150).

[10] *Вальдамар* (*Valdamarr*) — великий князь киевский Владимир Святославич (978–1015 гг.).

[11] *Гардарики* (*Garðaríki*) — древнескандинавское обозначение Древней Руси (см.: Джаксон 2001а: 48–59).

[12] *...эти владения держат теперь трое сыновей его.* — О трех сыновьях Владимира говорится и в «Хронике» (lib. VII, сар. 72, 73) мерзебургского епископа Титмара (1010-е гг.), однако прямое их отождествление с «тремя сыновьями», названными в «Пряди об Эймунде», затруднено, по мнению А.В. Назаренко, рядом обстоятельств (Назаренко 1993: 166–167). О парадоксальном «историческом» развитии на Руси легендарного сюжета о трех братьях-правителях см.: Петрухин 1994: 10. Следует также принять во внимание замечание М.Б. Свердлова, что «"три брата" — обычный средневековый фольклорный и литературный мотив» (Свердлов 2003: 249).

[13] *Бурицлав* (*Burizlafr*). — Конунга Бурицлава исследователи традиционно отождествляют со Святополком Владимировичем (Окаянным), князем туровским, с 1015 по 1019 г. великим князем киевским. Несходство имен объясняется тем, что в борьбе Ярослава со Святополком значительную роль играл польский князь Болеслав I Храбрый (992–1025), его

213

тесть. А.И. Лященко подчеркивает, что «русская летопись при описании этих столкновений имя Болеслава ставит первым», и «в лагере Ярослава, по словам летописца, говорится прежде всего о борьбе с Болеславом» (Лященко 1926: 1072). Замена поэтому понятна, тем более что имя *Бурицлав* встречается в древнескандинавской литературе (см., например, «Сагу о Йомсвикингах», «Сагу о Кнютлингах»). Ср. Мельникова 2008б: 146: «...отождествление Бурицлава со Святополком и описанных в "Пряди" сражений с событиями 1016–1019 гг. вряд ли может быть оспорено». Об ином, весьма искусственном, толковании этого имени см. комм. 52.

[14] *Ярицлейв* (*Jarizleifr*) — русский князь Ярослав Владимирович Мудрый, князь новгородский в 1010–1016 гг., великий князь киевский в 1016–1018, 1018/1019 — 20 февр. 1054 г. Он лучше других русских правителей известен древнескандинавским источникам (см.: Cross 1929; Рыдзевская 1940; Birnbaum 1978; Глазырина 2008). По сагам, стол верховного правителя Гардарики (Руси) находится в Хольмгарде (Новгороде). Как правило, источники так и называют его: «Ярицлейв, конунг Хольмгарда», — но более ранние источники именуют его иначе: «конунг Аустрвега» и «конунг Гардов». Суть этих обозначений одна — «русский князь».

[15] *Вартилав* (*Vartilafr*). — Вартилава исследователи традиционно отождествляют с полоцким князем Брячиславом Изяславичем (ум. в 1044 г.), племянником (а не братом, как в «Пряди») Ярослава Мудрого. А.И. Лященко объясняет превращение племянника Ярослава в его брата тем, что «русские князья разных степеней родства называли себя и официально, и в частной беседе братьями» (Лященко 1926: 1086; о термине «брат» в среде древнерусских князей см.: Колесов 1986: 55–57). Р. Кук небезосновательно полагает, что фигура Вартилава являет собой соединение двух образов — Брячислава, от чьего имени образовано имя «Вартилав» и чья резиденция (*Палтескья* — Полоцк) названа в тексте, и Мстислава Владимировича, князя тмутараканского, который, как и Вартилав в «Пряди», заключил с Ярославом мирный договор, а после смерти оставил свой удел Ярославу (Cook 1986: 69).

[16] *Кэнугард* (*Kænugarðr*) — древнескандинавское обозначение Киева (см.: Джаксон 2001а: 64–68; ср. комм. 17, 20 и 59 к настоящему тексту).

[17] Здесь термин *ríki* «государство» (в русском контексте «княжество») соединен с названием города Киева. Как правило, для обозначения княжеств в памятниках древнескандинавской письменности использовались формы множественного числа от названий городов — их столиц (см.: Джаксон 1985: 216–217, примеч. 31).

[18] *Хольмгард* (*Hólmgarðr*) — древнескандинавское обозначение Новгорода (см.: Джаксон 2001а: 83–104).

[19] *Палтескья* (*Palteskja, Pallteskia*) — древнескандинавское обозначение Полоцка (см.: Джаксон 2001а: 123–140).

[20] Стереотипное выражение «и вся область, что сюда принадлежит», показывает, что топоним *Palteskja* — обозначение города, а не области. Автор явно непоследователен:

ПРЯДЬ ОБ ЭЙМУНДЕ ХРИНГССОНЕ

Kænugarðr он называет княжеством, про *Hólmgarðr* ничего не говорит, *Palteskja* у него — город.

[21] *Собираются они в путь с Эймундом и Рагнаром и отплывают с большой дружиной, избранной по храбрости и мужеству, и стали держать путь в Аустрвег.* — По мысли Е.А. Мельниковой (2008в: 149), поздний "'пролог'-экспозиция» «Пряди об Эймунде» сменяется «рассказом о службе Эймунда у Ярослава». Соответственно, приведенные здесь слова относятся еще к прологу, тем более что в двух следующих предложениях, завершающих эту главу, возникает Олав Харальдссон, о котором речи в основной части «Пряди» нет (ср. Михеев 2009: 159: «В заголовке "Эймундовой пряди" упоминаются именно Эймунд и Олав. Между тем после пролога о взаимоотношениях этих конунгов речь не заходит»). В противоречие с этим выводом вступает текст «Пряди», в котором плавание на Русь обозначено выражением *halda í Austrveg* «держать путь в Аустрвег». Движение по *Аустрвегу* на Русь характерно для ранних королевских саг (см.: Джаксон 1988), а вот для текстов XIII, а тем более конца XIV в. (как датируют означенные исследователи пролог) оно нехарактерно, если только эти тексты не базируются на более ранних, так что, возможно, уже эта часть повествования восходит к неким устным рассказам, на основе которых сложилась сага. Итак, о четкой границе между прологом и первой частью собственно «Пряди» говорить пока затруднительно.

[22] *Ярицлейв конунг был в свойстве́ с Олавом, конунгом свеев. Он был женат на дочери его, Ингигерд.* — Эти слова разрывают собою связный рассказ о приезде Эймунда на Русь и о его первой встрече с конунгом Ярицлейвом. Называние супруги нередко выступает частью вводной характеристики персонажа, но строится оно обычно так: «Он был женат на ..., дочери ...» («Он был женат на Бергльот, дочери ярла Хакона...»; «Он был женат на Сигрид, дочери ярла Свейна Хаконарсона...» — примеры взяты из гл. 40 и 41 «Саги о Харальде Суровом Правителе» по «Кругу земному»). Неуместным в данном контексте выглядит указание на свойство́ Ярослава Мудрого и шведского конунга и, соответственно, на шведское происхождение Ингигерд, каковое имело бы смысл, если бы приехавший на Русь Эймунд был шведом (а не норвежцем) и родичем Ингигерд. Именно так Эймунд и представлен в «Саге об Ингваре Путешественнике» — как сын шведского хёвдинга Аки и неназванной по имени дочери шведского конунга Эйрика Победоносного, отца Олава Шётконунга. Соответственно, по этой саге о древних временах, Эймунд и Ингигерд — двоюродные брат и сестра. Эймунд Акасон — отец Ингвара, предводителя восточного похода, зафиксированного почти на трех десятках рунических камней из Средней Швеции (см.: Мельникова 2001: 48–62).

В «Саге об Ингваре» Эймунду уделено не слишком много внимания, но о том, как он провел некоторое время на Руси у Ярослава Мудрого, сага упоминает: «Несколько зим спустя посватался к Ингигерд тот конунг, который звался Ярицлейв и правил Гард[арики]. Она была ему отдана, и уехала она с ним на восток. Когда Эймунд узнал эту новость, то отправляется туда, на восток, и конунг Ярицлейв принимает его хорошо, а также Ингигерд и ее люди, так как в то время большое немирье было в Гардарики из-за того, что Бурицлейв, брат конунга Ярицлейва, напал на государство. Эймунд провел с ним 5 битв, но в последней был Бурицлейв пленен и ослеплен и привезен к конунгу. Там получил он огромное богатство серебром и золотом, и различными драгоценностями, и дорогими предметами. Тогда Ингигерд послала людей к конунгу Олаву, своему отцу, и просила, чтобы он отказался от тех земель, которые принадлежали Эймунду, и лучше им помириться, чем ожидать, что тот выступит с войском против него; и можно сказать, что на том и порешили. В то время, о котором рассказывается, Эймунд был в Хольмгарде, и провел много битв и во всех побеждал, и отвоевал и вернул конунгу много земель, плативших дань. Затем захотел Эймунд посетить свои владения, и берет большое и хорошо снаряженное войско, потому что не было у него недостатка ни в деньгах, ни в оружии. Вот идет Эймунд из Гардарики с большим почетом и всенародным уважением, и приходит теперь в Свитьод, и утверждается там в своем государстве и владениях, и тотчас задумал он жениться, и берет в жены дочь могущественного человека, и родился у него с ней сын, которого зовут Ингвар» (Глазырина 2002: 252).

По весьма правдоподобной гипотезе Р. Кука (Cook 1986: 67–68), поддержанной Г.В. Глазыриной (2001; 2002: 62–68) и Е.А. Мельниковой (2008в: 144, 147–148), реальным участником междоусобной борьбы Ярослава с братьями был отряд шведских (а не норвежских) воинов, предводителя которого звали Эймунд (либо он это имя при последующей устной передаче «позаимствовал» у отца Ингвара); рассказ сохранился в двух версиях — «шведской» (Эймунд Акасон «Саги об Ингваре» — швед, внук Эйрика Победоносного) и более точной в деталях «норвежской» (Эймунд Хрингссон одноименной пряди — норвежец, правнук Харальда Прекрасноволосого). Отголоском исходной «шведской» версии этого рассказа Р. Кук считает упоминание Эймунда Акасона в «Отдельной саге об Олаве Святом» по «Книге с Плоского острова» в, так сказать, «норвежском» контексте: юный Олав, только что достигший возраста двенадцати лет, просит у своего отчима Сигурда Свиньи корабль: «и хочу я отправиться прочь из страны, и со мной вместе Эймунд Акасон, мой побратим» (Flat. II. 14). Ср.: во вписанной в ту же сагу «Пряди об Эймунде» Эймунд тоже назван и побратимом Олава, и его попутчиком в первом плавании, но это уже герой пряди — Эймунд Хрингссон. Слова «Пряди об Эймунде», вызвавшие к жизни этот комментарий, выглядят вставкой в данный абзац и, как кажется, являются следом «шведской» (в соответствии с гипотезой Р. Кука) версии искомого повествования.

[23] *И когда конунг узнаёт об их прибытии в страну, он посылает мужей к ним с поручением дать им мир в стране.* — Здесь в тексте содержится явное противоречие. Начинается рассказ со стереотипной формулы: «они не останавливались в своей поездке (они не прерывали своей поездки), пока не приехали...». Но через три фразы выясняется, что остановиться им, скорее всего, пришлось, — ведь только после того как Ярослав узнал об их приезде, он послал им «мир», т. е. право на проезд по его земле. Здесь, впрочем, вместо термина *frið* «мир, личная безопасность» употреблен термин *friðland* «мирная земля»; в переводе Е.А. Рыдзевской — «мир в стране»), использовавшийся традиционно викингами, когда они давали обязательство не грабить ту или иную территорию при усло-

ПРЯДЬ ОБ ЭЙМУНДЕ ХРИНГССОНЕ

вии, что им будут гарантированы приют и свободная торговля. Похоже, что, вопреки стереотипному рассказу, в тексте отразились реальные черты — невозможность для знатных скандинавов беспрепятственно добраться до Новгорода и вероятная их остановка в Ладоге (подробнее см.: Джаксон 1999). Вопрос в том, какого времени события перед нами — начала XI в., когда Эймунд и его попутчики отправились на Русь к князю Ярославу Мудрому, или конца XIV в., когда в состав «Книги с Плоского острова» вошла «Прядь об Эймунде»? Приведенная выше стереотипная формула относительно безостановочного пути применялась в сагах в тех случаях, когда автор не располагал сведениями о каких-либо событиях во время пути (ср. комм. 25). Делалось это регулярно и почти автоматически. Если бы автор дошедшей до нас в составе «Книги с Плоского острова» редакции «Пряди об Эймунде» сознательно вносил в сагу информацию о «мире», данном путешественникам Ярославом, он должен был бы, как мне кажется, опустить «путевую формулу». Скорее, он просто не придал значения рассказу о «мире», который присутствовал в более раннем тексте, и потому описал маршрут Эймунда еще и традиционным образом.

[24] Возражая С.М. Строеву, высказавшему сомнение в том, что норвежцев могли сразу пригласить на пир к князю, А.И. Лященко отметил, что «нужные Ярославу норманны, в то тревожное для него время — накануне столкновения со Святополком, конечно, были приняты так, как и часто на Руси, т. е. по пиру. Пиры князя с дружинниками отмечены в летописи и при Владимире и позднее» (Лященко 1926: 1068).

[25] Особый интерес представляет характеристика того «локуса», в который прибывает саговый персонаж после «бессобытийного» пути (ср. комм. 23). Путешествие, описанное в саге, приводит не к месту, а к человеку, к встрече, к обмену новостями, к разговору, которые, с одной стороны, воспринимаются как событие, достойное упоминания, а с другой — оказываются в конечном итоге стимулом/поводом к дальнейшим действиям и новым событиям. К. Цильмер говорит о том, что в изображении саг путешествия и передача информации — это две стороны одной монеты: первое как бы приравнивается ко второму (Zilmer 2003: 551).

[26] Исследователи считают, что Ярослав, «осторожный и не отличавшийся щедростью», изображен сагой верно; его психологию «можно здесь уловить из сопоставления с тем, как мыслит и действует Эймунд». По мнению А.И. Лященко, из последнего абзаца текста видно, «что Ингигерда играла значительную роль в политической жизни княжества мужа» (Лященко 1926: 1068; Рыдзевская 1940: 69, 70). На мой взгляд, роль Ингигерд и Эймунда значительно преувеличена «Прядью» (см. комм. 54) и тем самым искажен и облик Ярослава, дабы он мог быть противопоставлен скандинавам: своей жене-шведке и норвежцу Эймунду.

[27] Вопрос о формах и размерах оплаты скандинавских наемников на Руси рассмотрен Е.А. Мельниковой. Исследовательница показывает, что договор с норманнским отрядом заключался на срок в 12 месяцев; условия оплаты предварительно оговаривались, хотя и были вполне традиционны, а именно — по числу воинов в дружине; оплата зависела от положения воинов в дружине и от успешности службы наемников; расчет производился в

денежной форме или исчислялся на деньги; годовая оплата дружинника исчислялась в эйрир (ок. 27 г) серебра (Мельникова 1978).

[28] А.И. Лященко посчитал, что «здесь, как и в договоре Олега, идет расчет по кораблям (ладьям)» (Лященко 1926: 1071). Точнее, на мой взгляд, указание Е.А. Мельниковой, что «договор отражает традиционный порядок оплаты — по числу воинов в дружине» (Мельникова 1978: 292).

[29] Исследователи не единодушны в оценке оплаты скандинавских наемников по «Пряди». Так, если, по мнению А.И. Лященко, «самая сумма вознаграждения норвежцев за службу может быть и преувеличенной рассказчиками саги» (Лященко 1926: 1071), то Е.А. Мельниковой, отметившей, что «эйрир серебра в XI в. в Скандинавии равен около 27 г», «размер денежного вознаграждения, указанный в первом договоре, представляется вполне реальным» (Мельникова 1978: 293).

[30] Весьма характерным предметом новгородского экспорта были меха. Как показывает анализ письменных памятников IX–XIII вв., русские меха были хорошо известны в Византии, Германии, Франции, Англии, а также в Хорезме (Новосельцев, Пашуто 1967: 84, 92, 93, 97, 105). Свидетельством масштабности меховой торговли Древней Руси может служить наличие в ряде европейских языков заимствованного из древнерусского языка слова «соболь» (Мельникова 1984а: 72). В ряде саг об исландцах упоминается *gerzkr höttr* («Сага о Гисли», гл. 28; «Сага о Ньяле», гл. 31, и т.д.), традиционно переводимая как «гардская (или: русская) шляпа». Думается, что гораздо точнее передано значение этого словосочетания в русском переводе саг под редакцией М.И. Стеблин-Каменского — «русская меховая шапка» (Исландские саги 1973: 65, 207).

[31] Заключение договора сроком на год, вероятно, связано с сезонностью плаваний по Балтийскому морю (см.: Лященко 1926: 1067; Мельникова 1978: 292).

[32] Известие «Пряди» о том, что Ярослав «велел выстроить» варягам «каменный дом и хорошо убрать драгоценной тканью», неоднократно сопоставлялось исследователями с рассказом Новгородской I летописи младшего извода под 1016 г. об избиении варягов новгородцами «в Поромонѣ дворѣ» (НПЛ: 174). Так, Б. Клейбер, отказавшись от многочисленных трактовок этого выражения «как двора какого-то новгородца по имени Поромон» и от предложенного И. Микколой, а позднее им самим же и отвергнутого толкования микротопонима от древнескандинавского *farmaðr* «лицо, занимающееся мореплаванием и торговлей», связал его со словом «паром» (ср. с *Поромянью* в Псковской III летописи, Парамо-Успенской церковью, церковью Успения с Пароменья, Пароменской церковью, Паромской церковью) и предложил реконструкцию события 1016 г. с учетом сведений «Пряди». «Некоторое число варягов из отряда Эймунда, "гуляя" на торговой стороне, "начаша насилие деяти на мужатых женах". Это привело к столкновению между варягами и новгородцами... Спасаясь от толпы, варяги обратились в бегство. Защиту они могли найти только в своей казарме и, если она находилась на Софийской стороне, то чтобы попасть туда, им нужно было переправиться на пароме через Волхов... На дворе парома (во Поромони дворе), при посадке или вернее сходе с парома, что всегда связано с некоторыми

ПРЯДЬ ОБ ЭЙМУНДЕ ХРИНГССОНЕ

затруднениями, и было убито несколько десятков варягов» (Клейбер 1959: 132–142). Е.А. Мельникова вернулась к толкованию И. Микколы (Mikkola 1907) и заключила, что «есть все основания связать оба сообщения (летописи и «Пряди». — *Т. Д.*) и предполагать, что во время правления Ярослава в Новгороде существовал "двор", отведенный для жительства останавливающимся там скандинавам». Правда, если поначалу исследовательница затруднялась сказать, «как долго он функционировал и каково его соотношение с "готским двором"» (Мельникова 1984б: 130), то в следующей по времени статье она говорит о появлении «в эпоху Ярослава "варяжского" подворья, где позднее была построена церковь, освященная в честь св. Олава, а уже к концу XI в. сложилась территория Готского торгового двора» (Мельникова 2008а: 121). Преобразование «"варяжского подворья" в Новгороде в торговый двор» исследовательница относит к рубежу XI–XII вв. или к самому началу XII в., о чем, по ее мнению, «свидетельствуют не только археологические материалы, но и принцип взаимности правовых норм в договорах, прямо оговоренный в заключительной статье немецко-готландского проекта 1268 г.: "Записанные выше права и свободы, которые определили [для себя] иностранные купцы во владениях короля и новгородцев, те же свободы и права благожелательно и добровольно исполняются во всем [относительно] самих новгородцев, когда [они] приезжают на Готланд"» (Мельникова 2009: 97–98; ПИВН: 68). О юридическом статусе Готского двора см.: Мельникова 2009.

[33] *...пришли письма от Бурицлава конунга к Ярицлейву конунгу.* — Как видим из текста, инициатором разногласий между братьями был Бурицлав, а не Ярицлейв. По мнению А.И. Лященко, «такое свидетельство саги не противоречит характеру Ярослава, человека осторожного и склонного к выжидательной политике» (Лященко 1926: 1072).

[34] Совершенно справедливо замечание А.И. Лященко, что «требование уступки нескольких местностей является как бы общим местом в сагах» (Лященко 1926: 1072).

[35] *«Не знаю также, зачем ты держишь здесь иноземное войско, если ты не полагаешься на нас».* — Из этих слов А.И. Лященко почему-то заключает, что «отряд Эймунда был не единственным иноземным отрядом в распоряжении и на службе у Ярослава» (Лященко 1926: 1073). Текст оснований для данного утверждения не содержит, но вывод сам по себе, бесспорно, верен.

[36] *Ярицлейв конунг послал боевую стрелу.* — Обычай пересылать по округу стрелу как знак призыва на войну — обычай не славянский, а скандинавский (Рыдзевская 1978: 93, примеч. 8).

[37] А.В. Поппэ, обсуждая борьбу Ярослава со Святополком, отмечает, что Н.Н. Ильин (см. о его точке зрения в комм. 50) «слишком большое значение придавал саге об Эймунде. Содержащийся в ней рассказ предстает перед нами в столь сильно переработанной литературной форме, что его следует рассматривать не как самостоятельный достоверный источник, но как "a confused reminiscence of the course of events"» (Poppe 1995: 281, Anm. 18; английская цитата здесь из: Cross 1929: 187–190).

[38] Первое сражение, в котором участвует Эймунд (битва на реке между Ярицлейвом и Бурицлавом), отождествляется исследователями с битвой между Святополком и Ярославом у Любеча, описываемой древнерусскими летописями под 6524 (1016) г. (Сенковский 1834а: 62–64; Лященко 1926: 1074; Древняя Русь 1999: 519; Карпов 2001: 123; Мельникова 2008б: 151; Михеев 2009: 169). По А.И. Лященко, «общими чертами описания в летописи и в саге является расположение войск по обоим берегам реки (в летописи — Днепра)» (Лященко 1926: 1074). По мнению Р. Кука, «Прядь» имеет определенную литературную форму. Требования литературы, которая предпочитает регулярность, повтор, штамп, исказили естественную историческую картину, которая неизбежно иррегулярна и асимметрична. Яркий пример этого — три атаки Бурицлава, три совета Эймунда, три отказа Ярицлейва платить своим варягам, два ложных слуха о смерти Бурицлава (см. ниже в тексте «Пряди»). Из трех столкновений Ярослава-Ярицлейва со Святополком-Бурицлавом лишь первое, по мнению Кука, параллельно в летописи и «Пряди»: и там, и здесь брат-мятежник выступает против Ярослава, который в ответ выводит свое войско (включая варягов), чтобы оказать ему сопротивление; они сходятся на противоположных берегах реки и располагаются там на некоторое время (на четыре дня по «Пряди», на три месяца по «Повести временных лет»), пока атака Ярослава не сметает противника, и он отправляется искать новых союзников (Cook 1986: 69, 71).

[39] Дж. Шепард подчеркивает, что даже если повторяющиеся с интервалом в год (см. ниже по тексту «Пряди») переговоры Эймунда и Ярицлейва о возобновлении договора представляют собой литературный прием автора, тем не менее картина, которую он рисует, а именно готовность варягов покинуть того, кому они служат, и двинуться дальше, вполне вероятно, отвечает реальности; элементом реальности может быть и сам факт заключения договора сроком на двенадцать месяцев (Shepard 1982–85: 228). Ср. комм. 27, 31.

[40] *Бьярмаланд* — Беломорье (см.: Джаксон 2000б). А.И. Лященко из сопоставления текстов саги, русских летописей и «Хроники» Титмара заключил, что «биармийцы — это печенеги. В баснословных рассказах о Биармии, — пишет он, — следует отметить неопределенность указаний на то, чтó именно следует разуметь под Биармией». В некоторых сагах, по его мнению, *Бьярмаланд* — «вообще далекая страна на востоке», а потому «мало известная, отдаленная от Скандинавии страна печенегов могла получить название "Биармии"». «Наконец, биармийцы Эймундовой саги являются конным войском, что вполне понятно для кочевников печенегов» (Лященко 1926: 1077–1078). С этим трудно согласиться, поскольку как бы ни была расплывчата и неопределима *Бьярмия*, в любом случае это территория не просто «на востоке», а непременно на северо-востоке, точнее — в самой северной части восточной «половины мира». Соответственно, мы не можем говорить, что бьярмийцы — это печенеги, а можем лишь утверждать, что до составителей «Пряди» дошли сведения о бегстве Святополка в отдаленные земли, а для северных авторов территориями, окраинными по отношению к Гардарики, и выступал как раз Бьярмаланд. Как отмечает Е.А. Рыдзевская, «Прядь» «превращает печенегов, союзников Свято-

220

ПРЯДЬ ОБ ЭЙМУНДЕ ХРИНГССОНЕ

полка в его борьбе с Ярославом, в бьярмов, более известных на скандинавском севере» (Рыдзевская 1945: 61). В архивных материалах исследовательницы содержится такая запись: «Бьярмы в Eym. (т. е. в «Пряди об Эймунде». — *Т. Д.*) — вымысел автора, более знакомого с ними, чем с печенегами, или признак новгородского влияния на сагу (до Flat, конечно)» (Архив ИИМК РАН. 39. № 43. Л. 4). Ср. замечание Н.И. Милютенко: «В процессе устного существования саги непонятные слушателям восточные кочевники превратились в хорошо известных северных финно-угров, хотя и сохранили характерные черты печенегов — они сражаются конными» (Милютенко 2006: 129).

[41] Р. Кук полагает, что определение, данное А. Стендер-Петерсеном «Саге о Харальде Суровом Правителе» — «собрание военных хитростей» (Stender-Petersen 1934: 98), — с еще большим правом может быть применено к «Пряди об Эймунде», поскольку центральным моментом этой последней является рассказ о трех военных хитростях, при посредстве которых Эймунд помогает Ярицлейву победить Бурицлава. Если первое столкновение с Бурицлавом, как оно описано в «Пряди», имеет, по его мнению, сходство с историческим известием, зафиксированным в «Повести временных лет», то второе и третье, напротив, представляют собой остроумные военные хитрости, составляющие, по Стендер-Петерсену, «варяжский» корпус повествовательного материала.

В подготовке ко второму столкновению Кук усмотрел нигде в литературе не встречающееся соединение мотивов, при том что взятые изолированно эти две военные хитрости довольно известны. Так, рытье защитниками города рва для лошадей осаждающих рекомендует Кекавмен; в русской былине об Илье Муромце татары роют три рва, чтобы поймать Илью и его коня. В этих случаях не предполагается маскировка рва, как в «Пряди», но о ней говорит греческий историк Эней Тактик (IV в. до н.э.). Выставление напоказ драгоценностей упоминается несколькими скандинавскими сагами, но там это делается с другим намерением: в «Саге о Хрольве Гаутрекссоне», в «Саге о Рагнаре Кожаные Штаны» и в «Саге о сыновьях Магнуса» жители осажденного города, устав от осады, выставляют драгоценности, чтобы заманить противника в город, но затем не могут удержать оборону города, и их город оказывается взятым. Южный вариант того же рассказа встречается в сообщении Джоффри Малатерры об осаде города Бари Робером Гискаром, происходившей в 1067–1071 гг. Кук полагает, что при осаде Бари подобное событие, действительно, могло иметь место, а затем рассказ о нем был заимствован составителями северных саг (Cook 1986: 78–81).

Я. де Фрис считал, что этот «анекдот», как и многие другие, принадлежит к «норманским заимствованиям в исландских королевских сагах», т. е. эти материалы были перенесены на север норманнскими писателями и рассказчиками (de Vries 1931: 72). Стендер-Петерсен оспорил аргументы де Фриса, пытаясь доказать, что военные хитрости, вроде тех, которые использовал Харальд Суровый Правитель при захвате четырех сицилийских городов, были заимствованы не скандинавами у норманнов, а и скандинавами и норманнами — из византийских источников. Стендер-Петерсен не анализировал мотива выставления напоказ драгоценностей со стен осажденного города, но нет причин, заключает Кук, по которым и этот рассказ не мог бы быть причислен к рассказам, прошедшим по «варяжскому» пути. Варяги активно участвовали в столкновениях в районе Бари в 1041 и 1071 гг. и, естественно, полагает Кук, могли принести рассказ с собой в Византию, а оттуда — на Север. Подобных историй нет на Руси, однако вероятность ее прохождения через Русь, утверждает Кук, весьма велика (Cook 1986: 81).

[42] «Ко второму, если можно так выразиться, акту борьбы Ярослава с братом, соответствующему известиям "Повести временных лет" под 1018 г., относится сообщение саги о том, что Ярослав был в бою тяжело ранен в ногу. Но по "Повести временных лет" он оказывается "хромцом" еще в 1016 г., независимо от какого бы то ни было ранения, а Тверская летопись, как известно, упоминает о его хромоте от рождения. Интересно, что, по мнению Д.Г. Рохлина, образовавшийся у Ярослава в детстве вывих правой бедренной кости (не травматического происхождения) мог давать лишь незначительную хромоту, в молодые годы мало заметную для окружающих; следовательно, то лицо, которое, по летописи, называет его хромым в 1016 г., когда он еще не был стар, вероятно, знало об этом недостатке. Если известие саги о ранении в ногу и является позднейшим домыслом, объясняющим хромоту (как это понимает Ф.А. Браун [Braun 1924: 161. — *Т. Д.*]), то сведение о самом этом явлении идет во всяком случае из ближайшей к Ярославу среды и восходит к устному преданию. Второе, травматическое повреждение правой ноги у Ярослава произошло, по исследованиям Д.Г. Рохлина, позже того времени, о котором повествуют летопись и сага» (Рыдзевская 1940: 69). См. работы по изучению костных останков *Ярослава Мудрого*: Рохлин 1940, Гинзбург 1940.

[43] *Несметная рать.* — Р. Кук указывает, что наряду с эпическими утроениями и повторами (см. комм. 38) автор «Пряди» использует «прием эскалации, нагнетания»: так, если при первом столкновении состав войска Бурицлава не уточняется, при втором это жители отдаленной, но все же знакомой скандинавам области на северо-востоке — *Бьярмаланда*, в третьем же случае войско состоит из различных «злых народов», да к тому же оно «несметно» (Cook 1986: 72).

[44] *Тюрки и блёкумен.* — По поводу войска, приведенного Бурицлавом из *Тюркланда* и состоящего из *тюрков* и *блёкумен*, А.И. Лященко пишет, что «турки — это, по-видимому, торки, куманы» («бело-куманы»), «т.е. половцы — более поздняя замена имени печенегов» (Лященко 1926: 1079), и все это «не противоречит летописи». *Тюрки* — «общее название кочевых народов Юго-Восточной Европы» (Мельникова 1986: 218); *blökumenn* — скорее всего, валахи (Рыдзевская 1978: 97, примеч. 13). Как пишет Е.А. Мельникова, «значение этнонима не вполне ясно, несмотря на то, что он несколько раз встречается в сагах. Лишь одно упоминание — в "Саге об Эймунде" — более или менее определенно указывает на его отнесение к какому-то народу, населявшему южные районы Восточной Европы за пределами Руси... Этимология этнонима также не очевидна. Наиболее распространено его отождествление со славянским "валах", "влах"». По мнению исследовательницы, это толкование предпочтительнее (Мельникова 1977: 199–200). Р. Кук полагает, что термин всегда обозначал *влахов*, которых Кекавмен описывает как распущенных и диких

ПРЯДЬ ОБ ЭЙМУНДЕ ХРИНГССОНЕ

людей, не верующих в Бога и нелояльных (Cook 1986: 72, note 34; см.: Кекавмен: 255, 257, 265, 271, 283; ср. ниже в тексте о Бурицлаве, сопровождаемом *блёкумен*: «похоже на то, что он отступится от христианства»).

[45] *Бьёрн звался исландец, который поехал с ними, и Гарда-Кетиль, и муж, который звался Аскель, и двое Тордов.* — Вполне вероятно, что в этой фразе перечислены те скандинавы (а среди них есть как минимум два исландца — ср. комм. 46; впрочем, Р. Кук [Cook 1986: 71] полагает, что все пятеро были исландцами), которым удалось донести до Исландии рассказ о событиях на Руси. Что касается исландца Бьёрна, то Финнур Йоунссон высказал мнение, что это Бьёрн Богатырь из Хитдалир (989–1024 гг.) — герой «Саги о Бьёрне», родовой саги, где рассказывается, что в юности он был на Руси у «Вальдамара конунга» (см.: Finnur Jónsson 1923: 780).

[46] *Гарда-Кетиль.* — Весьма вероятно, что вторым исландцем в числе спутников Эймунда (ср. комм. 45) был Гарда-Кетиль. Этот персонаж фигурирует в «Саге об Ингваре Путешественнике», опять же при перечислении попутчиков, где и присутствует указание на то, что он был исландцем: «Тогда снарядился Ингвар в путь из Гардарики... Четыре человека [из тех, кто] отправились с Ингваром, названы по имени: Хьяльмвиги и Соти, *Кетиль, которого прозвали Гардакетиль, — он был исландцем* — и Вальдимар» (Глазырина 2002: 255–256; курсив мой. — *Т.Д.*). Е.А. Рыдзевская так трактует его имя: «Кетиль из Гардов, Гардский, получивший это прозвище, очевидно, в связи с поездкой на Русь» (Рыдзевская 1978: 98, примеч. 15). Действительно, Гардакетиль «Пряди» находился вместе с Эймундом на Руси, а Гардакетиль «Саги об Ингваре» был там сначала с Ингваром, а затем с его сыном Свейном. С кем бы из путешественников Кетиль ни побывал в Гардах/Гардарики, у него были все основания получить по возвращении на родину это прозвище. Важны три ремарки саги. Во-первых, перед смертью Ингвар оставляет Кетиля, так сказать, за старшего по причине его исключительной памяти: «А если вы станете пререкаться, кто из вас будет распоряжаться, то пусть это будет Гардакетиль, потому что из вас у него самая хорошая память» (Глазырина 2002: 263). Во-вторых, вернувшись из Гардарики, Кетиль «рассказал там о тех событиях, которые произошли в их поездке» (Там же: 264). И наконец, когда Свейн пустился во второй раз в путь на восток, «Кетиль отправился в Исландию к своим родичам, и осел там, и первым рассказал об этом» (Там же: 270). Как пишет в комментарии к этому месту Г.В. Глазырина, «сообщение саги о том, что один из главных персонажей — Кетиль — поведал дома, в Исландии, историю походов Ингвара и его сына, является одним из оснований, позволяющих заключить, что сага существовала и распространялась в устной традиции» (Там же: 372). Ср. замечание Р. Кука: «Не важно, доверяем ли мы этим двум повествованиям и принимаем ли идентичность двух Гарда-Кетилей, мы можем с уверенностью утверждать, что историческое содержание "Пряди об Эймунде" передавалось изустно» (Cook 1986: 71). Большинство исследователей склонялось к тому, что образ Гарда-Кетиля был позаимствован автором «Саги об Ингваре» из «Пряди об Эймунде» (Müller 1820: 185; Olson 1912: lxxx; Braun 1924: 186; Глазырина 2002: 148–149, 318). Напротив, Д. Хофман посчитал более вероятным заимствование в обрат-

ном направлении (Hofmann 1981: 193). Поскольку «Сага об Ингваре» и «Прядь об Эймунде» связаны общим происхождением (о «шведской» и «норвежской» версиях рассказа об участии скандинавского отряда в междоусобной борьбе Ярослава см. в комм. 22), можно думать, что фигурирующий и там и здесь исландец Гарда-Кетиль — одновременно участник событий и их рассказчик — действительно непосредственно причастен к устной передаче информации о событиях на Руси. Ведь нередко имя очевидца событий, первым рассказавшего о них, передавалось в традиции вместе с этим рассказом (см. примеры в: Глазырина 2010: 69; кстати, сама Г.В. Глазырина иначе относится к этому персонажу: «Это, без сомнения, вымышленный персонаж, который был почерпнут автором саги из другого произведения — "Пряди об Эймунде"» — Глазырина 2002: 149, 318).

[47] Рассказ о переодевании Эймунда (нищенская одежда и козлиная борода) имеет две параллели: в «Пряди о Торлейве Скальде Ярлов» и в «Саге о Хромунде Грипссоне». Р. Кук, однако, усматривает здесь заимствование не из литературного текста, а из исландской устной традиции (Cook 1986: 74).

[48] При третьем столкновении с Бурицлавом Эймунд использовал сложную и весьма остроумную военную хитрость: безошибочно угадав место, на котором должен был быть поставлен шатер Бурицлава, Эймунд со своими людьми наклонил к земле большое дерево и, привязав к его вершине канат, закрепил конец внизу; ночью, после того как шатер уже был установлен, Эймунд привязал вымпел шатра к верхушке дерева; по сигналу Эймунда люди перерубили веревку, державшую дерево, и шатер был заброшен распрямившимся деревом в лес; тут Эймунд убил конунга Бурицлава.

Убийство при помощи согнутого дерева (деревьев) — мотив, восходящий к античности: оно упоминается в «Метаморфозах» Овидия (VII. 440–442), рассказ о нем содержится у Аполлодора («Библиотека» III. 16. 2). О таком убийстве (также приуроченном к Руси) говорит и датский хронист Саксон Грамматик («Деяния данов», кн. VII). Византийский историк X в. Лев Диакон (6.10) сообщает об убийстве Игоря при помощи деревьев: «он был... привязан к стволам деревьев и разорван надвое». Д.С. Лихачев полагает, что в словах древлян, адресованных сбросившей их в яму Ольге, также содержится «намек... на какую-то мучительную смерть Игоря» (ПВЛ: 27, 434). Анализ этого сюжета см.: Cook 1986: 82–84. По мнению этого исследователя, история убийства Бурицлава в «Пряди» — полноценный «варяжский рассказ», в терминологии А. Стендер-Петерсена. Как и мотив выставления напоказ драгоценностей, использованный автором «Пряди» в нестандартной форме (см. комм. 41), так и мотив согнутого дерева имеет здесь особую модификацию, поскольку описанные действия не ведут к убийству уникальной жестокости. Оба мотива трансформированы в «Пряди» так, чтобы показать Эймунда мудрым стратегом. В обоих случаях речь идет не о реальной истории, отразившейся в «Пряди», а о литературном вымысле. И в том и в другом описании бродячий, южный по происхождению, мотив видоизменяется и превращается в *Kriegslistanekdote*. Для древнескандинавской литературы в целом победа обманом совершенно не типична, да и вообще северные саги редко выказывают интерес к военным хитростям. Поэтому Р. Кук усматривает здесь безу-

ПРЯДЬ ОБ ЭЙМУНДЕ ХРИНГССОНЕ

словное византийское влияние, хотя и отдает себе отчет в том, что не только византийцам были известны военные хитрости. При этом он подчеркивает, что контакты Скандинавии и Византии, осуществлявшиеся через Русь, были многочисленны, что действие «Пряди» происходит на Руси и материал должен был быть принесен в Скандинавию в этом направлении, что, наконец, рассказ отражает чисто византийское отношение к искусству войны (Cook 1986: 85–86).

[49] По «Саге об Ингваре» (в отличие от «Пряди об Эймунде»), между Эймундом и Бурицлейвом было пять битв, в последней из которых Бурицлейв был пленен и ослеплен (но не убит и обезглавлен), после чего привезен к конунгу Ярицлейву (см. текст выше в комм. 22).

[50] Е.А. Рыдзевская отмечает, что гибель Бурицлава от рук варягов Ярицлейва описана не так, как гибель Святополка в «Повести временных лет» под 1019 г. «Интересно, что по саге выходит, что гибель Бурислафа от руки дружинников бросает тень на него самого, как на братоубийцу, и является к тому же фактом, показательным для чрезмерного усиления норманнов в окружении Ярослава» (Рыдзевская 1940: 70). Версия «Пряди» об убийстве Бурицлава-Святополка варягами Ярослава принимается многими исследователями, причем ей даже отдается предпочтение перед летописным рассказом (в статье 6527 г.) о смерти Святополка, где говорится о неудачной для Святополка битве на р. Альте, последовавшем за ней бегстве и смертью его в пустынном месте между Польшей и Чехией (ПВЛ: 63–64; см.: Лященко 1926: 1081, 1086; Cook 1986: 70; Милютенко 2006: 124–133; о критике последней работы см. в комм. 51).

[51] Вероятное заимствование из литературного текста Р. Кук видит в сцене, где Эймунд возвращается к Ярицлейву с отрубленной головой Бурицлава, а Ярицлейв краснеет при виде головы брата. Одной из параллелей является рассказ в «Саге о Харальде Суровом Правителе» Снорри Стурлусона (гл. 49) о том, как Хакон Иварссон убивает Асмунда, племянника и воспитанника датского конунга Свейна, и приносит Свейну отрубленную голову Асмунда: «Хакон подошел к столу, положил голову Асмунда перед конунгом и спросил, узнаёт ли он ее. Конунг не отвечал, но густо покраснел» (Круг Земной: 430; см.: Cook 1986: 74). Н.И. Милютенко на основе русских, немецких, польских и скандинавских свидетельств, а преимущественно «Пряди об Эймунде», пришла к выводу, что Святополк был убит варягами Эймунда по распоряжению Ярослава (ср. комм. 50). Соответственно, по ее мнению, в летопись было добавлено упоминание о болезни Святополка, предположительно, автором Начального свода, который посчитал, что «намеки на это событие, подразумевавшие участие в деле Ярослава, нежелательны» (Милютенко 2006: 131; 238–239). Как справедливо указывает Ю.А. Артамонов, «автор излишне доверчиво относится к рассказу скандинавского источника об убийстве Бурицлава. Дело в том, что сюжет убийства с отрубанием головы и ее демонстрацией брату, содержащийся в "Пряди об Эймунде", вероятнее всего, имеет литературное происхождение. Сюжетно и текстуально он совпадает с рассказом "Саги о Харальде Суровом", в котором викинг Хакон убивает Асмунда, бывшего воспитанника и приближенного конунга Свена. Поэтому есть основания пола-

гать, что рассказ об убийстве Бурицлава "Пряди об Эймунде" представляет собой набор "традиционных мотивов, а его кульминация является переложением фрагментов более ранней и известной саги"» (Артамонов 2008; последняя цитата — из кн: Древняя Русь 1999: 522).

[52] В историографии существует и такая точка зрения, что Ярослав был причастен к убийству — но не Святополка, а Бориса. Основывается она на анализе летописи, «Хроники» Титмара и «Пряди об Эймунде». Автором этой гипотезы традиционно считается Н.Н. Ильин (1957). Одним из основных его аргументов выступает утверждение, что «описание в саге этого события в ряде существенных подробностей совпадает с убиением Бориса, как о нем повествует "Сказание [страсти и похвала святых Бориса и Глеба]", а за ним и летопись» (Ильин 1957: 160–161). С.М. Михеев, однако, обнаружил, что первым, кто указал на сходство рассказов об убийстве Бориса и Бурицлава, был С.В. Руссов, написавший, что «сказочники, не заботившиеся об истине, употребили имя Бурицлава вместо Бориса убиенного самим Святополком и погребенного довольно похоже на то, что в сказках (т. е. в «Пряди». — *Т. Д.*) говорится о Святополке» (Руссов 1834: 92; см.: Михеев 2009: 198). «Столь кардинальное переосмысление событий, связанных с гибелью первых русских святых, прежде всего Бориса, стало в последние десятилетия весьма распространенным, можно сказать модным, получив отражение как в специальных исторических исследованиях, так и в популярных работах», — пишет в достаточно популярной, но глубоко источниковедчески фундированной работе А.Ю. Карпов (2001: 101). Число сторонников этой гипотезы велико (Grabski 1966; Členov 1971; Алешковский 1971, 1972; Головко 1981, 1988; Хорошев 1986; Котляр 1989 (с некоторыми вариациями); Юрганов 1998: 9; Данилевский 2001; Пріцак 2003; Михеев 2009), но также имеются и решительные ее противники (Джаксон 1994а; Древняя Русь 1999; Назаренко 2001; Карпов 2005; Милютенко 2006; Мельникова 2008б).

Для доказательства того, что, говоря об убийстве Эймундом Бурицлава, «Прядь» повествует об убиении Бориса варягами, подосланными Ярославом, исследователям приходится проделывать весьма сложные манипуляции с именем *Бурицлав*, утверждая, что это — «какое-то собирательное имя», поглощающее «всех тогдашних врагов Ярислейфа» (Ильин 1957: 95, 141), настаивая на путанице в «Пряди» «с именами князей» (Алешковский 1972: 110), либо заявляя, что «введение дополнительного персонажа, имя которого (Борис) в скандинавской транскрипции весьма близко к собирательному имени Бурислейф, могло внести путаницу, и Бориса включили в тот же собирательный образ (Бурислейф)» (Хорошев 1986: 29; ср. Назаренко 1993: 167: «скорее всего, это — контаминированный образ, в котором слиты черты исторических Святополка, Болеслава Польского... и, возможно, Бориса...»). Дальше прочих в «имятворчестве» пошел О. Пріцак, чей «коллективный Буріцлав» складывается из двух персонажей, действующих в различных частях «Пряди»: «Буріцлав = Болеслав + Святополк» (два человека, скрытых под одним именем) и «Буріслав = Борис + Гліб» (два имени, соединенных в третьем, поскольку якобы *Leif(r)=Гліб*) (Пріцак 2003: 192). А.Ф. Литвина и Ф.Б. Успенский пишут, что, «если допустить вслед за целым рядом исследо-

ПРЯДЬ ОБ ЭЙМУНДЕ ХРИНГССОНЕ

вателей, что под именем *Бурицлав* (Búrizlafr) скрывается Борис Владимирович, то оказывается, что скандинавы снабжают элементом *-слав* даже те княжеские антропонимы, которые на русской почве изначально его не содержат» (2003: 157, примеч. 20; 2006: 52, примеч. 39). Однако если не делать этого допущения, то элемент *-слав* при передаче средствами чужого языка тех славянских имен, в которые он входит изначально (таких, как *Ярослав, Болеслав* и проч.), можно воспринимать всего лишь как их составляющую. Для С.М. Михеева, к сожалению, гипотеза Литвиной–Успенского уже не «допущение», а «точка зрения», отталкиваясь от которой, он нагромождает новые многочисленные допущения, приводящие еще к одному предположению («возможно, Борис в скандинавской среде еще при жизни звался *Буриславом*» — Михеев 2009: 211), позволяющему ему прочно встать в ряд сторонников Н.Н. Ильина.

Не углубляясь в полемику с названными авторами, отмечу лишь, что сценам, где Эймунд убивает Бурицлава и где он приносит Ярицлейву отрубленную голову брата, найдены аналогии и в древнескандинавской, и в античной литературе (Cook 1986: 74, 82–84; см. комм. 48 и 51 к настоящему тексту).

[53] Как и рассмотренная выше «путевая формула» (см. комм. 23), присутствующая здесь «временна́я формула» используется автором, поскольку ему не о чем рассказывать — как на отдельном отрезке пути, так и на определенном отрезке времени: просто на этом пути или в это время «ничего не произошло», т. е. не случилось ничего, достойного описания или даже упоминания (см.: Джаксон 2010).

[54] Р. Кук указывает на две аналогии той сцене, где Ингигерд с Рёгнвальдом садятся на плащ Эймунда. Так поступают Торкель с Торбьёрном в «Саге о Курином Торире» (гл. 10: «Они так и делают, садятся по обе руки от него, и так близко, что они сидят на плаще Гуннара»), так ведут себя и Торкель с Торстейном в «Саге о людях из Лососьей Долины» (гл. 75: «Халльдор присел на землю, а справа и слева от него оба его родича, и они сели на его плащ, и прижались к нему как можно ближе»). Р. Кук считает неверным видеть здесь прямое литературное влияние; по его мнению, сцена с плащом заимствована «Прядью» из той же устной традиции, на которой сформировалась аналогичная сцена в «Саге о людях из Лососьей Долины» (Cook 1986: 73–74). В таком случае это — вымышленная сцена в контексте взаимоотношений Ярослава с варягами, и участие в ней Ингигерд — плод авторской фантазии.

В целом участие Ингигерд в описанных событиях представляется позднейшей вставкой. Она пытается убить Эймунда, когда он решает покинуть Ярицлейва; ее крадут варяги во главе с Эймундом, уже перешедшие на сторону Вартилава; она (а не конунг) производит раздел русских земель, в результате которого принимается решение, что «Эймунд конунг и Ингигерд должны были решать все трудные дела». Если исследователи подчеркивали, что рассказ наполнен вымыслом, направленным на прославление Эймунда (de Vries 1967: 303), то следует также подчеркнуть и намеренное преувеличение роли скандинавки Ингигерд — жены князя Ярослава (см.: Джаксон 1994б; ср. Михеев 2009: 173: «пролог и эпилог "Эймундовой пряди", а также гипертрофированность в повествовании роли Ингигерд следует признать поздними чертами»). Уже из первой ее характеристики «видно, что Ингигерда играла значительную роль в политической жизни княжества мужа», — так пишет А.И. Лященко, подчеркивая, что «это мы знаем и из других саг (напр., из саги об Олафе св., из саги о Магнусе)» (Лященко 1926: 1068). Я бы сказала иначе: из первой же характеристики Ингигерд и противопоставления ее Ярицлейву («она была как нельзя более великодушна и щедра на деньги, а Ярицлейв конунг не слыл щедрым...») видно, какую роль отводят ей составители «Пряди».

На мой взгляд, введение Ингигерд в текст имеет под собой две причины: а) постоянное соединение в памятниках скандинавской письменности образов Ярицлейва и Ингигерд (см.: Джаксон 2001б); б) включение «Пряди об Эймунде» составителями «Книги с Плоского острова» в состав «Саги об Олаве Святом» вслед за рассказом о сватовстве и женитьбе Ярицлейва. Соглашаясь со мной, что участие Ингигерд в разделе земель отсутствовало в изначальном варианте сказания, Е.А. Мельникова тем не менее воспринимает включение Ингигерд в число действующих лиц «Пряди» не как «позднейшую вставку», а как «органичное развитие сюжета, связанного с Ярославом, в скандинавской традиции, произошедшее, вероятно, еще в период устной передачи рассказов, задолго до их записи в дошедшей до нас форме» (Мельникова 2008б: 155).

[55] А.И. Лященко отмечает, что, по свидетельству Длугоша, в войске Брячислава Полоцкого, действительно, были варяги (Лященко 1926: 1084).

[56] В 1904 г. на заседании Отделения русской и славянской археологии Русского археологического общества Ф.А. Брауном был сделан доклад на тему «Русские князья в исландских сагах». Как зафиксировано в протоколе заседания, «в последовавшей по поводу сообщения оживленной беседе между докладчиком, С.Ф. Платоновым, Я.И. Гурляндом, А.А. Спицыным, С.А. Андриановым, А.Е. Пресняковым и др. обращено было особенное внимание на следующее место Эймундовой саги: «Конунг (полоцкий князь Вартилаф) сказал: "Дай мне время посоветоваться с моими мужами, потому что они дают деньги, хотя я их трачу"». Одни из упомянутых лиц принимали, что данное сведение говорит прямо о финансовой зависимости князя от веча, по крайней мере в Полоцке, другие совершенно отрицали такое толкование текста или же указывали на необходимость осторожного отношения ко всем вообще сведениям саг» (ЗРАО. 1905. Т. VII, вып. I: 179).

[57] Упрекая Г.В. Штыхова в том, что он «почерпнул отсюда сведения о боярском совете в Полоцке» (см.: Штыхов 1975: 15), И.Я. Фроянов и А.Ю. Дворниченко предлагают рассматривать это известие «Пряди» «как свидетельство о вече, ибо тинг в системе социально-политических отношений скандинавов той поры — не совет знати, а народное собрание, во многом подобное древнерусскому вечу. Значит, городская община Полоцка к тому времени настолько окрепла, что без нее князь не мог принимать какое-либо важное решение» (Становление и развитие: 254). Однако столь серьезный вывод, сделанный на основании единичного утверждения саги — источника, для которого характерна неразвитость социальной терминологии (особенно применительно к землям, лежащим за пределами Скандинавии) и перенос на чужую почву скандинавских общественных ин-

ститутов, не выглядит убедительным. Тем более что «на основании известий о вече в древнерусских источниках и сравнительно-исторических материалов можно сделать вывод о прекращении практики вечевых собраний в X–XI вв. при решении государственных политических и судебных вопросов, а также об отсутствии областных органов народного самоуправления в условиях создания княжеского административно-судебного аппарата» (Свердлов 1983: 56).

[58] Ср. комм. 34 к настоящему тексту. Подлинный смысл событий 1021 г. вскрыт А.Н. Насоновым, увидевшим здесь притязания растущего экономически Полоцка на ключевые позиции (Усвят и Витебск) на одном из ответвлений пути «из варяг в греки» (Насонов 1951: 151; Алексеев 1966: 241; Алексеев 2006: 6).

[59] Здесь *Kænugarðr* и *Hólmgarðr* — обозначения княжеств; в их характеристиках «составитель саги, несомненно, противоречит своим словам» в начале текста, «где Кенугард (Киев) называется самой важною частью Руси; теперь такой эпитет прилагается к Хольмгарду (Новгороду)» (Лященко 1926: 1083). Пытаясь стереть расхождение между летописью и «Прядью», О.И. Сенковский объяснил слова скандинавского источника «с данями и поборами» тем, что «Киев был уступлен Брячиславу не в полное и безусловное его владение... а только в управление от имени Ярослава с присвоением управителю известных выгод» (Сенковский 1834б: 66, примеч. 43).

[60] Исследователи считают явно фантастическим сообщение «Пряди» об утверждении в Полоцке Эймунда, а затем и его побратима Рагнара, поскольку из летописей известно, что Брячислав был полоцким князем до своей смерти в 1044 г., а после него полоцкий стол занимал его сын Всеслав (Лященко 1926: 1083; Штыхов 1982: 52). О.И. Сенковский, настаивавший на абсолютной достоверности скандинавского источника, предположил здесь ошибку писца, неверно расставившего знаки препинания, и прочитал это место следующим образом: «а Вартилафу владеть Кенугардом, который есть другая самая лучшая область с податями и сборами, т. е. вдвое более области, нежели как он имел прежде, нежели Полоцк; а ту область, которая там лежит подле, иметь конунгу Эймунду». Он также высказал предположение, что этой областью, «кажется, была Ливония» (Сенковский 1834б: 67, примеч. 44). А.П. Сапунов, согласившись с синтаксическими вольностями Сенковского, заключил, что, возможно, «это было удельное полоцкое княжество — Герсик» (Сапунов 1916: 20, примеч. 2). Отвлекшись от реальной исторической ситуации и лишь сконцентрировав свое внимание на исторической типологии, М.Б. Свердлов дал следующий комментарий: «Согласно саге об Эймунде, этому конунгу было поручено управление Полоцком, причем это управление могло стать наследственным. Не следует видеть в подобных отношениях великого князя и ярла что-то необычное, появившееся на Руси вместе с Ингигерд и Рогнвальдом или Эймундом. Согласно преданиям о Свенельде, записанным в Новгородской I-ой летописи, Игорь "примуче Углече, възложи на ня дань, и власть Свеньлду", "... и дасть же дань деревьскую Свенелду, и имаша по черне куне от дыма" (НПЛ: 109). Видимо, определенную долю дани Свенельд выплачивал великому князю» (Свердлов 1974: 65). Со ссылкой на комментарий к изданию Начальной летописи

К.В. Смита (Копенгаген, 1869), Р. Кук утверждает, что передача земли Эймунду в управление в качестве платы за его службу (хотя, конечно, и не всей Полоцкой земли) вполне вероятна (Cook 1986: 71). См. также: Джаксон 1991. Е.А. Мельникова полагает, что вторая часть «Пряди» основана на рассказах, независимых от сказания об Эймунде и посвященных какому-то еще викингу, участвовавшему в нападении на Брячислава Полоцкого; инкорпорирование этого сюжета в традицию об Эймунде позволяло «достойно завершить его "карьеру"» (Мельникова 2011).

[61] А.И. Лященко справедливо подчеркивает, что это — «место, давно ставшее в сагах "общим"», да и не мог один человек «успешно вести защиту и на севере, и на юге, и на западе такой обширной страны, какой уже тогда была Русь» (Лященко 1926: 1085).

[62] Слова «Пряди», что «Ярицлейв конунг будет над Гардарики», по мнению О.И. Сенковского, означают, что «Ярослав остается при своем звании Великого князя Киевского, и следовательно Киев принадлежит ему, а Брячислав получает только часть Киевского Удела, условно, с правом пользования податями и сборами» (Сенковский 1834б: 71, примеч. 45; ср. комм. 59 к настоящему тексту).

[63] Альдейгьюборг (Aldeigjuborg) — древнескандинавское обозначение Ладоги (см.: Джаксон 2001а: 105–121).

[64] Появление ярла Рёгнвальда в этом месте ничем не оправдано, кроме как желанием составителей «Книги с Плоского острова» ввести «Прядь» в контекст «Саги об Олаве Святом», где непосредственно перед «Прядью» шла речь о том, как ярл Рёгнвальд получил от Ингигерд в управление переданный ей Ярославом в качестве свадебного дара Альдейгьюборг (ср. комм. 54 к настоящему тексту). Ниже в «Пряди» говорится, что Рёгнвальд «с Ингигерд княгиней были детьми сестер», а по другому источнику – «Большой саге об Олаве Трюггвасоне» в редакции «Книги с Плоского острова» Рёгнвальд был ее двоюродным дядей: «Ульв, отец Рёгнвальда, был братом Сигрид Гордой, и были они двоюродными братьями конунг Олав Шведский и ярл Рёгнвальд» (Flat. I. 415). По мнению Е.А. Гуревич, «не исключено, однако, что автор пряди смешивает здесь ярла Рёгнвальда с Эймундом сыном Аки, персонажем "Саги об Ингваре Путешественнике": Эймунд и Ингигерд были двоюродными братом и сестрой» (Гуревич 2014: 223, примеч. 49).

[65] Остроумно и выразительно прокомментировал условия этого договора А.И. Лященко: «Не отмеченное нашими летописями коренное перераспределение русских земель, о котором узнаём из саги, явилось результатом передачи составителем саги Полоцка Эймунду; за потерю Полоцка он вынужден был вознаградить Брячислава Киевом. Но тогда Ярослав не мог оставаться конунгом всего Гардарика (т. е. Руси), если у него был отнят Киев. Итак, с этим мы не можем согласиться» (Лященко 1926: 1085).

[66] Характерная для саг тенденция на возвеличение скандинавов за пределами своей страны (см.: Джаксон 1978: 282–288) получает словесное выражение, когда «Прядь» сообщает, что «все трудные дела» в русском государстве должны были решать норвежец Эймунд и жена Ярослава Ингигерд — дочь шведского конунга Олава (ср. комм. 54 к настоящему тексту).

ПРЯДЬ ОБ ЭЙМУНДЕ ХРИНГССОНЕ

[67] О.И. Сенковский, объясняющий отсутствие в «Пряди» описания ряда известных по летописи событий 1015–1021 гг. «пропусками» переписчика, «искажающими подлинник», видит и в данном случае «пропуск в несколько строк или смешение обстоятельств», в результате чего получается, что Брячислав умер на двадцать лет раньше, чем в действительности (Сенковский 1834б: 71, примеч. 46).

[68] По летописи, Ярослав стал великим князем киевским в 1036 г., после смерти своего брата Мстислава, и оставался им до 1054 г.

[69] Практически все древнескандинавские источники, излагающие историю жизни Олава Харальдссона, сообщают о его бегстве от своих политических противников в Норвегии на Русь (по хронологии «Круга земного» и анналов, в 1029 г.). Более того, о пребывании Олава на Руси сообщают скальды, что, в силу специфики скальдического стиха, не позволяет сомневаться в достоверности по меньшей мере самого этого факта, который древнерусским источникам не известен (см.: Джаксон 2000а: 51–91). Здесь, однако, появление Олава в самом конце истории Эймунда выглядит искусственной вставкой, так сказать мостиком между «Прядью» и основным текстом «Саги об Олаве Святом», в который «Прядь» «вплетена».

[70] *...потому что они любили друг друга тайной любовью.* — Это не вполне ясное утверждение (ибо во фразе упоминаются трое: Олав Харальдссон, Рёгнвальд Ульвссон и княгиня Ингигерд) с уверенностью прочитывается Ф.А. Брауном (Braun 1924: 182–185) как указание на вполне определенные взаимоотношения Ингигерд и Олава Норвежского, поскольку о том же говорят и более ранние источники: «История о древних норвежских королях» Теодорика («Королева Ингигерта стала отказывать им [норвежским лендрманнам, приехавшим на Русь за Магнусом. — *Т.Д.*], утверждая, что вовсе не отпустит мальчика, если они клятвенно не пообещают, что он будет провозглашен королем; *ведь она очень любила блаженного Олава и потому весьма ревностно следила за воспитанием его сына*» [курсив мой здесь и ниже. — *Т.Д.*]) и свод королевских саг «Гнилая кожа» («Княгиня отвечает: "Господин, — говорит она, — эта палата хорошо устроена... Но все-таки лучше устроена та палата, в которой сидит конунг Олав Харальдссон, хотя она всего лишь стоит на столбах". Конунг рассердился на нее и сказал: "Унижение [звучит] в таких словах, — сказал он, — *и вновь ты показываешь свою любовь к конунгу Олаву*"»). Число примеров несложно увеличить. См., например, в той же «Гнилой коже» слова, произнесенные Олавом, когда он отправлял юного Магнуса на Русь: «...думается мне, что нигде моему сыну не будет лучше, чем у конунга Ярицлейва и княгини, которую я знаю как самую выдающуюся из женщин *и более чем дружелюбно расположенную ко мне*». Ср. в «Красивой коже» и в «Круге земном» отказ Олава Шётконунга выдать Ингигерд за Олава Харальдссона, сопровождаемый такими словами: «*Слишком быстро ты влюбилась в Олава Толстого. Ты никогда не видела его, и все же ты ставишь его выше меня. Вот именно поэтому ты никогда не выйдешь замуж за Олава Толстого*»; «Знаешь, Ингигерд, *как бы ты ни любила этого толстяка*, тебе не бывать его женой, а ему твоим мужем». В лите-

231

ратуре высказывалось мнение, что «хорошо известный в Скандинавии брак Ярослава Мудрого и Ингигерд... породил возникновение и широкое распространение "романтической" традиции о любви Ингигерд и Олава» (Мельникова 1997: 151–153). Вероятно все же, мы здесь имеем дело не с «беллетризацией исторического факта», а с отражением некоей конкретной ситуации, и основание для такого утверждения дает одна из двух скальдических строф, сочиненных конунгом Олавом Харальдссоном (подробнее см.: Джаксон 2001в).

Источники, литература, сокращения

Алексеев 1966 — Алексеев Л.В. Полоцкая земля в IX–XIII вв. (Очерки истории Северной Белоруссии). М., 1966.

Алексеев 2006 — Алексеев Л.В. Западные земли домонгольской Руси. Очерки истории, археологии, культуры. В 2-х кн. М., 2006.

Алешковский 1971 — Алешковский М.Х. Повесть временных лет. Судьба литературного произведения в древней Руси. М., 1971.

Алешковский 1972 — Алешковский М.Х. Русские глебоборисовские энколпионы 1072–1150 годов // Древнерусское искусство. Художественная культура домонгольской Руси. М., 1972. С. 104–125.

Артамонов 2008 — Артамонов Ю.А. Рецензия на книгу Н.И. Милютенко «Святые князья-мученики Борис и Глеб» // Вестник церковной истории. 2008. № 3 (11). С. 236–255.

Гинзбург 1940 — Гинзбург В.В. Об антропологическом изучении скелетов Ярослава Мудрого, Анны и Ингигерд // Краткие сообщения о докладах и полевых исследованиях Института археологии АН СССР. М., 1940. Т. 7. С. 57–66.

Глазырина 2001 — Глазырина Г.В. О шведской версии «Пряди об Эймунде» // Норна у источника Судьбы. Сб. статей в честь Е.А. Мельниковой. М., 2001. С. 61–69.

Глазырина 2002 — Глазырина Г.В. Сага об Ингваре Путешественнике. Текст, перевод, комментарий. М., 2002.

Глазырина 2008 — Глазырина Г.В. Следы устной традиции о Ярославе Мудром в ранней письменности Скандинавии (до 1200 года) // Древнейшие государства Восточной Европы. 2005 год. М., 2008. С. 103–131.

Глазырина 2010 — Глазырина Г.В. Обращение к устной традиции в «Саге об Олаве Трюггвасоне» монаха Одда // Восточная Европа в древности и средневековье. XXII Чтения памяти В.Т. Пашуто: Устная традиция в письменном тексте. М., 2010. С. 66–71.

Головко 1981 — Головко А.Б. Политические отношения Руси и Польши в начале XI века // Вопросы истории СССР. 1981. Вып. 26. С. 106–112.

Головко 1988 — Головко А.Б. Древняя Русь и Польша в политических взаимоотношениях X — первой трети XIII вв. Киев, 1988.

ПРЯДЬ ОБ ЭЙМУНДЕ ХРИНГССОНЕ

Гуревич 2014 — Прядь об Эймунде сыне Хринга / Перевод с древнеисландского и комментарии Е.А. Гуревич // Arbor mundi. Мировое древо. Международный журнал по теории и истории мировой культуры. Вып. 20. М., 2014. С. 181–224.

Данилевский 2001 — Данилевский И.Н. Древняя Русь глазами современников и потомков (IX–XII вв.). Курс лекций. 2-е изд. М., 2001.

Джаксон 1978б — Джаксон Т.Н. Скандинавский конунг на Руси (о методике анализа сведений исландских королевских саг) // Восточная Европа в древности и средневековье. Сб. статей. М., 1978. С. 282–288.

Джаксон 1985 — Джаксон Т.Н. Суздаль в древнескандинавской письменности // Древнейшие государства на территории СССР. 1984 год. М., 1985. С. 212–228.

Джаксон 1988 — Джаксон Т.Н. Древнескандинавская топонимия с корнем aust- // Скандинавский сборник. 1988. Вып. XXXI. С. 140–145.

Джаксон 1991 — Джаксон Т.Н. Palteskia ok þat ríki allt, er þar liggr til // Scando-Slavica. 1991. Т. 37. С. 58–67.

Джаксон 1994а — Джаксон Т.Н. Исландские королевские саги о Восточной Европе (первая треть XI в.). Тексты, перевод, комментарий. М., 1994.

Джаксон 1994б — Джаксон Т.Н. Ингигерд, жена князя Ярослава Мудрого, в изображении «Пряди об Эймунде» // Восточная Европа в древности и средневековье. [VI] Чтения памяти В.Т. Пашуто: Древняя Русь в системе этнополитических и культурных связей. М., 1994. С. 14–15.

Джаксон 2000а — Джаксон Т.Н. Четыре норвежских конунга на Руси. Из истории русско-норвежских политических отношений последней трети X — первой половины XI в. М., 2000.

Джаксон 2000б — Джаксон Т.Н. Этот таинственный и загадочный Бьярмаланд // Отечество. Краеведческий альманах. М., 2000. С. 87–102.

Джаксон 2001а — Джаксон Т.Н. Austr í Görðum. Древнерусские топонимы в древнескандинавских источниках. М., 2001.

Джаксон 2001б — Джаксон Т.Н. Ингигерд, жена русского князя Ярослава Мудрого // De mulieribus illustribus. Судьбы и образы женщин средневековья. СПб., 2001. С. 5–16.

Джаксон 2001в — Джаксон Т.Н. «Они любили друг друга тайной любовью»: беллетризация исторического факта или его отражение? // Историческое знание и интеллектуальная культура. Материалы научной конференции. Москва, 4–6 декабря 2001 г. М., 2001. С. 120–123.

Джаксон 2010 — Джаксон Т.Н. Хольмгардсфари, или Туда и обратно // Homo viator. Путешествие как историко-культурный феномен. М., 2010. С. 50–65.

Джаксон 2012 — Джаксон Т.Н. Исландские королевские саги о Восточной Европе. Издание второе, в одной книге, исправленное и дополненное. М., 2012.

Древняя Русь 1999 — Древняя Русь в свете зарубежных источников / Под ред. Е.А. Мельниковой. М., 1999.

ЗРАО — Записки Русского археологического общества. СПб.

БИБЛИОТЕКА ПРОЕКТА БОРИСА АКУНИНА

Ильин 1957 — Ильин Н.Н. Летописная статья 6523 года и ее источник (Опыт анализа). М., 1957.

Исландские саги 1973 — Исландские саги. Ирландский эпос. М., 1973.

Карпов 2001 — Карпов А.Ю. Ярослав Мудрый. М., 2001.

Кекавмен — Советы и рассказы Кекавмена: Сочинение византийского полководца XI века / Подготовка текста, введение, перевод и комментарий Г.Г. Литаврина. М., 1972.

Клейбер 1959 — Клейбер Б. Два древнерусских местных названия // Scando-Slavica. 1959. Т. 5. С. 132–147.

Колесов 1986 — Колесов В.В. Мир человека в слове Древней Руси. Л., 1986.

Королюк 1964 — Королюк В.Д. Западные славяне и Киевская Русь. М., 1964.

Котляр 1989 — Котляр М.Ф. Чи Святополк убив Бориса і Гліба? // Український історичний журнал. Київ, 1989. № 12 (345). С. 110–122.

Круг Земной — Снорри Стурлусон. Круг Земной / Издание подготовили А.Я. Гуревич, Ю.К. Кузьменко, О.А. Смирницкая, М.И. Стеблин-Каменский. М., 1980.

Литвина, Успенский 2003 — Литвина А.Ф., Успенский Ф.Б. Варьирование родового имени на русской почве. Об одном из способов имянаречения в династии Рюриковичей // Именослов. Записки по исторической семантике имени. М., 2003. С. 136–183.

Литвина, Успенский 2006 — Литвина А.Ф., Успенский Ф.Б. Выбор имени у русских князей в X–XVI вв. Династическая история сквозь призму антропонимики. М., 2006.

Лященко 1926 — Лященко А.И. «Eymundar saga» и русские летописи // Изв. АН СССР. VI сер. 1926. Т. 20. № 12. С. 1061–1086.

Мельникова 1977 — Мельникова Е.А. Скандинавские рунические надписи. Тексты, перевод, комментарий. М., 1977.

Мельникова 1978 — Мельникова Е.А. «Сага об Эймунде» о службе скандинавов в дружине Ярослава Мудрого // Восточная Европа в древности и средневековье. Сб. статей. М., 1978. С. 289–295.

Мельникова 1984а — Мельникова Е.А. Древнерусские лексические заимствования в шведском языке // Древнейшие государства на территории СССР. 1982 год. М., 1984. С. 62–75.

Мельникова 1984б — Мельникова Е.А. Новгород Великий в древнескандинавской письменности // Новгородский край. Л., 1984. С. 127–133.

Мельникова 1986 — Мельникова Е.А. Древнескандинавские географические сочинения. Тексты, перевод, комментарий. М., 1986.

Мельникова 1997 — Мельникова Е.А. Торговый мир Руси и Норвегии 1024–1028 гг. // Восточная Европа в древности и средневековье. IX Чтения памяти В.Т. Пашуто: Международная договорная практика Древней Руси. М., 1997. С. 35–41.

Мельникова 2001 — Мельникова Е.А. Скандинавские рунические надписи. Новые находки и интерпретации. Тексты, перевод, комментарий. М., 2001.

Мельникова 2008а — Мельникова Е.А. Балтийская политика Ярослава Мудрого // Ярослав Мудрый и его эпоха. М., 2008. С. 78–133.

ПРЯДЬ ОБ ЭЙМУНДЕ ХРИНГССОНЕ

Мельникова 2008б — Мельникова Е.А. Эймунд Хрингссон, Ингигерд и Ярослав Мудрый. Источниковедческие наблюдения // Анфологион: Власть, общество, культура в славянском мире в средние века. К 70-летию Бориса Николаевича Флори. М., 2008. С. 144–160.

Мельникова 2009 — Мельникова Е.А. О юридическом статусе Готского двора в Новгороде в XIII в. // Великий Новгород и Средневековая Русь. Сб. статей к 80-летию В.Л. Янина. М., 2009. С. 95–103.

Мельникова 2011 — Мельникова Е. А. Композиция и состав «Саги об Эймунде сыне Хринга» // Висы дружбы. Сб. статей в честь Татьяны Николаевны Джаксон. М., 2011. С. 255–268.

Милютенко 2006 — Милютенко Н.И. Святые князья-мученики Борис и Глеб. Исследование и тексты. СПб., 2006.

Михеев 2005 — Михеев С.М. Золотая гривна Бориса и родовое проклятье Инглингов. К проблеме варяжских источников древнерусских текстов // Славяноведение. 2005. № 2. С. 28–42.

Михеев 2006 — Михеев С.М. Эймунд-убийца Бориса, Ингвар Путешественник и Анунд из Руси: к вопросу о шведах на Руси в XI веке // Ruthenica. Київ, 2006. Т. V. С. 19–36.

Михеев 2009 — Михеев С.М. «Святополкъ сѣде в Киевѣ по отци». Усобица 1015–1019 годов в древнерусских и скандинавских источниках. М., 2009.

Назаренко 1993 — Назаренко А.В. Немецкие латиноязычные источники IX–XI веков. Тексты, перевод, комментарий. М., 1993.

Назаренко 2001 — Назаренко А.В. Древняя Русь на международных путях. Междисциплинарные очерки культурных, торговых, политических связей XI–XII веков. М., 2001.

Насонов 1951 — Насонов А.Н. «Русская земля» и образование территории Древнерусского государства. Историко-географическое исследование. М., 1951.

Новосельцев, Пашуто 1967 — Новосельцев А.П., Пашуто В.Т. Внешняя торговля Древней Руси (до середины XIII в.) // История СССР. 1967. № 3. С. 81–108.

НПЛ — Новгородская первая летопись старшего и младшего изводов / Под ред. и с предисловием А.Н. Насонова. М.; Л., 1950; 2-е репр. изд. ПСРЛ. М., 2000. Т. 3.

Петрухин 1994 — Петрухин В.Я. Проблемы этнокультурной истории славян и Руси в IX–XI вв. Автореф. дис. ... докт. ист. наук. М., 1994.

ПИВН — Памятники истории Великого Новгорода / С.В. Бахрушин. СПб., 1909.

Погодин 1834 — Погодин М.П. Эймундова сага // Учен. зап. имп. Московск. ун-та. 1834. Ч. III. № 8. С. 374–385.

Погодин 1846 — Погодин М.П. О северных сагах // Погодин М. П. Исследования, замечания и лекции о русской истории. М., 1846. Т. 1. С. 275–316.

Пріцак 2003 — Пріцак О. Походження Русі. Стародавні скандинавські саги і Стара Скандинавія. Київ, 2003. Т. II.

Рохлин 1940 — Рохлин Д.Г. Итоги анатомического и рентгенологического изучения скелета Ярослава Мудрого // Краткие сообщения о докладах и полевых исследованиях Института истории материальной культуры АН СССР. М.; Л., 1940. Т. 7. С. 46–57.

Руссов 1834 — Руссов С.О сагах в отношении к русской истории, или вообще о древней Руси. СПб., 1834.

Рыдзевская 1940 — Рыдзевская Е.А. Ярослав Мудрый в древнесеверной литературе // Краткие сообщения о докладах и полевых исследованиях Института истории материальной культуры АН СССР. М.; Л., 1940. Вып. 7. С. 66–72.

Рыдзевская 1945 — Рыдзевская Е.А. Сведения о Старой Ладоге в древнесеверной литературе // Краткие сообщения о докладах и полевых исследованиях Института истории материальной культуры АН СССР. М.; Л., 1945. Вып. 11. С. 51–65.

Рыдзевская 1978 — Рыдзевская Е.А. Древняя Русь и Скандинавия в IX–XIV вв. Материалы и исследования. М., 1978.

Рябинин 1980 — Рябинин Е.А. Скандинавский производственный комплекс VIII века из Старой Ладоги // Скандинавский сборник. 1980. Вып. XXV. С. 161–177.

Сапунов 1916 — Сапунов А.П. Сказания исландских, или скандинавских саг о Полоцке, князьях полоцких и р. Западной Двине // Полоцко-витебская старина. Витебск, 1916. Т. IV. Вып. 3. С. 1–33.

Свердлов 1974 — Свердлов М.Б. Скандинавы на Руси в XI в. // Скандинавский сборник. 1974. Вып. XIX. С. 55–68.

Свердлов 1983 — Свердлов М.Б. Генезис и структура феодального общества в Древней Руси. Л., 1983.

Свердлов 2003 — Свердлов М.Б. Домонгольская Русь. Князь и княжеская власть на Руси VI — первой трети XIII вв. СПб., 2003.

Сенковский 1834а — Сенковский О.И. Скандинавские саги // Библиотека для чтения, журнал словесности, наук, художеств, промышленности, новостей и мод, составляемый из литературных и ученых трудов. Отд. III: Науки и художества. СПб., 1834. Т. 1. С. 1–77.

Сенковский 1834б — Eymundar Saga. Эймундова сага / О.И. Сенковский // Библиотека для чтения, журнал словесности, наук, художеств, промышленности, новостей и мод, составляемый из литературных и ученых трудов. Отд. III: Науки и художества. СПб., 1834. Т. 2. С. 1–71.

Скромненко 1834 — Скромненко С. [Строев С.М.] Критический взгляд на статью под заглавием: Скандинавские саги, помещенную в первом томе Библиотеки для чтения. М., 1834.

Становление и развитие — Становление и развитие раннеклассовых обществ. Город и государство. Л., 1986.

Хорошев 1986 — Хорошев А.С. Политическая история русской канонизации (XI–XVI вв.). М., 1986.

Штыхов 1975 — Штыхов Г.В. Древний Полоцк. Минск, 1975.

Штыхов 1982 — Штыхов Г.В. Киев и города Полоцкой земли // Киев и западные земли Руси в IX–XIII вв. Минск, 1982. С. 45–80.

Юрганов 1998 — Юрганов А.Л. Категории русской средневековой культуры. М., 1998.

ПРЯДЬ ОБ ЭЙМУНДЕ ХРИНГССОНЕ

Birnbaum 1978 — Birnbaum H. Yaroslav's Varangian Connection // Scando-Slavica. 1978. T. XXIV. P. 5–25.

Braun 1924 — Braun F. Das historische Russland im nordischen Schrifttum des X.–XIV. Jahrhunderts // Festschrift Eugen Mogk zum 70. Geburtstag 19. Juli 1924. Halle, 1924. S. 150–196.

Členov 1971 — Členov A.M. Zur Frage der Schuld an der Ermordung des Fürsten Boris // Jahrbücher für Geschichte Osteuropas. 1971. Neue Folge. Bd. 19. H. 3. S. 321–346.

Cook 1986 — Cook R. Russian History, Icelandic Story, and Byzantine Strategy in Eymundar Þáttr Hringssonar // Viator. Medieval and Renaissance Studies. 1986. Vol. 17. P. 65–89.

Cross 1929 — Cross S.H. Yaroslav the Wise in Norse Tradition // Speculum. 1929. Vol. IV. P. 177–197.

Finnur Jónsson 1923 — Finnur Jónsson. Den Oldnorske og oldislandske litteraturs historie. Anden udgave. København, 1923. B. II.

Grabski 1966 — Grabski A.F. Bolesław Chrobry. Warszawa, 1966.

Hermann Pálsson, Edwards 1989 — Hermann Pálsson, Edwards P. Introduction // Vikings in Russia. Yngvar's Saga and Eymund's Saga / Tr. and Intr. by Hermann Pálsson and P. Edwards. Edinburgh, 1989. P. 1–43.

Hoffmann 1981 — Hoffmann E. König Olav Haraldsson als Heiliger des norwegischen Königshauses // St. Olav, seine Zeit und sein Kult / G. Svahnström (Acta Visbyensia. VI. Visbysymposiet för historiska vetenskaper 1979). Visby, 1981. S. 35–44.

Mikkola 1907 — Mikkola J.J. Om några ortnamn i Gardarike // Arkiv för nordisk filologi. 1907. B. 23, H. 3. S. 279–281.

Müller 1820 — Müller P.E. Sagabibliothek med Anmærkninger og indledende Afhandlinger. Kiøbenhavn, 1820. Bd. 3.

Olson 1912 — Olson E. Inledning // Yngvars saga víðfÄrla / E. Olson (Samfund til udgivelse af gammel nordisk litteratur. B. XXXIX). København, 1912. S. i–cii.

Poppe 1995 — Poppe A. Der Kampf um die Kiever Thronfolge nach dem 15. juli 1015 // Forschungen zur osteuropäischen Geschichte. 1995. Bd. 50. S. 275–296.

Shepard 1982–85 — Shepard J. Yngvarr's Expedition to the East and a Russian Inscribed Stone Cross // Saga-Book of the Viking Society for Northern Research. 1982–85. Vol. XXI. P. 222–292.

Stender-Petersen 1934 — Stender-Petersen A. Die Varägersage als Quelle der altrussischen Chronik. Aarhus, 1934 (Acta Jutlandica, 6).

de Vries 1931 — de Vries J. Normannisches Lehngut in den isländischen Königssagas // Arkiv för nordisk filologi. 1931. B. 47. S. 51–79.

de Vries 1967 — de Vries J. Altnordische Literaturgeschichte. 2. Aufl. B., 1967. B. II.

Zilmer 2003 — Zilmer K. Representations of Intercultural Communications in the sagas of Icelanders // Scandinavia and Christian Europe in the Middle Ages. Papers of The 12th International Saga Conference. Bonn, 2003. P. 549–556.

237

ПОВЕСТЬ ОБ УБИЕНИИ АНДРЕЯ БОГОЛЮБСКОГО

*Подготовка текста
и перевод В.В. Колесова*

Андрей Боголюбский (ок. 1110–1174 гг.), второй сын Юрия Долгорукого от половецкой княжны, с 1158 года великий князь владимирский и суздальский, в истории известен деятельностью по перенесению центра русской государственности на северо-восток, стремлением объединить Русь под главенством владимирских князей. Погиб в результате дворцового заговора в своей резиденции недалеко от Владимира. Повествование об этом событии содержит множество конкретных подробностей (подтвержденных впоследствии и раскопками могилы князя), которые выдают в авторе очевидца описывае-

В. Васнецов. Князь Андрей Боголюбский. 1885–1896 гг.

мых событий. Возможным автором поэтому и называют одного из действующих лиц повести, изображенного здесь сторонником князя и его политической линии: игумена Феодула, что наименее вероятно (хотя под его руководством составлялся в 1177 году летописный свод, включивший в себя повесть); киевлянина Кузьму, слугу князя или одного из мастеровых («златокузнец»), приглашенных Андреем на строительство Боголюбова; выходца из Вышгорода, главу капитула Успенского собора во Владимире Микулу (который был автором и других произведений, в том числе, возможно, и широко известного «Сказания о чудесах Владимирской иконы Богородицы»); особенно вероятен в качестве автора Микула — противник усобиц и боярской знати, повинной в убийстве князя, сторонник владимирских горожан. Автор составил текст в духе южнорусских биографических повестей XI—XII веков, с подражаниями или прямыми цитатами из житий Владимира, Бориса и Глеба, но в интересах нового политического центра Руси. Например, здесь четко и последовательно проведено противопоставление Киева — Владимиру, Боголюбова — Вышгороду, Золотых и Серебряных ворот одного города — таким же воротам другого, мученической смерти Андрея — такой же кончине Бориса и Глеба, и т.д., вплоть до смешения Владимира и Киева в тексте народной притчи, входящей в повесть.

Полный текст «Повести...» сохранился в Ипатьевской летописи под 1175 годом, тогда как во Владимирском летописном своде 1177 года помещен сокращенный и переработанный вариант ее (см. Лаврентьевскую летопись в списке 1377 г.); по некоторым соображениям, она могла быть написана между 1174 и 1177 годом.

В «Повести...» умело и тонко сплетены две линии: мирская и земная, поданная в действии (в событиях), — и церковная, духовная, поданная в размышлениях князя и комментариях автора. Психологические детали повествования и образная народная речь реалистически видоизменяют намеренно идеализированный образ князя, навеянный традицией житий. Действия живого князя не совпадают с авторскими разъяснениями в отношении этих действий; впечатление такое, будто повесть в ее полном варианте писали два автора.

Текст публикуется по Ипатьевской летописи в издании: *ПСРЛ*, том второй. Изд. 2-е. СПб., 1908, с. 580–595.

В год 6683 (1175). Убит был великий князь Андрей Суздальский, сын Юрия, внук Владимира Мономаха июня месяца в 28-й день, в канун праздника святых апостолов. И была тогда суббота.

   Создал же он себе городок каменный, под названием Боголюбове, столь же далеко Боголюбове от Владимира, как и Вышгород от Киева. Благоверный и христолюбивый князь Андрей с юных лет Христа возлюбил и пречистую его Мать; знанье же отринув и рассужденья и, как хоромы чудесные, душу украсив всеми благими желаньями, уподобился царю Соломону, когда, храм Господу Богу и церковь преславную Рождества святой Богородицы посреди Боголюбова в камне создав, разукрасил ее больше всех церквей: подобна она той Святая Святых, которую царь Соломон

Белокаменный дворец Андрея Боголюбского с церковью Рождества Богородицы.
Пос. Боголюбово. Реконструкция Н.Н. Воронина

премудрый создал; так и этот князь, благоверный Андрей, создал церковь такую на память о себе, и украсил ее драгоценными иконами, золотом и дорогими каменьями, и жемчугом крупным бесценным, и снабдил украшеньями разными, и украсил плитами из яшмы и всяким узорным литьем, — блеском осыпав ее так, что больно смотреть, ибо вся она в золоте стала. И украсил ее, и осыпал утварью золотой, драгоценной, всем входящим на удивленье, так, что всякий, видевший это, не может выразить словом невероятной ее красоты; золотом и эмалью, и всякими драгоценностями, и церковным имуществом украшена, и всякой церковной утварью — золотая дарохранительница с дорогими каменьями, с опахалами ценными и кадилами разными, и снаружи от верха до пола по стенам и столбам тоже золотом крыто, и двери, и своды у церкви также золотом крыты, и купол златом украшен от верха до Деисуса, и разным церковным добром переполнена, украшена всяким художеством!

Князь Андрей и город Владимир неприступным сделал, к нему он ворота золотые соорудил, а другие — серебром отделал, и создал соборную каменную церковь в честь святой Богородицы, весьма прекрасную, и разными украшеньями осыпал ее из золота и серебра, и пять куполов

Золотые ворота во Владимире

ПОВЕСТЬ ОБ УБИЕНИИ АНДРЕЯ БОГОЛЮБСКОГО

ее вызолотил, а все три церковные двери золотом выложил и дорогими каменьями, и жемчугом украсил ее драгоценным, и всяким узорным литьем расцветил, и обильем светильников золотых и серебряных ее осветил, и амвон из золота и серебра поставил, а служебные сосуды и опахала и другие украшения церковные — все золотом и драгоценным каменьем, и жемчугом крупным в изобилии осыпал. Три же дарохранительницы, очень большие, из чистого золота, из камней драгоценных поставил: и видом своим, и работой до удивленья подобны они Святая Святых Соломона. И в Боголюбове, и в городе Владимире купола золотые поставил, и своды позолотил, и стены внутри каменьем по злату осыпал, столбы позлатил, и снаружи ее и по сводам птиц золотых, и кубки, и паруса, литые из золота, поставил по церкви по всей и по сводам кругом.

Но, кроме того, и другие он многие церкви поставил различные в камне, и монастыри он создал, почему на весь церковный синклит и на церковников всех и обратил Бог свой взор; и не отягчил своей памяти пьянством, и кормильцем был для монахов и монахинь, и нищих, и всякого звания людям он был как любимый отец, — но больше всего он милостив был подаяньем, слыша голос Господень: «Все, что творите вы малым сим, то мне вы творите». А также Давид говорит: «Блажен помогающий нищим, дающий всегда — от Господа он не отступится», сила и разум в нем жили, и верная правда ходила с ним рядом. И прочих достоинств много в нем было, любую привычку он делал достойной: ночами входил он в церковь и свечи запаливал сам, и, видя образ Божий, на иконах написанный, вглядывался как в самого Творца, и, изображенья святых на иконах встречая, смирял свой вид, сокрушенный сердцем, испуская вздохи из глубины и слезы из глаз испуская, в раскаянье Давиду подражал, оплакивая множество грехов своих, возлюбив бессмертное выше тленного и небесное более, чем кратковременное, и жизнь со святыми у вседержителя Бога больше этого царства земного, он всяким достоинством, точно мудрый второй Соломон, был украшен.

И такое достоинство имел: велел каждый день возить по городу еду и питье различное больным и нищим на пользу, и, видя всякого нищего, к нему приходящего с просьбой, подавал им по прошению их, говоря, будто «это Христос, пришедший испытать меня», — и так принимал он любого, к нему приходящего, как Христос завещал, сказавший: «Если малым сим сотворите — то мне сотворите!» И держал то слово в сердце всегда, потому и достойно от Бога смертный венец восприял ты, княже Андрей, мужеством равный именитым братьям, благоразумным святым страстотерпцам последовал ты, кровью омыв все страданья свои. Ибо если бы не беда — не было б венца, если б не мука — не было бы благодати: всякий, живущий добродетельно, не может остаться без многих врагов. Князь же Андрей, о готовящемся злодейском убийстве своем узнав заранее, духом воспламенился священным и ни на что не рассчитывал, говоря: «Господа Бога моего, Вседержителя и Творца своего, избранный народ на кресте пригвоздил, сказав: "Пусть кровь его будет на нас и на детях наших"», а также и слово, сказанное устами святых евангелистов: «Если кто положит душу свою за други своя — может учеником моим быть». Этот же боголюбивый князь не за друга, но за самого Творца, возведшего все из небытия в бытие, душу свою положил. Потому-то, узнав об убийстве твоем, страстотерпец княже Андрей, изумились небесные силы, глядя на кровь, за Христа проливаемую; рыдает народ православный, видя отца сирот и кормильца, омраченную тьмою звезду светоносную; а убийцы проклятые огнем окрещаются вечным, что пожигает терние любого греха, то есть любое деянье. Ты ж, страстотерпец, проси всемогущего Бога за потомство свое, и за родичей, и за Русскую землю — миру мир даровать.

Мы ж к прежнему возвратимся.

Итак, состоялся в пятницу на обедне коварный совет злодеев преступных. И был у князя Яким, слуга, которому он доверял. Узнав от кого-то, что брата его велел князь казнить, возбудился он по дьявольскому наущению и примчался с криками к друзьям своим, злым сообщникам, как когда-то Иуда к евреям, стремясь угодить отцу своему, Сатане, и стал говорить: «Сегодня его казнил, а завтра — нас, так промыслим о князе этом!» И задумали убийство в ночь, как Иуда на Господа.

Лишь настала ночь, прибежав и схвативши оружие, пошли на князя, как дикие звери, но, пока они шли к его спальне, пронзил их и страх, и трепет. И бежали с крыльца, спустясь в погреба, упились вином. Сатана возбуждал их в погребе и, служа им незримо, помогал укрепиться в том, что они обещали ему. И так, упившись вином, взошли они на крыльцо. Главарем же убийц был Петр, зять Кучки, Анбал, яс родом, ключник, да Яким, да Кучковичи — всего числом двадцать зловредных убийц, вошедших в греховный сговор в тот день у Петра, у Кучкова зятя, когда настала субботняя ночь на память святых апостолов Петра и Павла.

Собор Рождества Пресвятой Богородицы в пос. Боголюбово

Когда, схватив оружие, как звери свирепые, приблизились они к спальне, где блаженный князь Андрей возлежал, позвал один, став у дверей: «Господин мой! Господин мой...» И князь отозвался: «Кто здесь?» — тот же сказал: «Прокопий...», но в сомненье князь произнес: «О, малый, ты не Прокопий!» Те же, подскочив к дверям и поняв, что здесь князь, начали бить в двери и силой выломали их. Блаженный же вскочил, хотел схватить меч, но не было тут меча, ибо в тот день взял его Анбал-ключник, а был его меч мечом святого Бориса. И ворвались двое убийц, и набросились на него, и князь швырнул одного под себя, а другие, решив, что повержен князь, впотьмах поразили своего; но после, разглядев князя, схватились с ним, ибо он был силен. И рубили его мечами и саблями, и раны копьем ему нанесли, и воскликнул он: «О, горе вам, бесчестные, зачем уподобились вы Горясеру? Какое вам зло я нанес? Если кровь мою прольете на земле, пусть Бог отомстит вам за мой хлеб!» Бесчестные же эти, решив, что убили его окончательно, взяв раненого своего, понесли его вон и дрожа

Князь Андрей Юрьевич Боголюбский. Реконструкция М.М. Герасимова

ушли. Князь же, внезапно выйдя за ними, начал рыгать и стонать от внутренней боли, пробираясь к крыльцу. Те же, услышав голос, воротились снова к нему. И пока они были там, сказал один: «Стоя там, я видел в окно князя, как шел он с крыльца вниз». И воскликнули все: «Ищите его!» — и бросились все взглянуть, нет ли князя там, где, убив его, бросили. И сказали: «Теперь мы погибли! Скорее ищите его!» И так, запалив свечи, отыскали его по кровавому следу.

Князь же, увидев, что идут к нему, воздев руки к небу, обратился к Богу, говоря: «Если, Боже, в этом сужден мне конец — принимаю его. Хоть и много я согрешил, Господи, заповедей твоих не соблюдая, знаю, что милостив ты, когда видишь плачущего, и навстречу спешишь, направляя заблудшего». И, вздохнув от самого сердца, прослезился, и припомнил все беды Иова, и вникнул в душу свою, и сказал: «Господи, хоть при жизни и сотворил я много грехов и недобрых дел, но прости мне их все, удостой меня, грешного, Боже, конец мой принять, как святые его принимали, ибо такие страданья и различные смерти выпадали праведникам; и как святые пророки и апостолы с мучениками получили награду, за Господа кровь свою проливая; как и святые мученики и преподобные отцы горькие муки и разные смерти приняли, и сломлены были дьяволом, и очистились, как золото в горниле. Их же молитвами, Господи, к избранному тобой стаду с праведными овцами причти меня, ведь и святые благоверные властители пролили кровь, пострадав за народ свой, как и Господь наш Иисус Христос спас мир от соблазна дьявольского священною кровью своею». И, так говоря, ободрялся, и вновь говорил: «Господи! взгляни на слабость мою и смотри на смиренье мое, и злую мою печаль, и скорбь мою, охватившую ныне меня! Пусть, уповая, стерплю я все это. Благодарю тебя, Господи, что смирил ты душу мою и в царстве твоем сонаследником сделал меня! Вот и ныне, Господи, если кровь мою и прольют, то причти меня к лику святых твоих мучеников, Господи!»

И пока он так говорил и молился о грехах своих Богу, сидя за лестничным столбом, заговорщики долго искали его — и увидели сидящим подобно непорочному агнцу. И тут проклятые подскочили и прикончили его. Петр же отсек ему правую руку. А князь, на небо взглянув, сказал: «Господи, в руки тебе предаю душу мою» — и умер. Убит был с субботы в ночь, на рассвете, под утро уже воскресенья — день памяти двенадцати апостолов.

Проклятые же, возвращаясь оттуда, убили Прокопия, любимца его, оттуда прошли в палаты и забрали золото, дорогие каменья и жемчуг, и всякие украшения, — все, что дорого было князю. И погрузив на лучших его лошадей, до света еще отослали себе по домам. А сами, схватив заветное княжье оружие, стали собирать воинов, говоря: «Ждать ли, пока пойдет на нас из Владимира дружина?» — и собрали отряд, и послали к Владимиру весть: «Не замышляете ли чего против нас? Хотим мы с вами уладить: ведь не только одни мы задумали так, и средь вас есть наши сообщники». И ответили владимирцы: «Кто ваш сообщник — тот пусть будет с вами, а нам без нужды» — и разошлись, и ринулись грабить: страшно глядеть!

Прибежал на княжий двор Кузьма-киевлянин: «Уже нету князя: убит!» И стал расспрашивать Кузьма: «Где убит господин?» — и ответили ему: «Вон лежит, выволочен в сад! Но не смей его брать, все мы решили бросить его собакам! Если же кто приступит к нему — тот враг нам, убьем и его!» И начал оплакивать князя Кузьма: «Господин мой! Как ты не распознал мерзких и бесчестных врагов своих, идущих тебя убить? И как это ты

Нападение на Андрея Боголюбского

ПОВЕСТЬ ОБ УБИЕНИИ АНДРЕЯ БОГОЛЮБСКОГО

не сумел победить их, некогда побеждавший полки неверных болгар?» — и так оплакивал он князя. И подошел ключник Анбал, родом яс, управитель всего княжьего дома, надо всеми власть ему дал князь. И сказал, взглянув на него, Кузьма: «Анбал, вражий сын! Дай хоть ковер или что-нибудь, чтобы постлать или чем накрыть господина нашего». И ответил Анбал: «Ступай прочь! Мы хотим бросить его собакам». И сказал Кузьма: «Ах, еретик! уже и собакам бросить! Да помнишь ли, жид, в каком ты платье пришел сюда? Теперь стоишь ты в бархате, а князь лежит наг, но прошу тебя честью: сбрось мне что-нибудь!» И сбросил тот ковер и плащ. И, обернув ими тело, понес Кузьма в церковь и сказал: «Отоприте мне церковь!» — и ответили: «Брось его тут, в притворе, что тебе за печаль!» — ибо все уже были пьяны. И подумал Кузьма: «Уже, господин, и холопы твои знать тебя не хотят; бывало, купец приходил из Царьграда иль из иной стороны, из Русской земли, и католик, и христианин, и язычник любой, и ты говорил: "Введите в церковь его и в палаты, пусть видят истинное христианство!" — и принимали крещенье и болгары, и евреи, и любые язычники, увидев славу Божью и украшенье церковное! И те скорее оплачут тебя, а эти и в церковь не дают положить!»

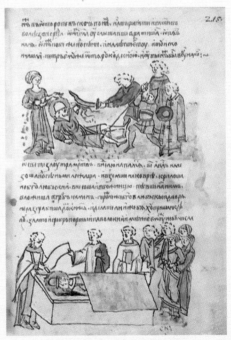

Смерть Андрея Боголюбского. Миниатюра Радзивилловской летописи. Конец XV в.

И так положил его в притворе, накрыв плащом, и лежало тут тело два дня и две ночи. На третий день пришел козьмодемьянский игумен Арсений и сказал: «Хотя мы и долго ждали старших игуменов, но долго ли этому князю лежать так? Отоприте мне церковь, отпою его и положим в гроб. А когда уляжется эта смута, то, придя из Владимира, перенесут туда князя». И пришли клирошане боголюбские, взявши тело его, в церковь внесли и вложили в каменный гроб, отпев над ним погребальные песни с игуменом Арсением вместе.

Жители же Боголюбова разграбили княжеский дом и строителей, которые сошлись на строительство зданий, — золото, и серебро, и одежды, и ткани, и добро, которому нет числа. И много случилось бед в его области: дома посадников и управителей пограбили, а самих их, и слуг, и стражей убили, дома их пограбили, не ведая сказанного: «Где закон — тут и обид много». Грабители приходили грабить и из деревень. Грабежи начались и в самом Владимире, пока не стал ходить Микула с образом святой Богородицы в ризах по городу — тогда пресеклись грабежи. Пишет апостол Павел: «Всякая душа властям повинуется», ибо власти Богом поставлены; природой земной царь подобен любому человеку, но властию сана он выше — как Бог. Сказал великий Иоанн Златоуст: «Если кто противится власти — противится закону Божьему. Князь не напрасно носит меч — он ведь Божий слуга».

Мы же вернемся к прежнему.

На шестой день, в пятницу, сказали владимирцы игумену Феодулу и Луке, начальнику хора в храме святой Богородицы: «Приготовьте носилки, давайте поедем — возьмем князя и господина своего Андрея». А Микуле сказали: «Собери священников, все, облачась в ризы, выходите за Серебряные ворота с иконой святой Богородицы — тут князя дождешься». И сделал так Феодул, игумен храма святой Богородицы Владимирской, с клирошанами и с владимирцами поехали за князем в Боголюбово и, взяв тело его, привезли во Владимир с честью и с плачем великим.

И так, через некое время, как только стало двигаться шествие из Боголюбова, народ не мог удержаться, но все вскричали, от слез же не могли и смотреть, а вопли их издалека было слышно. И начали все люди, рыдая, говорить: «Уже ведь не к Киеву, господин наш, ты поехал! В ту церковь Владимирскую над Золотыми воротами, которую сделать велел подобною

ПОВЕСТЬ ОБ УБИЕНИИ АНДРЕЯ БОГОЛЮБСКОГО

той, что стоит на великом дворе Ярослава, сказав: «Построю церковь такой золотой же, как и ворота — пусть будет во славу всей моей родине!» И так плакал по нем весь город, и, тело его убрав, с почетом и пением, хвалящим Бога, положили его в дивной, достойной похвал, церкви святой Богородицы златоверхой, которую сам он создал.

Так вот князь Андрей при жизни не дал телу своему покоя и глазам своим сна — пока не обрел настоящего дома, прибежища всех христиан: Царица небесных собраний и Госпожа всей вселенной всякого человека

Богоматерь Боголюбская, с припадающим святым князем Андреем Боголюбским. XVIII в.

разными путями ко спасенью приводит. Как учит апостол: «Кого любит Бог — того и наказывает, и наказывает всякого сына, какого приемлет; ибо коль наказанья претерпите — точно сыном становитесь Богу». Ибо Бог не поставил прекрасного солнца на месте одном, чтоб оттуда могло освещать всю вселенную, но устроил ему восхожденье, зенит и заход. Точно так и слугу своего, князя Андрея, — не взял к себе напрасно, а дал ему подвигом душу спасти, кровью омыв прегрешенья свои, и с братьей своей, с Романом и с Давыдом, согласно к Богу пришел. И, в блаженство рая вселяясь безмолвно с ними, которых око не видит и ухо не слышит (сердцем нельзя осознать, что Бог приготовил для верных своих), те блага сподобившись видеть, вечно радуйся ты, Андрей, князь великий. Дерзай всемогущего, из богатейших богатого, на высоких престолах сидящего Бога просить, чтоб простил он братии твоих, победу им дал над врагами и мирное царство, правление почетное и многолетнее, во веки веков. Аминь.

СЛОВО О ПОЛКУ ИГОРЕВЕ

*Подготовка текста
и перевод О.В. Творогова*

«Слово о полку Игореве» было написано в конце XII века. Поводом для создания произведения явился неудачный поход на половцев князя Новгорода-Северского Игоря Святославича в 1185 году: русское войско потерпело поражение, а возглавлявшие его князья и оставшиеся в живых воины оказались в плену. Об этом походе рассказывается также в современных событиям летописях (Ипатьевская, Лаврентьевская).

Однако автор «Слова» создал не воинскую повесть, а произведение совершенно особого жанра. Злосчастный поход Игоря Святославича явился поводом для глубоких разду-

И.Я. Билибин. Князь Игорь

мий о судьбах Русской земли, о пагубности феодальных междоусобиц, вызвал воспоминания о прошлом — о славных и о трагических периодах русской истории.

В «Слове» сочетаются как бы две художественные стихии — книжная, близкая по системе образов и поэтическим приемам к ораторскому слову, и фольклорная, причем эта последняя объединяет в себе элементы разных жанров — «плачей» и «слав». Яркий язык «Слова», его образная система, ритмический строй, сочетание тонкого лиризма и гражданского пафоса — все эти черты памятника выделяют его среди других произведений русской литературы XII века и в то же время роднят с ними, поскольку те же художественные приемы и те же образы, хотя и не в такой концентрации и не в столь же совершенной форме, мы встречаем и в русских летописях, и в «Словах» Кирилла Туровского, и в таких произведениях XII—XIII веков, как «Слово Даниила Заточника» или «Слово о погибели Русской земли».

Рукописная судьба «Слова» сложилась крайне неблагоприятно. До нового времени сохранился лишь один список памятника. Он входил в состав сборника, принадлежавшего известному ценителю русских древностей, графу А.И. Мусину-Пушкину. Но в 1812 году вся коллекция рукописей графа погибла в пожаре Москвы. Сгорел и сборник, содержавший «Слово о полку Игореве». Мы располагаем сейчас только изданием памятника, осуществленным в 1800 году А.И. Мусиным-Пушкиным, А.Ф. Малиновским и Н.Н. Бантыш-Каменским, а также копией с текста «Слова», изготовленной не позднее 1793 года для Екатерины II. Сравнение первого издания (оно обозначается в дальнейшем буквой П) и Екатерининской копии (Е), а также сравнение языка «Слова» с языком других древнерусских памятников позволило исследователям установить, что издатели в ряде случаев не только недостаточно точно передали текст, подновив его орфографию и допустив немало опечаток, но и не поняли смысла отдельных слов и фраз, не сумели разобраться в написаниях рукописи. Поэтому, положив в основу текст первого издания «Слова», мы устраняем некоторые явные опечатки, иначе, чем в издании 1800 года, делим текст на слова, а также исправляем ошибки рукописи и восстанавливаем написания, неверно прочтенные издателями. В перевод внесен ряд изменений, сравнительно с прежними изданиями. Более подробные комментарии к тексту см. в издании «Слова» в серии «Литературные памятники» (1950 г.) и в изданиях серии «Библиотека поэта» 1952, 1967 и 1985 гг.

Слово о походе Игоревом, Игоря, сына Святославова, внука Олегова

Не пристало ли нам, братья, начать старыми словами ратных повестей о походе Игоревом, Игоря Святославича? Начаться же этой песне по былям нашего времени, а не по обычаю Боянову!

Ведь Боян вещий, если кому хотел песнь слагать, то растекался мыслию по древу, серым волком по земле, сизым орлом под облаками, ибо помнил он, говорят, прежних времен усобицы. Тогда напускал он десять соколов на стаю лебедей, и какую лебедь настигал сокол — та первой и

В.М. Васнецов. Боян

пела песнь старому Ярославу, храброму Мстиславу, зарезавшему Редедю перед полками касожскими, прекрасному Роману Святославичу. А Боян, братья, не десять соколов на стаю лебедей напускал, но свои вещие персты на живые струны возлагал, а они уже сами славу князьям рокотали.

Начнем же, братья, повесть эту от старого Владимира до нынешнего Игоря, который обуздал ум своею доблестью и поострил сердца своего мужеством, преисполнившись ратного духа, навел свои храбрые полки на землю Половецкую за землю Русскую.

О Боян, соловей старого времени! Если бы ты полки эти воспел, скача, соловей, по мысленному древу, взлетая умом под облака, свивая славы вокруг нашего времени, возносясь по тропе Трояновой с полей на горы!

Так бы петь песнь Игорю, того внуку: «Не буря соколов занесла через поля широкие — стаи галок несутся к Дону великому». Или так пел бы ты, вещий Боян, внук Велеса: «Кони ржут за Сулой — звенит слава в Киеве!»

Трубы трубят в Новгороде, стоят стяги в Путивле, Игорь ждет милого брата Всеволода. И сказал ему Буй-Тур Всеволод: «Один брат, один свет светлый — ты, Игорь! Оба мы Святославичи! Седлай же, брат, своих борзых коней, а мои готовы, уже оседланы у Курска. А мои куряне бывалые воины: под трубами повиты, под шлемами взлелеяны, с конца копья вскормлены; пути им ведомы, яруги известны, луки у них натянуты, колчаны открыты, сабли наточены. Сами скачут, как серые волки в поле, ища себе чести, а князю — славы».

260

Тогда Игорь взглянул на светлое солнце и увидел, что от него тенью все его войско прикрыто. И сказал Игорь дружине своей: «Братья и дружина! Лучше убитым быть, чем плененным быть; так сядем, братья, на своих борзых коней да посмотрим на синий Дон». Страсть князю ум охватила, и желание изведать Дона великого заслонило ему предзнаменование. «Хочу, — сказал, — копье преломить на границе поля Половецкого, с вами, русичи, хочу либо голову сложить, либо шлемом испить из Дона».

Тогда вступил Игорь-князь в золотое стремя и поехал по чистому полю. Солнце ему тьмой путь преграждало, ночь стенаниями грозными птиц пробудила, свист звериный поднялся, встрепенулся Див, кличет на вершине дерева, велит прислушаться земле неведомой: Волге, и Поморию,

СЛОВО О ПОЛКУ ИГОРЕВЕ

и Посулию, и Сурожу, и Корсуню, и тебе, Тмутараканский идол. А половцы непроторенными дорогами устремились к Дону великому: скрипят телеги в полуночи, словно лебеди встревоженные.

Игорь к Дону войско ведет. Уже гибели его ожидают птицы по дубравам, волки беду будят по яругам, орлы клекотом зверей на кости зовут, лисицы брешут на червленые щиты.

О Русская земля! Уже за холмом ты!

Долго темная ночь длится. Заря свет зажгла, туман поля покрыл, щекот соловьиный затих, галичий говор пробудился. Русичи широкие поля червлеными щитами перегородили, ища себе чести, а князю — славы.

Статуя половецкого воина в Центрально-Черноземном государственном природном биосферном заповеднике им. В.В. Алёхина у пос. Заповедный

Спозаранку в пятницу потоптали они поганые полки половецкие и, рассыпавшись стрелами по полю, помчали красных девушек половецких, а с ними золото, и паволоки, и дорогие аксамиты. Покрывалами, и плащами, и одеждами, и всякими нарядами половецкими стали мосты мостить по болотам и топям. Червленый стяг, белая хоругвь, червленый бунчук, серебряное древко — храброму Святославичу!

Дремлет в поле Олегово храброе гнездо. Далеко залетело! Не было оно на обиду рождено ни соколу, ни кречету, ни тебе, черный ворон, поганый половчанин! Гзак бежит серым волком, Кончак ему путь прокладывает к Дону великому.

На другой день раным-рано кровавые зори рассвет возвещают, черные тучи с моря идут, хотят прикрыть четыре солнца, а в них трепещут синие молнии. Быть грому великому, идти дождю стрелами с Дона великого! Тут копьям преломиться, тут саблям иступиться о шлемы половецкие, на реке на Каяле, у Дона великого.

О Русская земля! Уже за холмом ты!

А вот уже ветры, Стрибожьи внуки, веют с моря стрелами на храбрые полки Игоря. Земля гудит, реки мутно текут, пыль поля покрывает, стяги вещают: «Половцы идут!», — от Дона, и от моря, и со всех сторон обступили они русские полки. Дети бесовы кликом поля перегородили, а храбрые русичи перегородили червлеными щитами.

Яр-Тур Всеволод! Стоишь ты всех впереди, осыпаешь воинов стрелами, гремишь по шлемам мечами булатными. Куда, Тур, ни поскачешь, своим золотым шлемом посвечивая, — там лежат головы поганых половцев, расщеплены саблями калеными шлемы аварские от твоей руки, Яр-Тур Всеволод! Какая рана удержит, братья, того, кто забыл о почестях и богатстве, забыл и города Чернигова отцовский золотой престол, и своей милой жены, прекрасной Глебовны, любовь и ласку!

Были века Трояна, минули годы Ярослава, были и войны Олеговы, Олега Святославича. Тот ведь Олег мечом раздоры ковал и стрелы по земле сеял. Вступает он в золотое стремя в городе Тмутаракани, звон же тот слышал давний великий Ярославов сын Всеволод, а Владимир каждое

СЛОВО О ПОЛКУ ИГОРЕВЕ

утро уши закладывал в Чернигове. Бориса же Вячеславича жажда славы на смерть привела и на Канине зеленую паполому постлала ему за обиду Олега, храброму и молодому князю. С такой же Каялы и Святополк бережно повез отца своего между венгерскими иноходцами к святой Софии, к Киеву. Тогда при Олеге Гориславиче засевалось и прорастало усобицами, гибло достояние Даждь-Божьих внуков, в княжеских распрях век людской сокращался. Тогда на Русской земле редко пахари покрикивали, но часто вороны граяли, трупы между собой деля, а галки по-своему говорили, собираясь лететь на поживу.

То было в те рати и в те походы, а о такой рати и не слыхано! С раннего утра и до вечера, с вечера до рассвета летят стрелы каленые, гремят сабли о шеломы, трещат копья булатные в поле чужом среди земли Половецкой. Черная земля под копытами костьми посеяна, а кровью полита; бедами взошли они на Русской земле!

Что шумит, что звенит в этот час рано перед зорями? Игорь полки заворачивает, ибо жаль ему милого брата Всеволода. Бились день, бились другой, на третий день к полудню пали стяги Игоревы. Тут разлучились братья на берегу быстрой Каялы; тут кровавого вина не хватило, тут пир докончили храбрые русичи: сватов напоили, а сами полегли за землю Русскую. Никнет трава от жалости, а дерево в печали к земле приклонилось.

Вот уже, братья, невеселое время настало, уже пустыня войско прикрыла. Поднялась Обида в силах Даждь-Божьего внука, вступила девою на землю Трояню, всплескала лебедиными крылами на синем море у Дона, плеском вспугнула времена обилия. Затихла борьба князей с погаными, ибо сказал брат брату: «Это мое, и то мое же». И стали князья про малое «это великое» молвить и сами себе беды ковать, а поганые со всех сторон приходили с победами на землю Русскую.

О, далеко залетел сокол, избивая птиц, — к морю. А Игорева храброго полка не воскресить! Вслед ему завопила Карна, и Жля помчалась по Русской земле, сея горе людям из огненного рога. Жены русские восплакались, причитая: «Уже нам своих милых лад ни в мысли помыслить, ни думою сдумать, ни очами не увидать, а золота и серебра и в руках не подержать!» И застонал, братья, Киев в горе, а Чернигов от напастей. Тоска разлилась по Русской земле, печаль потоками потекла по земле Русской. А князья сами себе невзгоды ковали, а поганые сами в победных набегах на Русскую землю брали дань по белке от двора.

Ведь те два храбрые Святославича, Игорь и Всеволод, непокорством зло пробудили, которое усыпил было отец их, — Святослав грозный великий киевский, — грозою своею, усмирил своими сильными полками и булатными мечами; вступил на землю Половецкую, протоптал холмы и яруги, взмутил реки и озера, иссушил потоки и болота. А поганого Кобяка из Лукоморья, из железных великих полков половецких, словно вихрем вырвал. И повержен Кобяк в городе Киеве, в гриднице Святослава. Тут немцы и венецианцы, тут греки и моравы поют славу Святославу, корят князя Игоря, который потопил благоденствие в Каяле, реке половецкой, — русское золото рассыпали. Тогда Игорь-князь пересел из золотого седла в седло невольничье. Уныли городские стены, и веселие поникло.

А Святослав тревожный сон видел в Киеве на горах. «Этой ночью с вечера одевали меня, — говорил, — черною паполомою на кровати тисовой, черпали мне синее вино, с горем смешанное, осыпали меня круп-

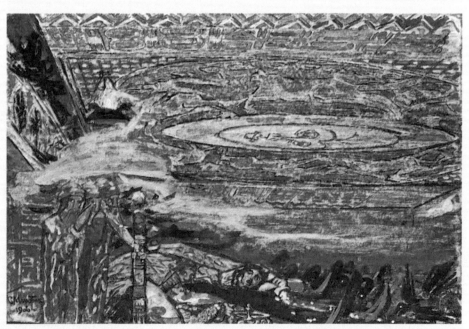

С.В. Малютин. Сон Святослава

СЛОВО О ПОЛКУ ИГОРЕВЕ

ным жемчугом из пустых колчанов поганых и утешали меня. Уже доски без конька в моем тереме златоверхом. Всю ночь с вечера серые вороны граяли у Плесньска на лугу, и из дебри Кисановой понеслись к синему морю».

И сказали бояре князю: «Уже, князь, горе разум нам застилает. Вот ведь слетели два сокола с отцовского золотого престола добыть города Тмутаракани, либо испить шеломом Дону. Уже соколам крылья подрезали саблями поганых, а самих опутали в путы железные. Темно стало на третий день: два солнца померкли, оба багряные столпа погасли и в море погрузились, и с ними два молодых месяца тьмою заволоклись. На реке на Каяле тьма свет прикрыла; по Русской земле рассыпались половцы, точно выводок гепардов, и великую радость пробудили в хинове. Уже пала хула на хвалу, уже ударило насилие по воле, уже бросился Див на землю. Вот уже готские красные девы запели на берегу синего моря, позванивая русским золотом, поют они о времени Бусовом, лелеют месть за Шарукана. А мы, дружина, лишились веселия».

Тогда великий Святослав изронил золотое слово, со слезами смешанное, и сказал: «О племянники мои, Игорь и Всеволод! Рано вы начали Половецкую землю мечами терзать, а себе искать славу. Но не по чести одолели, не по чести кровь поганых пролили. Ваши храбрые сердца из твердого булата скованы и в дерзости закалены. Что же учинили вы моим серебряным сединам!

А уже не вижу власти сильного и богатого брата моего Ярослава, с воинами многими, с черниговскими боярами, с могутами, и с татранами, и с шельбирами, и с топчаками, и с ревугами, и с ольберами. Все они и без щитов, с засапожными ножами, кликом полки побеждают, звеня прадедней славой. Но сказали вы: "Помужествуем сами: мы и прежнюю славу поддержим, а нынешнюю меж собой разделим". Но не диво ли, братия, старику помолодеть! Когда сокол возмужает, высоко птиц взбивает, не даст гнезда своего в обиду. Но вот мне беда — княжеская непокорность, вспять времена повернули. Вот у Римова кричат под саблями половецкими, а Владимир изранен. Горе и беда сыну Глебову!»

Великий князь Всеволод! Не помыслишь ли ты прилететь издалека, отцовский золотой престол поберечь? Ты ведь можешь Волгу веслами расплескать, а Дон шлемами вычерпать. Если бы ты был здесь, то была бы невольница по ногате, а раб по резане. Ты ведь можешь посуху живыми шереширами стрелять, удалыми сынами Глебовыми.

Ты, храбрый Рюрик, и Давыд! Не ваши ли воины злачеными шлемами в крови плавали? Не ваша ли храбрая дружина рыкает, словно туры, раненные саблями калеными, в поле чужом? Вступите же, господа, в золотые стремена за обиду нашего времени, за землю Русскую, за раны Игоря, храброго Святославича!

И.Я. Билибин. Иллюстрация к «Слову о Полку Игореве»

СЛОВО О ПОЛКУ ИГОРЕВЕ

Галицкий Осмомысл Ярослав! Высоко сидишь на своем златокованом престоле, подпер горы Венгерские своими железными полками, заступив королю путь, затворив Дунаю ворота, меча бремена через облака, суды рядя до Дуная. Страх перед тобой по землям течет, отворяешь Киеву ворота, стреляешь с отцовского золотого престола в султанов за землями. Стреляй же, господин, в Кончака, поганого половчанина, за землю Русскую, за раны Игоря, храброго Святославича!

А ты, храбрый Роман, и Мстислав! Храбрые помыслы влекут ваш ум на подвиг. Высоко летишь ты на подвиг в отваге, точно сокол, на ветрах паря, стремясь птицу в дерзости одолеть. Ведь у ваших воинов железные паворзи под шлемами латинскими. Потому и дрогнула земля, и многие народы — хинова, литва, ятвяги, деремела и половцы — копья свои побросали и головы свои склонили под те мечи булатные. Но уже, князь, Игорю померк солнца свет, а дерево не к добру листву сронило: по Роси и по Суле города поделили. А Игорева храброго полка не воскресить! Дон тебя, князь, кличет и зовет князей на победу. Ольговичи, храбрые князья, уже поспели на брань.

Ингварь и Всеволод и все три Мстиславича — не худого гнезда шестокрыльци! Не по праву побед расхитили себе владения! Где же ваши золотые шлемы, и сулицы польские, и щиты? Загородите полю ворота своими острыми стрелами, за землю Русскую, за раны Игоря, храброго Святославича!

Вот уже Сула не течет серебряными струями к городу Переяславлю, и Двина болотом течет у тех грозных половчан под кликами поганых. Один только Изяслав, сын Васильков, прозвенел своими острыми мечами о шлемы литовские, поддержал славу деда своего Всеслава, а сам под червлеными щитами на кровавой траве литовскими мечами изрублен... И сказал: «Дружину твою, князь, птицы крыльями приодели, а звери кровь полизали». Не было тут ни брата Брячислава, ни другого — Всеволода, так он один и изронил жемчужную душу из храброго своего тела через золотое ожерелье. Приуныли голоса, сникло веселье. Трубы трубят городенские.

Ярославовы все внуки и Всеславовы! Не вздымайте более стягов своих, вложите в ножны мечи свои затупившиеся, ибо потеряли уже дедов-

В.М. Васнецов «После побоища Игоря Святославича с половцами»

скую славу. В своих распрях начали вы призывать поганых на землю Русскую, на достояние Всеславово. Из-за усобиц ведь началось насилие от земли Половецкой!

На седьмом веке Трояна бросил Всеслав жребий о девице ему милой. Тот хитростью поднялся... достиг града Киева и коснулся копьем своим золотого престола киевского. А от них бежал, словно лютый зверь, в полночь из Белгорода, окутанный синей мглой, трижды добыл победы: отворил ворота Новгороду, разбил славу Ярославову, скакнул волком на Немигу с Дудуток.

На Немиге снопы стелют из голов, молотят цепами булатными, на току жизнь кладут, веют душу от тела. Немиги кровавые берега не добрым засеяны, засеяны костями русских сынов.

Всеслав-князь людям суд правил, князьям города рядил, а сам ночью волком рыскал: из Киева до рассвета дорыскивал до Тмутаракани, великому Хорсу волком путь перебегал. Ему в Полоцке позвонили к заутрене рано у святой Софии в колокола, а он в Киеве звон тот слышал. Хотя и вещая душа была у него в дерзком теле, но часто от бед страдал. Ему вещий Боян еще давно припевку молвил, мудрый: «Ни хитрому, ни удачливому... суда Божьего не избежать!».

СЛОВО О ПОЛКУ ИГОРЕВЕ

О, печалиться Русской земле, вспоминая первые времена и первых князей! Того старого Владимира нельзя было пригвоздить к горам киевским; а ныне одни стяги Рюриковы, а другие — Давыдовы, и порознь их хоругви развеваются. Копья поют...

На Дунае Ярославнин голос слышится, одна-одинешенька спозаранку как чайка кличет. «Полечу, — говорит, — чайкою по Дунаю, омочу шелковый рукав в Каяле-реке, оботру князю кровавые его раны на горячем его теле».

Ярославна с утра плачет на стене Путивля, причитая: «О ветер, ветрило! Зачем, господин, так сильно веешь? Зачем мечешь хиновские стрелы на своих легких крыльях на воинов моего лады? Разве мало тебе под облаками веять, лелея корабли на синем море? Зачем, господин, мое веселье по ковылю развеял?»

Ярославна с утра плачет на стене города Путивля, причитая: «О Днепр Словутич! Ты пробил каменные горы сквозь землю Половецкую. Ты лелеял на себе ладьи Святославовы до стана Кобякова. Возлелей, господин, моего ладу ко мне, чтобы не слала я спозаранку к нему слез на море».

Ярославна с утра плачет в Путивле на стене, причитая: «Светлое и тресветлое солнце! Для всех ты тепло и прекрасно! Почему же, владыка, простерло горячие свои лучи на воинов лады? В поле безводном жаждой им луки расслабило, горем им колчаны заткнуло».

Вспенилось море в полуночи, в тучах движутся вихри. Игорю-князю Бог путь указывает из земли Половецкой на землю Русскую, к отчему золотому престолу. Погасла вечерняя заря. Игорь спит и не спит: Игорь мыслию поля мерит от великого Дона до малого Донца. В полночь свистнул Овлур коня за рекой — велит князю разуметь: не быть князю Игорю! Кликнул, стукнула земля, зашумела трава, задвигались вежи половецкие. А Игорь-князь горностаем прыгнул в тростники, белым гоголем — на воду, вскочил на борзого коня, соскочил с него босым волком, и помчался к лугу Донца, и полетел соколом под облаками, избивая гусей и лебедей к завтраку, и к обеду, и к ужину. Когда Игорь соколом полетел, то Овлур волком побежал, отряхивая с себя студеную росу: загнали они своих быстрых коней.

269

Донец сказал: «Князь Игорь! Разве не мало тебе славы, а Кончаку досады, а Русской земле веселья!» Игорь сказал: «О Донец! Разве не мало тебе славы, что лелеял ты князя на волнах, расстилал ему зеленую траву на своих серебряных берегах, укрывал его теплыми туманами под сенью зеленого дерева. Стерег ты его гоголем на воде, чайками на струях, чернядями в ветрах». Не такая, говорят, река Стугна: бедна водою, но, поглотив

В.Г. Перов. Плач Ярославны

СЛОВО О ПОЛКУ ИГОРЕВЕ

чужие ручьи и потоки, расширилась к устью и юношу князя Ростислава скрыла на дне у темного берега. Плачется мать Ростиславова по юноше князе Ростиславе. Уныли цветы от жалости, а дерево в тоске к земле приклонилось.

То не сороки застрекотали — по следу Игоря рыщут Гзак с Кончаком. Тогда вороны не каркали, галки примолкли, сороки не стрекотали, только полозы ползали. Дятлы стуком путь к реке указывают, соловьи веселыми песнями рассвет предвещают. Говорит Гзак Кончаку: «Если сокол к гнезду летит, — расстреляем соколенка своими злачеными стрелами». Говорит Кончак Гзе: «Если сокол к гнезду летит, то опутаем мы соколенка красной девицей». И сказал Гзак Кончаку: «Если опутаем его красной девицей, не будет у нас ни соколенка, ни красной девицы, и станут нас птицы бить в поле Половецком».

В Спасо-Преображенском соборе в Чернигове покоится прах князя Игоря Северского, воспетого в «Слове о Полку Игореве», Игоря Черниговского и других князей той эпохи

Сказали Боян и Ходына Святославовы, песнотворцы старого времени Ярославова: «Олега кагана жена! Тяжко ведь голове без плеч, горе и телу без головы». Так и Русской земле без Игоря.

Солнце светит на небе — Игорь-князь в Русской земле. Девицы поют на Дунае — вьются голоса через море до Киева. Игорь едет по Боричеву к святой Богородице Пирогощей. Страны рады, города веселы.

Спев песнь старым князьям, потом — молодым петь! Слава Игорю Святославичу, Буй-Тур Всеволоду, Владимиру Игоревичу! Здравы будьте, князья и дружина, выступая за христиан против полков поганых! Князьям слава и дружине!

Аминь.

СЛОВО ДАНИИЛА ЗАТОЧНИКА

*Подготовка текста
и перевод Д.С. Лихачева*

Произведение Даниила Заточника принадлежит к числу наиболее интересных литературных памятников Древней Руси. Оно известно в нескольких редакциях, которые настолько отличаются друг от друга, что правильнее говорить не о разных редакциях одного произведения, а о разных произведениях, подписываемых именем Даниила, или анонимных. Один из двух основных памятников называется «Словом Даниила Заточника», другой — «Молением Даниила Заточника». Едва ли не все основные вопросы литературной истории этого произведения до сих пор не решены окончательно. Спорным является прежде всего вопрос о личности автора и характере его сочинения. Одни исследователи считают, что Даниил Заточник — чисто литературный образ, от лица которого анонимный автор создал сугубо литературное произведение, другие полагают, что Даниил Заточник — историческая личность, а его произведение — реальное послание князю. Сторонники последней точки зрения по-разному определяют социальный статус Даниила (дворянин, дружинник, ремесленник, холоп, летописец и т.п.) и адресатом послания считают разных князей.

Спорным также является вопрос о взаимоотношении и датировке «Слова» и «Моления». Одни ученые считают первичным «Слово», датируя его XII в., другие — «Моление», датируя его XIII в.

Первоначальный, авторский текст «Слова» представлял собой, вероятно, послание опального княжеского дружинника своему князю, Ярославу Владимировичу, с перерывами княжившему в Новгороде в 80-е — 90-е гг. XII в.; в это время и было, очевидно, написано послание.

Оказавшись в опале за свою дерзость, излишнюю прямоту и испытав в изгнании все тяготы нищенской жизни, Даниил обращается к князю с просьбой помиловать его и вернуть в княжескую дружину, указывая на свои достоинства (ум, мудрость, дар художественного слова) и претендуя на роль княжеского советника, посла и ритора.

Авторский текст «Слова» Даниила Заточника был написан по всем правилам эпистолярного жанра. В нем, в частности, содержатся все необходимые композиционные части послания, в средневековых латинских риториках носящие названия salutatio, exordium, captatio benevolentiae, narratio, petitio, argumentatio, conclusio.

Соблюдено Даниилом и такое правило эпистолярного жанра, как афористичность. Даниил использует афоризмы, фразеологию и образность Библии и различных древнерусских памятников, создавая из «чужих слов» глубоко личное, цельное и органичное произведение.

«Слово» Даниила Заточника было написано книжным языком, в высоком стиле, для которого характерна, в частности, абстрагированность, «деконкретизация».

Характеризуя стиль «Слова» и «Моления», Д.С. Лихачев отметил в них скоморошье балагурство автора (см.: *Лихачев Д.С.* Моление Даниила Заточника. — Великое наследие. М., 1975. С. 205–221; 2-е изд., доп. М., 1980. С. 241–258; см. также в предисловии к наст. т. с. 13–14). Соглашаясь с этим, можно, однако, предположить, что первоначальному авторскому тексту «Слова» скоморошье балагурство не было присуще, а привнесено в «Слово» позднейшими вставками.

Высоким стилем послания продиктована и ритмико-строфическая организация авторского текста, что графически отражено в данном издании. «Слово» написано псалтырным, или молитвословным стихом. По словам Д.С. Лихачева, Даниил широко использует характерный для псалмов прием стилистической симметрии, а также другие парные сочетания: сравнение, противопоставление, риторическое «качание» (см.: *Лихачев Д.С.* Поэтика древ-

Великий князь Ярослав Владимирович

СЛОВО ДАНИИЛА ЗАТОЧНИКА

нерусской литературы. Изд. 3-е, доп. М., 1979, с. 174–175). Эти парные сочетания и являются основой ритмической организации текста «Слова».

В дошедшем до нас виде «Слова» первоначальный текст, как это часто бывало в рукописной традиции, значительно расширен позднейшими вставками (обоснование этого см. в статье: *Соколова Л.В.* К характеристике «Слова Даниила Заточника»: Реконструкция и интерпретация первоначального текста. — ТОДРЛ, т. 46, с. 229–255. Там же см. публикацию текста с выделением вставок). Добавленные цитаты, пословицы, «мирские притчи» развивают затронутые автором популярные в древнерусской литературе темы о бедных и богатых, о щедром и скупом господине, о мудрых и глупых, о «злых» женах и т.п. В результате вставок была утрачена композиционная стройность и стилистическая однородность текста, нарушена его ритмико-строфическая организация, наряду с книжной лексикой появилась бытовая лексика «мирских притч», скоморошин. Текст перестал быть посланием, превратившись в произведение другого жанра.

«Слово» печатается по списку XVII в., «Академическому» (название дано по бывшему месту хранения: библиотека СПб. Духовной академии), лучше других сохранившему первоначальный текст. Шифр рукописи: *РНБ*, собр. Кирилло-Белозерского монастыря, № 43/1120.

Слово Даниила Заточника, которое он написал своему князю, Ярославу Владимировичу

Вострубим, как в златокованые трубы, во все силы ума своего, и заиграем в серебряные органы гордости своею мудростью. Восстань, слава моя, восстань в псалтыри и в гуслях. Встану рано и расскажу тебе. Да раскрою в притчах загадки мои и возвещу в народах славу мою. Ибо сердце умного укрепляется в теле его красотою и мудростью.

Был язык мой как трость книжника-скорописца, и приветливы уста мои, как быстрота речная. Того ради попытался я написать об оковах сердца моего и разбил их с ожесточением, как древние — младенцев о камень.

Но боюсь, господине, осуждения твоего.

Ибо я как та смоковница проклятая: не имею плода покаяния; ибо имею сердце — как лицо без глаз; и ум мой — как ночной ворон, на вершинах бодрствующий; и закончилась жизнь моя, как у ханаанских царей, бесчестием; и покрыла меня нищета, как Красное море фараона.

Всё это написал я, спасаясь от лица бедности моей, как рабыня Агарь от Сарры, госпожи своей.

Но видел, господине, твоё добросердечие ко мне и прибег к всегдашней любви твоей. Ибо говорится в Писании: просящему у тебя дай, стучащему открой, да не отвергнут будешь царствия небесного; ибо писано: возложи на Бога печаль свою, и тот тебя пропитает вовеки.

Ибо я, княже господине, как трава чахлая, растущая под стеною, на которую ни солнце не сияет, ни дождь не дождит; так и я всеми обижаем, потому что не ограждён я страхом грозы твоей, как оплотом твёрдым.

Не смотри же на меня, господине, как волк на ягнёнка, а смотри на меня, как мать на младенца. Посмотри на птиц небесных — не пашут они, не сеют, но уповают на милость Божию; так и мы, господине, ищем милости твоей.

Ибо, господине, кому Боголюбове, а мне горе лютое; кому Бело-озеро, а мне оно смолы чернее; кому Лаче-озеро, а мне, на нём живя, плач горь-

СЛОВО ДАНИИЛА ЗАТОЧНИКА

кий; кому Новый Город, а у меня в доме и углы завалились, так как не расцвело счастье моё.

Друзья мои и близкие мои отказались от меня, ибо не поставил перед ними трапезы с многоразличными яствами. Многие ведь дружат со мной и за столом тянут руку со мной в одну солонку, а в несчастье становятся врагами и даже помогают подножку мне поставить; глазами плачут со мною, а сердцем смеются надо мной. Потому-то не имей веры к другу и не надейся на брата.

Не лгал мне князь Ростислав, когда говорил: «Лучше мне смерть, нежели Курское княжение»; так и мужи говорят: «Лучше смерть, чем долгая жизнь в нищете». Как и Соломон говорил: «Ни богатства, ни бедности не дай мне, Господи: если буду богат — гордостью вознесусь, если же буду беден — задумаю воровство или разбой, как жёнки распутство».

Рукопись «Слова Даниила Заточника». Список XVI в.

Вот почему взываю к тебе, одержим нищетою: помилуй меня, потомок великого царя Владимира, да не восплачусь, рыдая, как Адам о рае; пусти тучу на землю убожества моего.

Ибо, господине, богатый муж везде ведом — и на чужбине друзей имеет, а бедный и на родине ненавидим ходит. Богатый заговорит — все замолчат и после вознесут речь его до облак; а бедный заговорит — все на него закричат. Чьи ризы светлы, тех и речь честна.

Княже мой, господине! Избавь меня от нищеты этой, как серну из сетей, как птицу из западни, как утёнка от когтей ястреба, как овцу из пасти львиной.

Я ведь, княже, как дерево при дороге: многие обрубают ему ветви и в огонь кидают; так и я всеми обижаем, ибо не огражден страхом грозы твоей.

Как олово пропадает, когда его часто плавят, так и человек — когда он много бедствует. Никто ведь не может ни пригоршнями соль есть, ни в горе разумным быть; всякий человек хитрит и мудрит о чужой беде, а в своей не может смыслить. Злато плавится огнём, а человек напастями; пшеница, хорошо перемолотая, чистый хлеб даёт, а человек в напасти обретает ум зрелый. Моль, княже, одежду ест, а печаль — человека; печаль человеку кости сушит.

Если кто в печали человеку поможет, то как студёной водой его напоит в знойный день.

Птица радуется весне, а младенец матери; весна украшает землю цветами, а ты оживляешь людей милостию своею, сирот и вдовиц, вельможами обижаемых.

Княже мой, господине! Покажи мне лицо своё, ибо голос твой сладок и образ твой прекрасен; мёд источают уста твои, и дар твой как плод райский.

Когда веселишься за многими яствами, меня вспомни, хлеб сухой жующего; или когда пьёшь сладкое питьё, вспомни меня, тёплую воду пьющего в незаветренном месте; когда же лежишь на мягкой постели под собольими одеялами, меня вспомни, под одним платком лежащего, и от стужи оцепеневшего, и каплями дождевыми, как стрелами, до самого сердца пронзаемого.

Да не будет сжата рука твоя, княже мой, господине, на подаяние бедным: ибо ни чашею моря не вычерпать, ни нашими просьбами твоего дому не истощить. Как невод не удерживает воды, а только рыб, так и ты, княже, не удерживай злата и серебра, а раздавай людям.

СЛОВО ДАНИИЛА ЗАТОЧНИКА

Паволока, расшитая разноцветными шелками, красоту свою показывает; так и ты, княже, множеством своей челяди честен и славен во всех странах являешься. Некогда ведь похвалился царь Иезекииль перед послами царя вавилонского и показал им множество злата и серебра; они же сказали: «Наш царь богаче тебя не множеством золота, но множеством воинов; ибо воины золото добудут, а золотом воинов не добыть». Как сказал князь Святослав, сын Ольгин, когда шёл на Царьград с небольшою дружиною: «Братья! нам ли от этого города погибнуть или городу от нас быть пленену?» Как Бог повелит, так и будет; погонит один сто, а от ста побегут тысячи. Тот, кто надеется на Господа, не дрогнет вовек, как гора Сион.

Славно за бугром коней пасти, так и в войске хорошего князя воевать. Часто из-за беспорядка полки погибают. Видел: огромный зверь, а головы не имеет, так и многие полки без хорошего князя.

Гусли ведь настраиваются перстами, а тело крепится жилами; дуб силён множеством корней, так и град наш — твоим управлением.

Ибо щедрый князь — отец многим слугам: многие ведь оставляют отца и матерь и к нему приходят. Хорошему господину служа, дослужиться свободы, а злому господину служа, дослужиться ещё большего рабства. Ибо щедрый князь — как река, текущая без берегов через дубравы, поит не только людей, но и зверей; а скупой князь — как река в берегах, а берега каменные: нельзя ни самому напиться, ни коня напоить. Боярин щедрый — как колодезь с пресной водой при дороге: многих напаивает; а боярин скупой — как колодезь солёный.

Не имей себе двора близ царёва двора и не держи села близ княжого села: ибо тиун его — как огонь, на осине разожжённый, а рядовичи его — что искры. Если от огня и устережёшься, то от искр не сможешь устеречься и одежду прожжёшь.

Господине мой! Не лиши хлеба нищего мудрого, не вознеси до облак глупого богатого. Ибо нищий мудрый — что золото в грязном сосуде, а богатый разодетый да глупый — что шёлковая подушка, соломой набитая.

Господине мой! Не смотри на внешность мою, но посмотри, каков я внутри. Я, господине, хоть одеянием и скуден, но разумом обилен; юн возраст имею, а стар смысл во мне. Мыслию бы парил, как орёл в воздухе.

Но поставь сосуд гончарный под капельницу языка моего, да накаплет тебе слаще мёду слова уст моих. Как Давид сказал: «Сладки слова твои, лучше мёда они устам моим». Ибо и Соломон сказал: «Слова добрые сладостью напояют душу, покрывает же печаль сердце безумного».

281

Ибо мудрого мужа посылай — и мало ему объясняй, а глупого посылай — и сам вслед не ленись пойти. Очи мудрых желают блага, а глупого — пира в доме. Лучше слушать спор умных, нежели совета глупых. Наставь премудрого, и он еще мудрее станет.

Не сей на межах жита, ни мудрости в сердцах глупых. Ибо глупых не сеют, не жнут, ни в житницу не собирают, но сами себя родят. Как в дырявые меха лить, так и глупого учить; ибо псам и свиньям не нужно

Царь Соломон, держащий в руках изображение Храма. Икона из пророческого ряда церкви Преображения, Кижи, XVIII в.

СЛОВО ДАНИИЛА ЗАТОЧНИКА

ни золота, ни серебра, а глупому — мудрых слов; мертвеца не рассмешишь, а глупого не научишь. Коли пожрёт синица орла, коли поплывёт камень по воде и коли начнёт свинья на белку лаять, тогда и глупый уму научится.

Неужели скажешь мне: от глупости всё мне это наговорил? Не видел ты неба холстяного, ни звёзд из лучинок, ни глупого, говорящего мудро. Неужели скажешь мне: солгал как пёс? Но хорошего пса князья и бояре любят. Неужели скажешь мне: солгал как вор? Если бы украсть умел, то к тебе бы и не взывал. Девица ведь губит красоту свою прелюбодейством, а муж своё мужество — воровством.

Господине мой! Ведь не море топит корабли, но ветры; не огонь раскаляет железо, но поддувание мехами; так и князь не сам впадает в ошибку, но советчики его вводят. С хорошим советчиком совещаясь, князь высокого стола добудет, а с дурным советчиком и меньшего лишён будет.

Говорится ведь в мирских пословицах: ни скот в скотах коза, ни зверь в зверях ёж, ни рыба в рыбах рак, ни птица в птицах нетопырь, ни муж в мужах, если над ним жена властвует, ни жена в жёнах, если от своего мужа прелюбодействует, ни работа в работах — для жёнок повоз возить.

Дивней дивного, кто в жёны возьмет уродину прибытка ради.

Видел жену безобразную, приникнувшую к зеркалу и мажущуюся румянами, и сказал ей: «Не смотрись в зеркало — увидишь безобразие лица своего и ещё больше обозлишься».

Неужели скажешь мне: «Женись у богатого тестя, чести ради великой; у него пей и ешь»? Лучше бы уж мне вола бурого ввести в дом свой, чем злую жену взять: вол ведь не говорит, ни зла не замышляет, а злая жена, когда её бьёшь, бесится, а когда кроток с ней — заносится, в богатстве гордой становится, а в бедности других злословит.

Что такое жена злая? Торговка плутоватая, кощунница бесовская. Что такое жена злая? Людская смута, ослепление уму, заводила всякой злобе, в церкви сборщица дани для беса, защитница греха, заграда от спасения.

Если какой муж смотрит на красоту жены своей и на ее ласковые и льстивые слова, а дел ее не проверяет, то дай Бог ему лихорадкою болеть, и да будет он проклят.

Вот и распознайте, братия, злую жену. Говорит она мужу своему: «Господине мой и свет очей моих! Я на тебя и взглянуть не могу: когда говоришь со мной, тогда смотрю на тебя, и обмираю, и слабеют все члены тела моего, и падаю на землю».

Послушайте, жены, слова апостола Павла: крест — глава церкви, а муж — жене своей. Жены, стойте же в церкви и молитесь Богу и святой

Богородице; а чему хотите учиться, то учитесь дома у своих мужей. А вы, мужья, в законе храните жен своих, ибо нелегко найти хорошую жену.

Хорошая жена — венец мужу своему и беспечалие, а злая жена — горе лютое и разорение дому. Червь дерево точит, а злая жена дом своего мужа истощает. Лучше в дырявой ладье плыть, нежели злой жене тайны поведать: дырявая ладья одежду замочит, а злая жена всю жизнь мужа своего погубит. Лучше камень бить, нежели злую жену учить; железо переплавишь, а злой жены не научишь.

Ибо злая жена ни ученья не слушает, ни священника не чтит, ни Бога не боится, ни людей не стыдится, но всех укоряет и всех осуждает.

Что злее льва среди четвероногих и что лютее змеи среди ползающих по земле? Всех тех злее злая жена. Нет на земле ничего лютее женской злобы. Из-за жены прадед наш Адам из рая был изгнан; из-за жены Иосиф Прекрасный в темницу был заключен, из-за жены пророка Даниила в ров ввергли, где львы ему ноги лизали. О, злое, острое оружие дьявола и стрела, летящая с ядом!

У некоего человека умерла жена, он же по смерти ее начал продавать детей. И люди сказали ему: «Зачем детей продаешь?» Он же ответил: «Если родились они в мать, то, как подрастут, меня самого продадут».

Но вернемся к прежнему. Я, княже, ни за море не ездил, ни у философов не учился, но был как пчела — припадая к разным цветам и собирая мед в соты; так и я по многим книгам собирал сладость слов и смысл их и собрал, как в мех воды морские.

Скажу не много еще. Не запрещай глупому глупость его, да не уподобишься сам ему. Не стану с ним много говорить. Да не буду как мех дырявый, роняя богатство в руки неимущих; да не уподоблюсь жерновам, ибо те многих людей насыщают, а сами себя не могут насытить житом; да не окажусь ненавистным миру многословною своею беседою, подобно птице, частящей свои песни, которую вскоре же ненавидеть начинают. Ибо говорится в мирских пословицах: длинная речь не хороша, хороша длинная паволока.

284

Господи! Дай же князю нашему силу Самсона, храбрость Александра, разум Иосифа, мудрость Соломона, искусность Давида, и умножь, Господи, всех людей под пятою его. Богу нашему слава, и ныне, и присно, и вовеки.

Содержание

Литературно-художественное издание

**Библиотека проекта Бориса Акунина
«История Российского государства»**

16+

ГОЛОСА ВРЕМЕНИ
Сборник

Редакционно-издательская группа «Жанры»

Зав. группой *М.С. Сергеева*
Ответственный за выпуск *Т.Н. Захарова*
Редактор-составитель *О.В. Климова*
Бильд-редактор *О.С. Блинова*
Компьютерная верстка *С.Б. Клещёв*

Общероссийский классификатор продукции
ОК-005-93, том 2; 953000 — книги, брошюры

Подписано в печать 20.02.15 г.
Формат 70×100 $^1/_{16}$. Усл. печ. л. 23,22.
Доп. тираж 7000 экз. Заказ № ВЗК-01135-15.

ООО «Издательство АСТ»
129085, г. Москва, Звездный бульвар,
д. 21, стр. 3, комн. 5

"Баспа Аста" деген ООО
129085 г. Мәскеу, жұлдызды гүлзар, д. 21, 3 құрылым, 5 бөлме
Біздің электрондық мекенжайымыз: www.ast.ru
E-mail: astpub@aha.ru

Қазақстан Республикасында дистрибьютор және өнім бойынша арыз-талап-
тарды қабылдаушының өкілі «РДЦ-Алматы» ЖШС, Алматы қ., Домбровский
көш., 3«а», литер Б, офис 1.
Тел.: 8(727) 2 51 59 89,90,91,92, факс: 8 (727) 251 58 12 вн. 107; E-mail:
RDC-Almaty@eksmo.kz
Өнімнің жарамдылық мерзімі шектелмеген.

Өндірген мемлекет: Ресей
Сертификация қарастырылмаған

Отпечатано с готового электронного оригинал-макета
в ОАО «Первая Образцовая типография», филиал «Дом печати — ВЯТКА».
610033, г. Киров, ул. Московская, 122.

Новый проект Бориса Акунина
"История Российского государства" -
это не только документальное изложение
исторических событий, но еще и серия
художественных произведений о жизни наших
предков, тысячелетняя сага о судьбе одного
российского рода.
Читайте первую книгу саги!

Огненный перст